ACADEMIA DE BESTIAS

Volkai Institute I

LUCY MACRAE

Portada: Isabelle Däröste

Editor: Tamara Zarewsky

Mapa: Chaim Holtjer

Nota de la Autora

Publiqué el primer capítulo de Academia de Bestias, formalmente conocida como Academia de Dragones, en Wattpad, el 12 de noviembre del 2014.

Tenía 15 años.

Esta historia y los miles de lectores que han seguido y apoyado mi progreso durante todos estos años son la razón por la que estoy aquí hoy, cumpliendo mis sueños.

Sin vosotros, me habría rendido hace tiempo.

Gracias.

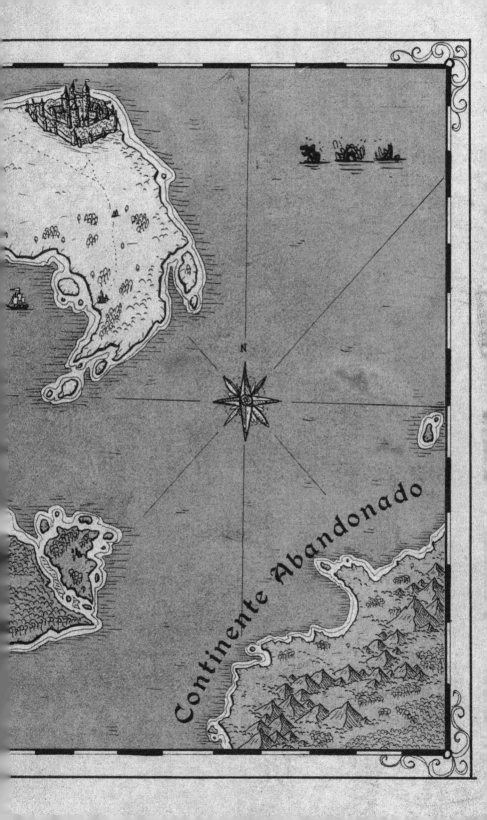

Prólogo

L
a niña se había despertado en el banco de un parque, un lugar caluroso y libre de personas. No recordaba nada, ni cómo había llegado hasta allí, ni quien era.

Se quedó en aquel banco hasta que el cielo comenzó a teñirse de morados y azules oscuros, pues tenía miedo de que, si se iba, quien fuese que la había dejado allí volvería a por ella solo para no encontrarla.

A altas horas de la noche, un hombre en armadura dorada apareció ante ella. Después de que la niña no pudiese responder ninguna pregunta sobre quién era y dónde estaban sus padres, el guardia la llevó al Palacio del Cielo: un castillo de cristal escondido en las nubes.

Caminaron juntos por los pasillos del palacio, hasta un vestíbulo donde el guardia la dejó, diciéndole que esperase en silencio. Se sentó en el suelo, frente a un ventanal que se alzaba hasta el techo, tan alto que los dibujos de dragones pintados en la bóveda eran más pequeños que sus uñas. El tiempo pasó; mientras, la niña intentaba controlar las ganas de levantarse e ir a investigar más allá de aquella sala, probablemente lo hubiese hecho si no se encontrase tan desorientada. Cuanto más tiempo esperaba, más rápido latía su corazón.

La puerta se abrió, perturbando el silencio que había caído como un manto sobre el lugar. Una mujer joven se asomó. Pero se detuvo para hablarle a alguien del otro lado de la puerta antes de entrar y cerrarla. Sus ojos almendrados, oscuros como el carbón, se pararon sobre la niña, una sonrisa iluminaba su rostro. Era alta, con el pelo negro hasta la cintura y un rostro delicado. Llevaba un vestido azul oscuro de corte angular, bordado con detalles plateados que descendían hasta el suelo, moldeando su figura.

—No es común ver a niños por aquí —dijo con voz suave y baja, respetando la mudez de la sala. La niña no pudo evitar pensar que aquella mujer brillaba, acompañada por la luz de la luna y las antorchas, postradas a cada lado de la entrada—. ¿Cómo te llamas, pequeña?

—No lo sé —respondió ella, con tono de disculpa.

—¿Y eso?

—No me acuerdo.

—Todo el mundo tiene un nombre, sobre todo una niña tan preciosa como tú. —La pequeña no respondió al halago. Tal vez porque se encontraba demasiado fuera de lugar en aquel palacio o porque no sabía en quién confiar—. ¿Qué te parece «Chi»?

—¿Chi? —repitió ella.

—Es un buen nombre, ¿no crees? —La mujer cerró la distancia que las separaba y se acuclilló frente a la niña que seguía sentada en el suelo. Alzó una mano y le acarició el pelo de un rubí intenso—. Solo si tú lo quieres.

—¿Cuál es tu nombre? —le preguntó Chi a la dama.

—Hikami.

Por la misma puerta por la que había aparecido Hikami entraron dos guardias. Tras ellos, una mujer de expresión molesta, tal vez porque la habían tenido que despertar para atender la situación.

Chi pensó que no parecía tan amable como Hikami, ni tan guapa.

—Mi señora... —dijo la mujer, inclinando la cabeza y forzando una sonrisa. Hikami se irguió y comenzó a alejarse, mirando a la mujer—. El Presidente la espera.

—Ese hombre necesita aprender qué es la paciencia. —Su tono ya no era suave ni amable.

Hikami caminó con lentitud hasta la puerta y se volvió para observar a Chi, que estaba demasiado distraída mirando a Dabria como para darse cuenta de que no se había marchado todavía. Sus grandes ojos rojos buscaban algo en la mujer, algo que no parecía encontrar. Algún retazo de amabilidad.

No se levantó del suelo y eso a Hikami le hizo gracia.

—Toma. —Le tendió una carta a la niña, de forma brusca e impaciente. La mujer tenía aspecto de secretaria, una cansada y desagradable: de ceño fruncido y arrugas en la comisura de la boca. Chi sostuvo el papel, mirando las letras y dibujos que adornaban su superficie rugosa, sin entender lo que significaban. La mujer soltó un suspiro largo y exasperado—. Aquí dice que como no tenemos ningún documento so-

3

bre quién eres o de donde vienes, y que tu nuevo nombre es Kenra. —Chi alzó la vista y se encontró con la mirada de Hikami, la cual aguardaba en la puerta con los brazos cruzados sobre el pecho. Le guiñó el ojo, pues ahora compartían un secreto. Su nombre no era Kenra, sino Chi—. Escoltadla hasta el Sector del Sigilo —ordenó la mujer a los dos guardias que habían llegado con ella.

Uno de ellos tenía el pelo castaño oscuro, como la madera mojada. El otro lo tenía de color ceniza a pesar de que su rostro se veía joven, muy joven.

—Si me haces el honor de acompañarme, Kenra —dijo el guardia del pelo gris, con voz cálida y divertida, mientras la cogía de la mano. Chi se levantó del suelo y dejó que el guardia la guiase.

Al pasar al lado de Hikami ella susurró:

—Nos veremos pronto, Chi.

La niña ladeó el rostro para mirar a la mujer mientras se alejaban. Se estaba despidiendo con la mano.

—¿Por qué te han asignado un nuevo nombre? —dijo el guardia que sostenía la mano de Chi después de unos minutos de silencio—. ¿No te gustaba el antiguo?

La niña se encogió de hombros y los dos guardias cruzaron miradas curiosas.

—Bueno, Kenra es un nombre muy bonito... —El guardia del pelo ceniza dejó la frase colgando, mientras observaba a la niña—. Me llamo Jack.

—Estaría bien que te aprendas el camino de vuelta a tu sector desde el palacio, así que vuela detrás de nosotros y presta atención —dijo el guardia de pelo castaño, cambiando el tema de conversación.

—¿Volar? —preguntó Chi. Se mordió el labio. El guardia de armadura dorada le había dicho algo parecido y no habían tardado en darse cuenta de que la niña era incapaz de hacer crecer sus alas... o de utilizar cualquier tipo de magia. Había tenido que traerla al palacio en brazos.—. No puedo volar.

—¿A qué te refieres con que no puedes volar? —preguntó. Él era más brusco que su compañero, pero no parecía mala persona, o al menos eso pensaba Chi—. ¿No puedes transformarte?

—Rax, tal vez su magia no se ha manifestado todavía —comentó Jack, revelando el nombre del segundo guardia.

—Yo... no tengo magia —dijo Chi, mientras se miraba las manos.

—¿Acaso eso es posible? —preguntó Rax, volviéndose a su amigo. Ninguno de ellos había escuchado jamás de un Volkai sin magia, incapaz de transformarse en un dragón—. Y si no tienes magia, ¿Cómo es posible que estés aquí, en la Academia?

Chi no supo qué contestar. No comprendía del todo dónde se encontraba, ni lo que significaba no poder transformarse o no tener magia.

—Bueno, no te preocupes, princesa —comenzó Jack, mientras le daba un ligero apretón a su mano—. Estoy seguro de que todo se resolverá.

—Nosotros te bajaremos hasta tu sector —añadió Rax, cogiendo la mano libre de Chi por primera vez. El hombre no sonrió, pero la brusquedad en su voz había desaparecido—. ¿Cuál era tu nombre? ¿Kenra?

La niña negó con la cabeza.

—Chi, llámame Chi.

Capítulo 1

Diez años después.

—**B**ien, *ahora que los equipos están* hechos podemos empezar —dijo la instructora Ransa, mientras hacía un gesto hacia el almacén a su espalda—. Este es vuestro primer examen del segundo ciclo, recordad todo lo que habéis aprendido durante vuestros años de teórica y el tiempo que lleváis entrenando... ya hace unos cuantos meses desde que empezasteis vuestro primer año de entrenamiento práctico, así que no podéis actuar como catetos que no saben correr sin tropezar, ¿Entendido?

—¡Entendido! —gritaron en respuesta los treinta alumnos.

—El objetivo del ejercicio es capturar la copa del otro equipo y ponerla en vuestro pedestal. Estaré evaluando vuestra capacidad como alumnos del Sector del Sigilo: estrategia, sigilo, astucia y mil otras cosas que ya deberías saber, ¿entendido?

—¡Entendido!

—Tenéis cinco minutos para asumir posiciones y planear vuestra estrategia.

Ransa dio dos palmadas antes de que los estudiantes se dividiesen en dos grupos y entrasen en el pabellón por una de las puertas laterales. El edificio, que era como una caja rectangular gigante, era uno de muchos en el Sector del Sigilo que se utilizaban como zona de entrenamiento.

Cada grupo fue en direcciones opuestas.

Chi se mantuvo en la parte trasera de su equipo, deseando que el día acabase para poder volver a casa. Entraron en una sala de techos altos y ventanas rotas, con las paredes de cemento marcadas por años de estudiantes entrenando y un eco ensordecedor.

—Oye, paria —la llamó Landom. Chi alzó los ojos hasta el chico, rodeado por sus compañeros que la miraban con emociones que iban desde el asco hasta la indiferencia—. ¿Por qué no te quedas en la base? No quiero perder por tu culpa.

—No eres el único —comentó otra alumna.

La alarma anunciando el final de los cinco minutos resonó, dando comienzo al examen.

Landom fue el primero en transformarse en un dragón del color de la arena de la playa. Con un rugido, el resto de los estudiantes se transformaron y le siguieron sin cuestionar la estrategia.

Solo hubo una chica que se quedó atrás, mirándola con el ceño fruncido. Chi le devolvió el gesto con sus ojos rojos de reptil, los cuales parecieron perturbarla, pues sintió la necesidad de explicarse.

—Yo tampoco quiero perder —dijo con brusquedad, mientras se frotaba las manos contra su pantalón—. Así que me voy a quedar a defender. Tú solo... siéntate —continuó, bajando la voz cada vez más, hasta que no fue más que un susurro. Parecía estar incómoda, realmente incómoda. Y Chi no podía culparla.

Cualquiera se sentiría así alrededor de alguien como ella, alguien diferente.

Se miraron largo y tendido, hasta que la chica no pudo soportarlo más.

—¿Sabes qué? Puedes hacer lo que quieras... um...

—Kenra —dijo Chi—. Me llamo Kenra.

—Claro, eso ya lo sabía —dijo ella, cruzándose de brazos—. Mi nombre es Mara.

—Encantada —respondió Chi, con una sonrisa discreta.

El silencio continuó hasta que un plan comenzó a formarse en la mente de la chica. Sabía que si Landom todavía no había vuelto eso significaba que su estrategia de atacar de frente no había funcionado. Normalmente, eso no le molestaría, ya que Chi era notoria por suspender cada prueba y examen a propósito, pero ahora se sentía culpable. Mara también perdería si no hacían algo.

—No sé tú, pero hoy no me apetece suspender este examen —dijo Chi, intentando crear la ilusión de que lo estaba haciendo por sí misma, y no por su compañera.

Se volvió hacia unas cajas amontonadas en una esquina del almacén, llenas de cuerdas y trampas puntiagudas.

Del otro lado del pabellón, el equipo enemigo había terminado de emboscar a Landom y su equipo. Una Volkai, de cuerpo blanco, largo y liso, les inmovilizó contra las paredes de la base enemiga, antes de emprender su camino hasta la sala donde se encontraban Chi y Mara.

Nadie se molestó en contar el número de Volkai que les habían atacado, por lo que no sospecharon de las dos chicas que seguían libres del otro lado del edificio.

Chi dejó escapar un pequeño suspiro mientras Mara salía del agujero en el suelo. Chi colocó la tapa de la alcantarilla de vuelta en su sitio y dejó que su compañera la sellase con su aliento de fuego.

—Les oigo venir —anunció Chi. También podía escuchar con bastante claridad los gritos de su equipo y no pudo evitar preguntarse qué les habían hecho.

—He terminado. —Mara se levantó y sacudió el polvo de sus pantalones negros—. Ha sido una buena idea esconder la copa ahí abajo, jamás podrán encontrarla a tiempo.

—Gracias.

—Solo tenemos que ir a su base, coger su copa y traerla aquí, pero... ¿Cómo vamos a poner su copa en nuestro pedestal si nuestra base está invadida por el equipo enemigo?

—¿Ves ese conducto de ventilación? —preguntó Chi, señalando uno que se encontraba a su altura—. Está pensado para entrar y salir de la sala, por eso no está en el techo como el resto del sistema de ventilación. Nos podemos mover por todo el edificio sin ser detectadas. Nos llevará directamente a la base enemiga y de vuelta; solo tenemos que taparla para que no la vean y rezar para que ellos no sepan que existe.

Chi rebuscó dentro de la caja de materiales hasta encontrar un trozo de tela del mismo color grisáceo de las paredes.

—¿Puedes arañar la pared?

Mara asintió, transformando su mano en una garra de dragón. Pasó las uñas por encima del conducto de ventilación hasta que esta estuvo lo suficientemente áspera como para que la tela se quedase enganchada, tapando la rejilla.

—Buena idea —murmuró Mara. Lo único que había hecho era seguir las instrucciones de Chi y lo cierto era que estaba sorprendida. Siempre había pensado que Kenra era una inútil, incapaz de pasar ninguna clase, pero obviamente no era el caso.

Chi arrastró el pedestal de piedra, sin esfuerzo, hasta ponerlo debajo de la tela. Se subió y entró por el conducto de ventilación a gatas.

Mara la siguió, asegurándose de que la tela estuviese bien enganchada a su espalda. Avanzaron unos metros hasta que Chi se detuvo frente a una de las salidas que daba directamente al pasillo por el que se entraba a su base.

Se quedó quieta frente a la rejilla, sosteniendo el aliento, y esperó. Pronto, quince dragones volaron por la puerta de la base de forma atropellada. Cuando todos estaban dentro, Chi salió, con Mara pisándole los talones.

Ambas tiraron de unas cuerdas que habían dejado colgando de un juego de poleas tan rápido como pudieron, levantando una placa de acero del suelo hasta que la puerta de la base quedó bloqueada. Ataron las cuerdas a unas manijas de metal incrustadas a las paredes antes de dar un paso atrás y admirar su trabajo.

Todo aquello era parte del examen, herramientas diseñadas para trazar estrategias que nadie aparte de Chi había notado.

Mara se puso las manos sobre las rodillas jadeando. Alzó los ojos hasta Chi, preguntándose cómo era posible que no hubiese perdido el aliento.

—¿No estás cansada?

—¿Yo? —preguntó Chi. Alguien golpeó el acero desde el otro lado de la puerta, haciendo que las paredes vibrasen—. No —dijo aquello con una sonrisa, como si supiese algo que Mara no sabía—. ¿Puedes soldar los bordes? Estas cosas no parecen muy estables —comentó, mientras examinaba las manijas.

—Sí —gruñó ella, mientras se erguía—. Apártate —ordenó antes de transformarse en un dragón de escamas rojas y aspecto amenazante. Acercó el hocico hasta los bordes del metal y respiró. El calor de su aliento sin llamas fue suficiente para derretir el acero y que este soldara la pared.

Chi entró en el conducto de ventilación después de que Mara volviese a su forma Volkai.

—¿Por qué no hemos ido por los pasillos?

—Por si acaso han dejado trampas. Nosotras somos las únicas que quedamos, si nos atrapan perderemos —respondió Chi sin detenerse.

—Cierto...

Chi no pudo evitar sonreír, no le daban la razón a menudo. Después de unos minutos gateando por la ventilación, llegaron hasta la base enemiga. Chi fue la primera en volver a pisar el suelo, con Mara a su espalda. Vieron a sus compañeros pegados a las paredes gracias a las telarañas de Isis, la Volkai Araña, una de las alumnas más temidas de su promoción.

11

La joven se volvió hacia el conducto de ventilación, intentando aguantarse las ganas de reír ante la escena.

—¿Qué haces aquí, Kenra? —ladró Landom, inmovilizado contra una de las paredes—. ¿Eres tan cobarde que has huido de tu propia base?

Mara salió de la ventilación con el ceño fruncido, molesta por las palabras de su compañero.

—¿Cómo les soltamos? —preguntó Chi—. ¿Crees que esa cosa sea inflamable?

—No vamos a ayudarles —sentenció Mara, negando con la cabeza—. No se lo merecen. Además, lo más probable es que nos hagan perder si les dejamos libres —continuó, alzando la voz para que el resto de sus compañeros pudiesen escucharla. Chi pensó que tal vez lo decía porque se habían dejado capturar. Era cierto que ambas habían terminado en el grupo más... *impulsivo* y que probablemente no harían más que dar problemas.

Pero esa no era la razón por la que Mara estaba enfadada.

Chi comenzó a caminar hacia la copa, sobre el pedestal en el centro de la sala, con el pelo ondeando a su espalda como una cortina de seda roja.

—¡Mara! —exclamó Landom, retorciéndose en un intento fallido por liberarse al ver que ninguna de las dos parecía dispuesta a ayudarle—. ¿En serio? —ella se limitó a ignorarle mientras seguía a Chi, que era lo que llevaba haciendo durante todo el examen. Seguirla y hacer lo que le dijese. Era realmente sorprendente lo mal que la había juzgado solo por aceptar el hecho de que todos los alumnos del Sector la trataban como una paria.

—¿Ahora te juntas con el engendro? —gritó una chica. Chi alzó la mirada para encontrarse con la de ella, nublada con furia. No debía de sentarle bien estar colgada del techo.

Mara observó perpleja como Chi ignoraba el comentario y seguía caminando, como si no le afectase lo más mínimo.

—¡Es una inútil! ¡Si perdemos será por su culpa! —Chi observó cómo su compañera se detenía para volverse hacia la chica que acababa de hablar. Se encontraba peligrosamente cerca de Mara, a la cual le brillaban los ojos con irritación.

Mara cerró la distancia entre ella y la chica pegada a la pared. Le puso una mano alrededor del cuello, alzándole la barbilla hasta que no tuvo más remedio que mirarla a los ojos.

—Repite lo que acabas de decir —siseó Mara, con la garganta en llamas a medida que perdía la paciencia.

—Es una inútil —repitió entre jadeos. Mara abrió la boca, respirando en la cara de la chica.

—Repítelo —insistió, con una voz gutural. Pequeñas columnas de humo escaparon de la comisura de los labios de Mara al respirar. La chica intentó sacudir la cabeza para apartarse, en vano. Sus ojos se llenaron de lágrimas.

—Mara... —comenzó Chi.

—¡Quema! —chillo la chica, agudizando la voz—. ¡Me estás quemando! —Mara continuó respirándole en la cara, calentando su aliento cada vez más—. ¡Lo siento, lo siento, lo retiro!

Mara se alejó de la chica, carraspeando. Le dio una última mirada de advertencia, mientras sus compañeros la observaban estupefactos, antes de acercarse a Chi.

—No tenías por qué hacer eso —dijo, mirando a la chica de reojo, que lloraba en silencio con la cara enrojecida.

—Me toca la moral que digan estupideces —admitió Mara—. Sobre todo ahora que sé que no son ciertas.

Chi no supo qué contestar, por lo que se limitó a coger la copa del podio y volver a los conductos de ventilación.

—Kenra... como te marches sin soltarme, juro por los espíritus que... —comenzó Landom.

—¿Que qué? —le interrumpió Mara, plantando los pies—. ¿Qué vas a hacer? ¿Eh? —Landom tensó la mandíbula mientras la miraba, encolerizado—. Sigues sin poder ganarme en una pelea, así que dudo mucho que vayas a hacer algo.

—Mara, ya hemos perdido suficiente tiempo. —La instó Chi, poniéndose nerviosa ante las palabras de la chica. No necesitaba ayuda haciendo que sus compañeros le pusiesen una diana en la espalda.

Chi sabía que gracias a aquel numerito tendría que aguantar a Landom más tarde, por lo que ignoró sus gritos al meterse en la ventilación, con Mara pisándole los talones.

—No hagas ningún ruido —susurró, minutos después—. Si nos oyen estamos perdidas.

—No te preocupes.

Avanzaron por los conductos despacio y en silencio, hasta que dejaron de escuchar los berreos de Landom.

Chi llevaba la copa entre los dientes, para que no chocase contra las paredes de metal que la rodeaban. Los latidos de su corazón y el de Mara retumbaban en sus oídos. Hasta sus respiraciones resultaban estruendosas.

Era la primera vez, que podía recordar, que estaba intentando ganar algo, cualquier cosa, y no podía conseguir que sus manos dejasen de temblar como hojas.

Cuando por fin llegaron hasta la tela gris, la base estaba en silencio. Chi podía escuchar los corazones de los alumnos, sus respiraciones, pero por algún motivo no parecían estar moviéndose. La joven volvió para mirar a Mara, que se encogió de hombros sin comprender lo que estaba ocurriendo.

Sin poder hacer nada más que continuar con el plan, Chi cogió la copa con una mano y con la otra movió la tela.

Un grito escapó de sus labios cuando encontró una cara a centímetros de la suya.

Un chico le sonrió, de forma siniestra. La agarró del brazo y tiró de ella con fuerza, arrastrándola fuera del conducto de ventilación.

Chi se vio rodeada por todo el equipo enemigo y su corazón se encogió en su pecho. Aquel segundo transcurrió con semejante lentitud, que tuvo tiempo de registrar cada una de las expresiones en los rostros de sus compañeros.

Expresiones de burla.

No lo pensó dos veces y lanzó la copa hacia atrás con su mano libre. Instantes después sonó una bocina. Chi se dio la vuelta y vio a Mara sosteniendo la copa sobre el pedestal, con los ojos abiertos como platos.

—Kenra... lo hemos conseguido —susurró.

El chico que había estado agarrando su muñeca la soltó con brusquedad y la nariz arrugada con asco.

Después de que Ransa y un par de ayudantes liberasen al resto de los estudiantes, lo primero que hicieron fue lanzarse sobre Mara para felicitarla y aplaudir en enhorabuena antes de ponerse en una fila.

Ransa entró por la puerta, con los otros instructores que habían estado presenciando el examen. Tenían el ceño profundamente fruncido.

—Antes de nada, mis felicitaciones a Kenra y a Mara, habéis hecho un gran trabajo —dijo la instructora. Tenía el pelo oscuro y la piel de color café claro. Tenía fama de tirana en el Sector, pero a Chi le resultaba agradable—. Ahora, y esto va para el resto del equipo ganador, ¡¿Qué demonios entendéis cuando escucháis la palabra *sigilo*?! —les gritó a todo pulmón—. ¡Este Sector fue creado para los alumnos de Sabiduría, a los que les gustaba ensuciarse las manos, y para los alumnos de Lucha a los cuales les daba la cabeza para algo más que la violencia! —Caminó hasta Landom, acercando la cara hasta que estuvo a centímetros de la del alumno, obligándole a apartar la mirada—. ¡No para niñatos sin cerebro suficiente como para cortar un limón sin salpicarse los ojos! —Landom apretó los dientes, sin alzar la mirada. Ransa se alejó y caminó hasta la chica que había estado colgada del techo, colocándole un dedo en la frente—. ¡Ni para las niñas que solo saben seguir al imbécil más ruidoso! —Se alejó de la fila—. Ya no se os permite seguir siendo niños. Tenéis que crecer y comenzar a utilizar la cosa que cargáis sobre los hombros. —Cerró los ojos y respiró hondo, mientras se masajeaba el puente de la nariz—. Pensé que a estas alturas seríais capaces de más. Si seguís así nadie de esta clase llegará hasta el Torneo, o a ningún sitio ya para el caso.

A pesar de que todos los alumnos la estaban mirando, los ojos de la instructora estaban fijos en los de Chi. La mujer no pudo evitar sentir culpa.

—Volved a vuestros dormitorios, mañana será un día especial —dijo uno de los otros instructores, colocando una mano sobre el hombro de Ransa, los cuales se habían hundido con derrota.

La mujer inspiró con fuerza, antes de alzar la mirada.

Buscó a Chi, queriendo hablar con ella en privado, pero ya se había esfumado.

Capítulo 2

ada sector en la Academia era diferente, tanto en sus enseñanzas como en su diseño. En el Sector del Sigilo, por ejemplo, todo estaba segado de construcciones y edificios vacíos, los cuales se utilizaban como zonas de entrenamiento. La casa de Chi se encontraba a las afueras del sector, cerca del muro que lindaba con la Zona Central. La mayoría de los alumnos vivían en los dormitorios del Sector, pero gracias a Hikami nadie cuestionaba la razón por la que Chi tenía casa propia.

Después de ser asignada al Sector del Sigilo y recibir su nombre, Hikami puso a Jack y Rax a cargo de cuidarla. Fueron ellos los que encontraron la casa de madera que Chi llamaba hogar.

Dejó escapar un suspiro. No podía parar de pensar en el examen y en lo mucho que se arrepentía de haber querido ganar. Se había dejado llevar, ¿y para qué? ¿Para impresionar a

Mara? No. Lo cierto era que había sentido culpa, porque sabía que si Mara suspendía el examen lo haría porque Chi había decidido no ayudar.

Pero, después de tantos años de esfuerzo y de burlas por parte de sus compañeros, por fin había demostrado lo que sus instructores sospechaban desde hacía años, que no era una inútil, que no era estúpida o débil. Jamás la expulsarían de la Academia. Tendría que aguantar más años de tortura en aquel infierno, sin saber qué había más allá del océano que les rodeaba.

La Academia, la escuela para los jóvenes Volkai más prometedores y dotados de las tres naciones, se encontraba en una isla en medio del océano, completamente aislada del resto del mundo.

En aquellos momentos Chi se encontraba tan ocupada regañándose a sí misma, que no vio la figura que se acercaba por detrás. No fue hasta que el chico estuvo a un par de metros de ella, que escuchó sus pisadas y el rápido latir de su corazón. Chi se dio la vuelta, solo para ser recibida por un puñetazo en el estómago.

Trastabilló hacia atrás, perdiendo el aliento. Tuvo tiempo de alzar los ojos hasta el rostro del Landom antes de que este la embistiese, empujándola colina abajo. Chi rodó por la hierba varias veces antes de conseguir detenerse, pero él ya estaba allí. Le dio una patada en el estómago, manteniéndola en el suelo, antes de sentarse sobre ella.

—¿Landom...?

—¿De verdad crees que puedes ir por ahí poniéndome en ridículo? —gruñó, mientras forcejeaba con ella. Chi dejó que le sujetase las muñecas sobre la cabeza, sin querer que la situación empeorase—. ¿Pensabas que no iba a haber consecuencias?

—Solo estaba intentando que no perdiésemos —respondió ella, con voz entrecortada.

Examinó sus alrededores con ojos desesperados.

Estaban solos.

Era la primera vez que Landom iba a por ella sin el apoyo de sus compañeros, y no sabía si eso era bueno o malo. El chico sostuvo las muñecas de Chi con una sola mano, mientras que con la otra le sujetaba el rostro, obligándola a mirarle.

—¿Por qué eres tan estúpida? —preguntó como si de verdad estuviese esperando una respuesta. Su mandíbula estaba tan tensa que sus dientes prácticamente rechinaban al hablar—. ¿Por qué no solo abandonas? ¿Por qué no te vas?

Chi supo al mirarle a los ojos que no iba a poder razonar con él. Nunca había podido hacerlo. El resentimiento que Landom sentía hacia ella no era ni lógico ni fundado. Cuando algo no le iba bien, de una forma u otra, ella siempre tenía la culpa. Fue por eso por lo que dejó de pretender que Landom tenía la fuerza necesaria para retenerla.

Liberó las muñecas de su agarre y le abrazó las caderas con las piernas, rodando sobre la hierba hasta estar encima de él. Landom la miró estupefacto, intentando comprender cómo una chica de su tamaño había conseguido moverle sin esfuerzo.

—¿De verdad crees que estoy aquí por voluntad propia? —preguntó ella, sin poder ocultar la irritación en su voz.

Estaba tan cansada.

¿Qué era exactamente lo que el joven pensaba de ella? ¿Qué vivía en la Academia por gusto a pesar del abuso y el acoso que recibía a diario? ¿A pesar de suspender cada clase, cada examen, durante años?

Chi se levantó, pero antes de que pudiese dar un par de pasos para alejarse, Landom le barrió los pies del suelo, tirándola de vuelta sobre la hierba y agarrando su tobillo derecho. Sin pensar, le dio una patada en la cara, zafándose del agarre del joven, que le soltó para taparse el rostro entre gemidos de dolor. Se puso de pie, una vez más, pero esta vez no tardó en apartarse.

—Si alguien me quiere fuera de la Academia más que tú, esa soy yo. No importa cuán malas sean mis notas, ni cuántos exámenes suspenda, no consigo que me dejen salir. Y como castigo tengo que vivir con gente como *tú*...

Chi cerró la boca antes de terminar la frase. Inspiró con fuerza, sofocando cualquier retazo de enfado que hubiese en su interior y observó lo que había hecho.

Le había dado una patada a Landom. En la cara.

Sus ojos se encontraron con los del chico. Esperó verlos nublados de rabia, pero lo único que había en ellos era sorpresa. Le sostuvo la mirada, clara en contraste con su piel bronceada, durante unos segundos eternos.

—Kenra...

Sin decir nada más, ella se dio la vuelta y huyó.

¿Cómo se le ocurría perder los nervios con él? ¿Cómo podía ser tan estúpida?

Landom se quedó en el suelo, observando cómo la melena carmesí de Chi desaparecía entre las sombras del sendero, sin saber qué pensar o qué hacer.

Cuando se levantó por fin, caminó en dirección contraria a ella: hacia los dormitorios, sin dejar de sujetarse la mejilla donde había recibido la patada. Le palpitaba con dolor.

¿Desde cuándo poseía semejante fuerza? ¿Semejante aura?

Después de que los dos alumnos dejasen el lugar, la figura que había estado observando la pelea desde los árboles se movió. Continuó su camino mientras con gusto memorizaba el nombre de aquella chica.

Kenra.

Chi entró en su casa sin aliento. Echó el pestillo de la puerta principal, el de la puerta trasera y los de las ventanas. Corrió todas las cortinas, dejando la casa en penumbras, y cuando ya no hubo nada más que hacer, se deslizó contra una de las paredes hasta quedarse sentada en el suelo.

Estuvo quieta durante unos minutos eternos, escuchando y esperando a que Landom la alcanzase seguido por una muchedumbre de alumnos iracundos.

Dejó escapar un suspiro agudo y desesperado, mientras se pasaba las manos por el pelo, apartándoselo de la cara. Era la primera vez que le plantaba cara y no sabía qué esperar. Con las cosas que le habían hecho en el pasado, sin provocación alguna, no podía hacer nada más que rezarles a los espíritus después de sus acciones.

Rezar por misericordia.

Pasaron horas antes de que la paranoia de Chi menguase y se diese cuenta de que no iban a venir a por ella, al menos no aquella noche. Pero todavía quedaba la ansiedad por el evento del día siguiente. El instructor había dicho que iba a ser un día especial ¿Podría saltárselo? ¿Podría pretender que estaba enferma y esperar a que la ira de Landom se apaciguase? ¿A que se olvidase del encuentro?

Se apretó los ojos con las manos antes de levantarse del suelo y caminar por el pasillo a oscuras. Cuando abrió la puerta de su habitación se tropezó con una caja y trastabilló. Chi frunció el ceño, mientras encendía las velas que descansaban en su mesilla de noche.

Volvió a acercarse a la caja. Sobre ella había una nota de color azul, escrita a mano con una letra pulcra y afilada.

«Cuídate, iré a verte pronto.

Con amor, Hikami».

Chi dejó escapar la primera sonrisa de la tarde, mientras dejaba la nota en el suelo y abría el paquete. Dentro había todo tipo de cremas, tanto para el pelo como para la piel. La joven se tocó la melena de forma ausente, sin darse cuenta de cómo todo el malestar de aquel día se disipaba.

Después de darse un baño y cenar, la joven se metió en su cama, absurdamente grande para ella. Se acurrucó contra las docenas de almohadas que ocupaban el colchón y cerró los ojos.

Capítulo 3

—Ha *vuelto a echar todos los pestillos* —gruñó Rax, mientras soltaba la manija de la puerta, exasperado.

—Me pregunto por qué lo hace —murmuró Jack.

—Quien sabe, no es como si hubiese ladrones dentro de la Academia. —Rax dio un paso hacia la puerta y con un suave movimiento de muñeca, todos los cerrojos se abrieron—. Pero espero que no haya muchos Volkai como yo cerca. ¿Hace cuántos años que empezaron a fabricar cerraduras con diamante y no con metales? Esta casa es prehistórica.

—¿Por qué no cambiamos los cerrojos? —preguntó Jack, empujando a su compañero a un lado para entrar en la casa. Todas las cortinas y contraventanas estaban cerradas, haciendo que la atmósfera se sintiese cargada.

—Porque entonces ya no podríamos entrar. —Caminaron por el pasillo con cuidado de no hacer demasiado ruido.

—Tal vez podríamos hacer copias de la llave —comentó Jack.

El guardia entró en la cocina y se acercó a una de las ventanas. Descorrió las cortinas y la abrió, empezando a airear la casa.

Ambos continuaron su camino hasta la habitación de la joven que todavía dormía profundamente. Jack sonrió antes de lanzarle la bolsa negra que había estado cargando.

Chi dejó escapar un grito ahogado cuando la bolsa le cayó encima, despertándola con brusquedad.

—Por el amor de Shomei —exclamó. La joven no pudo evitar soltar un suspiro de alivio cuando vio a los dos hombres de pie frente a la cama—. ¿Qué estáis haciendo? ¿Qué es esto?

—Un regalo —respondió Jack, mientras observaba como Chi abría la bolsa. Dentro había ropa, desde pantalones y camisetas hasta trajes de una pieza, todos negros y grises.

—Jack —gimió Chi, mirando las prendas—. No necesito más ropa.

—Tonterías, todo lo que tienes está desgastado y cubierto de agujeros.

—Ya, eso es lo que pasa en este Sector...

—De nada —la interrumpió Rax, hablando por primera vez.

—Gracias —murmuró la chica en respuesta, mientras se pasaba las manos por el pelo, peinándoselo—. ¿Y por qué tiene que ser todo tan ajustado? ¿Qué hay de malo con la ropa holgada? Si no fuese porque eres un viejo, cualquiera pensaría que tienes malas intenciones.

—¡Oye! —exclamó Jack—. Solo tengo 29 años.

—¿Me estás diciendo que *sí* tienes malas intenciones? —inquirió ella, mientras se cubría las piernas con las sábanas y alzaba las cejas.

Jack alzó un dedo, apuntándole con enfado cómico. Antes de que pudiese defenderse, Rax y Chi comenzaron a reírse a carcajadas. La joven se alzó sobre el colchón y caminó hasta los guardias, abrazándoles.

—Os he echado de menos.

—Y nosotros a ti, Chi.

Los tres fueron hasta la cocina, donde Chi preparó el desayuno. Unas cuantas veces al mes, los guardias la visitaban para ver cómo se encontraba, qué era lo que necesitaba y para asegurarse de que podían volver a Hikami y decirle que su niña pródiga seguía viva. Después de que Rax y Jack conociesen a Chi, Hikami les trasladó a su unidad personal, por lo que ahora su único deber era cuidar de Chi.

—¿Has escuchado lo que ha ocurrido en la Zona Central? —preguntó Jack, mientras se sentaba frente a ella en la mesa. El hombre sabía lo poco que Chi se preocupaba por las noticias de la Academia, como si viviese debajo de una roca.

—He intentado no hacerlo, pero es lo único de lo que se habla por aquí. —A pesar de que Chi no solía tener opiniones muy marcadas, ese no era el caso en lo respectivo a la Zona Central.

—Resulta que un chaval, miembro de uno de los gremios líderes, asesinó a otro alumno de un gremio rival.

—¿No es eso de lo que va el Torneo? —preguntó ella. No tenía ganas de tener aquella conversación. Lo único que quería hacer era sentarse en silencio, contando los minutos hasta que tuviese que ir a clase—. Escogen a los mejores entre los mejores para que se maten los unos a los otros. Un malgasto de talento si me preguntas a mí.

—El caso es que esto ocurrió fuera de la arena. Hay reglas muy estrictas en la Zona Central y una de ellas es que los alumnos de diferentes gremios no pueden tener contacto entre ellos fuera del Estadio del Cielo.

—Van a ejecutar al chico esta tarde, por asesinato —añadió Rax.

—No es nada del otro mundo —dijo Chi. Desde que tenía memoria lo único que había escuchado de la Zona Central eran las muertes que ocurrían cada día. Tanto le molestaban que jamás se había dignado a ver un combate por voluntad propia, a pesar de que eran retransmitidos por toda la Academia sin cesar—. No entiendo por qué todo el mundo está perdiendo los estribos.

—Porque se les ha dado permiso a los dos gremios involucrados para reemplazar los miembros que han perdido. —Jack se recostó contra la silla, soltando un suspiro—. Hikami ha dicho que no tenía sentido castigar a los dos gremios por las acciones de un solo estudiante.

—Lo cual quiere decir que los dos gremios más poderosos de la Zona Central van a estar buscando a nuevos alumnos que reclutar.

—Interesante —murmuró Chi, sin poder fingir interés—. Tengo que ir a entrenar, ¿Os veré pronto?

—Estaremos aquí cuando vuelvas —le dijo Jack con una sonrisa de oreja a oreja—. Tenemos la semana libre.

—Genial —dijo la chica, devolviéndole la sonrisa—. Os toca cocinar.

Chi les dio un beso rápido en la mejilla a ambos guardias, antes de salir por la puerta con rapidez y encaminarse hacia el centro del sector.

Mara estaba nerviosa, lo que era evidente por cómo daba saltitos en su sitio, mientras esperaba a que Kenra apareciese. No podía evitar sentir que, por algún motivo, algo había cambiado desde ayer. Landom había sido uno de los primeros en llegar a la sala de entrenamiento y a pesar de ello, todavía no había dicho una palabra, ni siquiera se había acercado a ella para empezar una pelea sobre el día anterior.

Solo se había sentado en una esquina, con la cabeza gacha y un moretón en la mandíbula.

No podía evitar preguntarse si la tardanza de Kenra y la cara de Landom tenían algo que ver. Tal vez debería haber parado en la enfermería después de salir de su dormitorio para asegurarse.

Y como si hubiese escuchado sus pensamientos, Chi entró por la puerta, mirando de un lado a otro con rapidez. Estaba tan distraída buscando alguna esquina en la que esconderse, que no notó a Mara acercándose.

—Kenra —la llamó—. ¿Dónde has estado? Estaba preocupada... —Mara dejó la frase en el aire, mientras examinaba a su amiga. No veía heridas, ni cortes, ni moretones. Se dio la vuelta para mirar a Landom que las observaba en silencio—. Me gusta tu ropa —murmuró, intentando darle sentido a la situación.

—Oh, gracias. —Chi sintió las puntas de su pelo tocándole la parte baja de la espalda, allí donde la tela de la camiseta no llegaba—. ¿Por qué estabas preocupada?

—Porque Landom... —La chica hizo una pausa—. Bueno, supongo que da igual.

Un poco del peso que Chi cargaba sobre los hombros se desvaneció cuando se dio cuenta de que, a pesar de todo lo demás, ahora tenía a Mara de su lado.

—Atención. —Ransa apareció entre los alumnos de la nada. Vestía una chaqueta de cuero oscuro y unos tacones de aguja que la alzaban hasta las nubes—. Hoy vamos a tener un entrenamiento siguiendo las reglas de la Zona Central, lo cual quiere decir que *todo* está permitido.

A pesar de los aplausos y silbidos de sus compañeros, lo único en lo que Chi podía pensar era en la cantidad de heridas que iba a tener al final del día. ¿Era este el evento especial del que les habían avisado?

—Además, tendremos un invitado especial. —Detrás de Ransa, un chico dio un paso al frente—. Este es Ethan Narrell, aunque me imagino que la mayoría ya lo habréis reconocido. Intentad impresionarle.

Chi observó al chico. Parecía de último año, lo cual significaba que debía tener 19 o 20 años de edad. Era alto y delgado, pero a pesar de que no aparentaba gran fuerza física, el aire a su alrededor vibraba. A excepción de unos mechones rebeldes, su pelo rubio estaba perfectamente peinado hacia un lado, enmarcándole el rostro con elegancia.

Era miembro de uno de los gremios de la Zona Central. No pudo evitar preguntarse si estaba allí para reclutar a alguien.

Uno de los alumnos alzó la mano, y sin esperar a que Ransa le diese permiso, habló.

—¿No somos demasiado jóvenes para entrar en la Zona Central? ¿No deberías estar reclutando en cursos superiores?

29

—A pesar de que no hay ninguna restricción de edad para ser un alumno de la Zona Central, tienes razón. No estoy planeando reclutar a nadie de vuestra clase o de vuestro año. —Ethan sonrió—. Estoy haciendo tiempo hasta que las clases de los años más avanzados empiecen a entrenar.

Con eso dicho, Ransa anunció a la primera pareja. Mara, Chi y el resto de los alumnos se apostaron contra las paredes, dejando el centro de la sala despejada para la pelea.

Estaban en uno de los pabellones del sector, uno lo suficientemente grande como para que los alumnos pudiesen transformarse y pelear sin sentirse atrapados por las paredes.

—¿Por qué siempre te dejas vencer? —preguntó Mara, después de los dos primeros combates. Ambas estaban esperando su turno, Mara con ansias y Chi con nervios.

—Porque no quiero estar aquí.

—Pero... sigues aquí —respondió la chica, sin comprender el razonamiento de Chi—. Hasta ayer pensé que no eras capaz de nada, dejé que la opinión que el resto tiene de ti influenciase la mía, pero no tiene por qué ser así.

—¿A qué te refieres?

—Si les enseñas de lo que eres capaz, puede que te dejen en paz —le dijo Mara. No pudo evitar sonreír—. Puede que hasta te respeten.

Chi dejó escapar una carcajada.

—Lo dudo.

—Pero puedes intentarlo, ¿verdad?

Chi suspiró, antes de asentir. Puede que Mara tuviese razón y que lo único que tuviese que hacer era demostrarles que no era tan débil como les había hecho pensar. Aunque eso no cambiaría el hecho de que ella seguía siendo diferente. Demasiado diferente.

—¡Mara! —llamó Ransa, anunciando su turno.

—Deséame suerte —murmuró ella, mientras se levantaba.

Su combate fue el único que Chi encontró entretenido. En vez de transformarse y comenzar una pelea física como todos los demás, Mara se mantuvo en su forma Volkai. Esquivó todos los ataques de su adversario, grande y torpe, hasta que este quedó agotado. Fue entonces cuando Mara se transformó. La joven rugió con tanta fuerza que el edificio entero tembló, haciendo que un poco de gravilla cayese del techo.

Su adversario volvió a su forma Volkai, antes de rendirse, aterrado de Mara hasta los huesos. La joven volvió al lado de Chi, sonriente.

—Supongo que no necesitabas suerte.

—Kenra y David, sois los siguientes —dijo Ransa, dando dos palmadas.

El corazón de Chi se saltó un latido mientras miraba al chico con el que iba a pelear. Era el que la había sacado de la ventilación durante el examen. Tenía aquella misma sonrisa lánguida en el rostro, como si no pudiese evitar regodearse por la suerte que había tenido al ser emparejado con Chi.

Mara le deseó suerte mientras se alejaba, esperando que su nueva amiga siguiese su consejo. Chi miró a Ransa, que le dio un pequeño asentimiento. A su lado, Ethan la observaba con fijeza.

Una bocina dio comienzo a la pelea y lo primero que David hizo fue transformarse. Sin perder un instante, arremetió contra Chi, que esquivó el cuerpo negro del dragón con gracia. La bestia rugió, haciendo que un escalofrío le recorriese la columna.

David continuó abalanzándose sobre ella, con garras y colmillos. Chi escuchó a sus compañeros reírse, pues lo único que ellos veían era a la chica esquivando unos ataques que no era capaz de devolver.

Era imposible que alguien sin magia e incapaz de transformarse, pudiese hacer algo.

Chi esquivó otro ataque, rodando sobre el suelo. Al nivel al que estaban, la mayoría de los alumnos no eran capaces de pelear utilizando su magia de forma efectiva, por lo que recurrían a la fuerza bruta. David no era una excepción.

La joven se levantó del suelo, cubierta de polvo y escombros. Aprovechó que el dragón se estaba dejando llevar para tomar las riendas del combate. Chi corrió hacia una de las paredes, tan rápido que sus compañeros no tuvieron tiempo de apartarse. Utilizó la pared para sobrevolar a la bestia, que le triplicaba en tamaño.

La chica sacó una daga del brazalete que llevaba sobre la manga de su camiseta. Sin darle tiempo a David para darse la vuelta, cortó la pata de la bestia allí donde los tendones le mantenían en pie.

Mientras David rugía de dolor, Chi cortó los tendones de su otra pata con una rapidez y eficiencia que dejó a sus compañeros con la boca abierta.

El dragón se desplomó sobre el suelo de cemento. Chi esquivó su cola, que a punto estuvo de tumbarla, y se alejó un par de pasos.

David no tardó en dejar de retorcerse, incapaz de volver a levantarse.

Chi sintió el repentino cansancio de la pelea posándose sobre su cuerpo como un manto. Respiró hondo, con las palmas de las manos sobre sus rodillas. A su alrededor, sus compañeros la observaban en silencio.

—¿Kenra? —Ransa se acercó y observó a David, que había vuelto a su forma Volkai. Un par de instructores fueron hasta él y le levantaron, llevándoselo del pabellón—. ¿Puedes con la segunda ronda?

Los ojos de Chi se encontraron con los de Mara, que sonreía de oreja a oreja.

—Sí.

Soltó un suspiro mientras caminaba hacia su amiga y se dejó caer sobre el suelo, sin atreverse a levantar la mirada.

Capítulo 4

C hi *no se percató de sus heridas* hasta que Mara las mencionó. Se miró los brazos y el estómago cubiertos de cortes y arañazos. Tal vez era por eso por lo que Ransa le había preguntado si era capaz de participar en la siguiente ronda. Debería haber dicho que no.

Los pantalones de Chi estaban casi tan rasgados como sus rodillas, lo cual la obligó a pensar en lo que Jack le había dicho sobre su ropa siempre estando llena de agujeros.

Las peleas continuaron sin pausa mientras Mara le vendaba las heridas, sin que Chi supiese cómo decirle que no era necesario. Probablemente se curarían antes de que llegase a su casa. Durante aquel tiempo, Chi no pudo evitar notar unos ojos sobre ella; unos ojos que no eran hostiles como los de sus compañeros.

Ethan la observó, con el rostro mudo, y cuando ella le devolvió la mirada, se la sostuvo.

No pudo evitar sentir curiosidad. ¿Cómo era posible que una niña con un cuerpo tan pequeño, tan delgado, tuviese la fuerza para derrotar a un Volkai transformado? ¿Y cómo era posible que su rostro se mantuviese indiferente ante las heridas que le cubrían el cuerpo? ¿Acaso no le dolían?

—Eso ha sido increíble —susurró Ethan, captando la atención de Ransa—. Esa chica, ¿la del pelo rojo? Ni siquiera ha necesitado transformarse para ganar la pelea —hizo una pausa, antes de volver a hablar—. ¿Tenéis permitido este tipo de violencia en las promociones de esta edad?

—No —dijo la instructora. Ethan alzó las cejas, sorprendido por la contundencia de su respuesta—. Pero Kenra es un caso especial.

—¿A qué te refieres?

—A que no es como el resto de los alumnos, al resto de nosotros. —Ransa frunció el ceño, mientras seguía la pelea entre dos de los estudiantes con ojos ausentes—. Esa niña no tiene una magia, no puede transformarse.

—¿Perdón?

—Lo que escuchas. Desde que la dejaron en este sector, lo único que ha hecho ha sido suspender una clase tras otra a pesar de saber toda la teoría y ser capaz de sobresalir en cualquier examen físico, supongo que con la esperanza de no recibir atención negativa de sus compañeros. —Ethan miró a la mujer con confusión—. Aunque desde ayer parece haber cambiado su estrategia. Ya no está perdiendo a propósito, probablemente gracias a Mara...

—Pero espera, espera, ¿me estás diciendo que no tiene magia, que no puede transformarse, y que aun así es mejor que el resto de los estudiantes?

—Sí.

—¿Alguna vez has escuchado de la existencia de un Volkai sin magia?

—No, pero ella existe.

Ethan volvió a mirarla, preguntándose qué clase de criatura era. Contra todo pronóstico, su interés en ella creció. El aura que la rodeaba era fascinante, cautivadora.

—¿Qué hace alguien como ella en la Academia? —preguntó—. ¿Cómo consiguió matricularse?

—No lo sé.

—¿Y sus compañeros? —insistió—. Me atrevería a decir que la atmósfera es bastante... hostil.

—Kenra nunca ha sido capaz de encajar y estoy segura de que tú mejor que nadie sabes lo cerrados de mente que pueden ser los niños. Ha habido más de una ocasión en la que ciertos estudiantes han enfrentado expulsión por atacarla.

—Ya veo.

—Observa —le dijo Ransa, notando la tensión entre los estudiantes, que no estaban acostumbrados a que Kenra luciese sus habilidades—. ¡Kenra, Isis!

Chi no era estúpida. Podía notar los ojos de sus compañeros sobre ella. Quería hacerle caso a Mara y rezar para que tuviese razón. Pero lo cierto era que con cada combate que ganase, cada examen que aprobase, lo único que estaba haciendo era humillar al resto de los alumnos, porque, ¿cuán inútiles debían de ser ellos si alguien como ella podía ganarles?

Mara subestimaba lo mucho que la odiaban, y lo cierto era que Chi prefería ser el hazmerreír de la clase y aguantar burlas constantes, a tener miedo de volver a casa por las noches.

Caminó hasta el centro de la sala, con los puños cerrados con tanta fuerza que sentía como sus uñas se le clavaban en las palmas de las manos.

Frente a ella se alzaba Isis, la chica que había atrapado a su equipo entero bajo telarañas el día anterior. Era obvio por la expresión en su rostro que ella también estaba molesta por las acciones de Chi durante los últimos dos días. Mientras miraba sus ojos negros y su piel macilenta, Chi recordó la vez que Isis le había empujado escaleras abajo. Todavía podía escuchar su risa gorgoteando con desdén.

Cuando la bocina sonó, Isis se abalanzó sobre ella, golpeando las heridas que David le había causado. Chi sintió como su cuerpo ardía con cada golpe, enviando espasmos de dolor por sus músculos.

Chi debatió si merecía la pena ganar aquella pelea, o si perder era lo mejor. Tal vez, dejándose ganar, conseguiría apaciguar a sus compañeros aunque fuese solo un poco.

Ethan observó el encuentro en silencio, preguntándose por qué Kenra no estaba respondiendo. Isis detuvo los puñetazos durante unos instantes, dejando que su compañera perdiese el equilibrio y cayese al suelo, exhausta y dolorida. Una avalancha de silbidos y risas reanimó a los alumnos. Ethan observó los vitoreos, presenciando la actitud de los alumnos hacia Kenra con disgusto.

Ransa no exageraba.

La Araña se acuclilló frente a Chi, cogiéndola de la barbilla con brusquedad. La miró fijamente a los ojos, antes de sonreír.

—David es amigo mío —le dijo—. Y te diré una cosa, la única razón por la que sigues en la Academia es porque echar a una huérfana inútil y pobre a la calle daría muy mala imagen. —Su voz, cargada de asco y condescendencia, no era más que un susurro—. Ni siquiera necesito utilizar magia para darte una paliza.

—¡Kenra! —gritó Mara, por encima de las voces de sus compañeros. Chi la miró de reojo, mientras Isis continuaba clavándole las uñas en las mejillas—. ¿Qué estás haciendo? ¡No la dejes ganar!

Isis agarró a la chica por el pelo, levantándola. La obligó a bajar la cabeza, antes de darle un rodillazo en el estómago, una y otra vez hasta que Chi comenzó a toser, sintiendo un regusto metálico en la lengua.

—Puede que esta vez no consigas salir del fuego —le susurró. Chi dejó escapar un suspiro tembloroso, mientras los recuerdos de su casa en llamas la abrumaban—. No es como si alguien fuese a echarte de menos, ¿verdad?

Mara tenía razón, dejarse arrastrar no iba a cambiar nada.

Chi cogió la mano que Isis estaba utilizando para sujetarla del pelo y apretó con suficiente fuerza como para que la chica dejase escapar un grito de dolor y abriese la mano. Le retorció la muñeca, hasta que la Araña terminó de rodillas en el suelo.

Isis clavó sus uñas en el corte que Chi tenía en el brazo, abriéndole la herida. Sintió como cientos de agujas le atravesaban desde el codo hasta el hombro, obligándola a soltar a su adversaria.

Chi sacó la daga de su bolsillo, todavía manchada con la sangre de David y la blandió hacia Isis. Esta, que apenas podía seguir la velocidad de los movimientos de su compañera, se cayó de espaldas sobre el suelo para esquivar los ataques.

Ambas observaron los mechones de pelo negro que cayeron al suelo, allí donde Chi había cortado el lugar donde había estado la cara de su compañera. Isis alzó una mano hasta su frente, donde su flequillo había desaparecido y su frente sangraba.

—Zorra.

Chi sacudió la daga antes de lanzársela a la pierna, hundiendo el filo en su muslo como si fuese mantequilla. Isis gritó, retorciéndose en el suelo. Chi cerró el espacio que las separaba y se arrodilló sobre ella. Sacó la daga de su pierna y pisó la herida, empujando hacia abajo y arrancándole un aullido de dolor.

Sujetó uno de sus brazos con una rodilla, sin dejar de apretarle el muslo con el pie.

—Ríndete —le pidió, mientras ponía la punta de la daga en el hombro de la Araña, justo debajo de la clavícula, donde no había músculos ni huesos que romper, donde podías agonizar de dolor sin peligro a morir.

Los ojos de la chica, negros como dos pozos sin fondo, la perforaron.

—Nunca. —Chi esperó unos segundos antes de hundir el cuchillo en el hombro de Isis, sin esfuerzo. La chica gritó con tanta fuerza, que sus oídos comenzaron a pitar.

—Ríndete —repitió. Isis se limitó a apretar la mandíbula, negándose a ceder. No dejó de forcejear debajo de Chi, sin terminar de comprender de dónde venía la fuerza que la estaba manteniendo en el suelo. Chi continuó haciendo desaparecer el filo de la daga bajo la piel de la joven. Comenzó a sentir náuseas retorciéndole el estómago cuando sintió la sangre de la Araña calentándole los dedos—. Ríndete.

Con lágrimas surcando sus mejillas y el rostro enrojecido, Isis atragantó los gritos para poder hablar.

—Me rindo —dijo, con la mandíbula tan tensa que apenas pudo dejar escapar las palabras.

Chi se levantó, sacando la daga del hombro de su compañera con cuidado. La sala estaba en silencio. Sus ojos se encontraron con los de Landom, que la observaban con fijeza.

Ethan observó a la chica mientras se les acercaba, con cara de circunstancia.

—¿Puedo irme? —Le pidió Chi a la instructora—. Por favor.

—Claro que sí, cielo, ¿vas a la enfermería?

—Sí —respondió ella después de unos segundos. Ambas sabían que estaba mintiendo, pero Ransa no añadió nada más. Chi miró a Ethan, quien le sonrió, antes de darse la vuelta y marcharse.

—Espera —dijo Mara, levantándose—. ¡Kenra!

—Mara sienta tu culo en el suelo —ladró Ransa—. La clase no ha acabado.

Chi comenzó a correr en cuanto salió del edificio, hacia su casa y lejos de sus compañeros. ¿Qué podía hacer? ¿Huir? ¿Esconderse?

Humillar a la clase entera durante el examen, pegarle a Landom y dejar a dos de sus compañeros en el hospital. Era como si estuviese suplicando por la ira de su clase.

Después de unos minutos se detuvo al lado de un edificio en ruinas, intentando recuperar el aliento. Le dolían tanto las costillas que le resultaba imposible respirar todo el aire que necesitaba.

Se inclinó hacia delante, posando una mano sobre su rodilla y pasándose la otra por la cara. Notó cómo en vez de secarse el sudor solo se mojó más la mejilla. Fue entonces cuando se dio cuenta de que su brazo, allí donde Isis le había abierto el corte, seguía sangrando, pintándola entera de rojo.

Mientras recuperaba el aliento escuchó unas pisadas a su espalda, lentas y silenciosas.

¿Ya la habían encontrado? ¿Cómo habían conseguido que Ransa les dejase marchar tan pronto?

Sacó su daga y cortó el aire a su espalda mientras se daba la vuelta. Frente a ella se alzaba un joven, alto y delgado, más mayor que cualquiera de sus compañeros. Su pelo era del negro más oscuro y sus ojos de un morado que solo se veía en piedras preciosas.

Le observó durante unos segundos, sin saber qué hacer ni qué decir. ¿Quién era? ¿Qué hacía allí? ¿Qué quería?

A pesar de que ni el rostro ni la postura del desconocido mostraban hostilidad, Chi no podía ignorar el aura que le rodeaba. Era peligroso. Por eso, cuando él hizo ademán de cerrar la distancia que les separaba, Chi retrocedió.

Se dijo a sí misma que solo tenía que volver a su casa, que estaría a salvo con Jack y Rax. El chico miró más allá de Chi, mientras su rostro se endurecía y su cuerpo se tensaba.

¿Iba a atacar?

Mientras estaba distraída con el desconocido y sus propios pensamientos, alguien se le acercó por detrás, dándole un golpe rápido y certero en el cuello. Chi cayó inconsciente en los brazos de Ethan, que la levantó en volandas sin mayores esfuerzos.

—Yo la he visto primero —le dijo a Kilyan.

—La quiero a ella —respondió él sin inmutarse. Dio un paso hacia Ethan, pero este retrocedió. Sus ojos violetas relucieron.

—Lo siento, pero estoy seguro de que puedes encontrar a alguien igual de rastrero que Rahn. —Ethan miró a Kilyan con un rencor genuino. Sabía que provocarle no era una buena idea, porque Kilyan podría dejarle inconsciente en un instante si así lo quisiese. Pero también sabía que después de lo que había ocurrido, su gremio no podía permitirse más altercados—. Hay mucha gente como él en este sector.

Ambos intercambiaron miradas durante lo que parecieron horas y, entonces, Ethan hizo crecer sus alas y alzó vuelo, dejando a Kilyan solo en aquel edificio en ruinas, contemplando como el cielo se oscurecía.

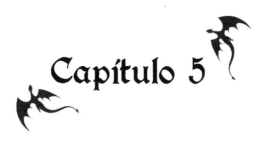

Capítulo 5

—¿C*uándo va a volver Ethan?* —Mael rompió el silencio para preguntar lo que todos estaban pensando. Solo había seis de los doce miembros del gremio reunidos en la taberna aquella noche esperando a que su líder volviese—. Si está tardando tanto... ¿Significa que ha encontrado a alguien o no?

—¿Si tú no sabes la respuesta, que te hace pensar que nosotros lo hacemos? —replicó Kobu, con voz áspera. Se recostó contra el respaldo de la silla con el ceño fruncido y el pelo mucho más alborotado que de costumbre, probablemente por el hecho de que no paraba de tocárselo. Se sentía perdido y eso le enfurecía.

—Kobu, deja de ser tan imbécil —le dijo Rhonda, desde el otro lado de la mesa—. Todos estamos estresados, ¿por qué tienes que ser el único que no puede controlarse?

—Oh, me estoy controlando —aseguró él, mientras se inclinaba sobre la mesa hacia su compañera—. Pero como no te calles, juro por los espíritus que...

—¿Que, qué? —interrumpió Rhonda, levantándose de su silla como un resorte. Sus rastas, de un rubio oscuro, cayeron sobre sus hombros mientras se inclinaba hacia delante, acercándose a su compañero—. ¿Eh? ¿Quieres pelear? Adelante, perro estúpido.

—¡Vale, vale! —exclamó Ebony desde el otro lado de la sala. Estaba sentada frente a la barra del bar, abrillantando los mismos vasos por cuarta vez—. ¿Queréis tranquilizaros? Parecéis niños pequeños, lo juro. Mael, no te preocupes, estoy segura de que volverá pronto.

—Ya, *seguro.* —Zafrina, que se encontraba sentada en un sillón al lado de una de las ventanas de la taberna, se volvió hacia sus compañeros—. No puedes estar segura de nada. A estas alturas pueden habernos expulsado de la Zona Central y ni siquiera tenemos forma de saberlo.

—Sabes que eso no tiene ningún sentido —dijo Nahuel, uniéndose a la conversación por primera vez en toda la noche. Cerró el libro que había estado leyendo y se inclinó hacia delante, haciendo que unos cuantos mechones dorados se escapasen de su coleta—. Deja de intentar meternos miedo.

—¿Yo? ¿Metiéndoos miedo a vosotros? *Jamás.* —El sarcasmo en sus palabras era tan poco disimulado que resultaba doloroso—. Llevamos dos semanas de brazos cruzados. Cada día que pasa sin que tengamos un reemplazo para Samuel es un día que la Academia pierde dinero. Eso es un hecho.

—¿Quieres callarte de una vez? —ladró Kobu—. Me estás poniendo de los nervios.

—¡Basta! —exclamó Ebony. Golpeó la barra con uno de los vasos que había estado limpiando y de alguna forma, este no se rompió—. Nadie nos va a echar de la Zona Central y Ethan debe de estar a punto de llegar, fin de la discusión.

Nahuel dio gracias por el hecho de que el resto del gremio se encontraba lejos de aquel desastre. Si estuviesen todos reunidos, la noche habría acabado a golpes.

En aquel momento Ethan descendió sobre la plaza de la ciudadela llenando el aire de la arena que se desprendía de sus alas cada vez que las sacudía. En cuanto sus pies tocaron el suelo comenzó a caminar hacia la taberna, cuyas luces iluminaban la calle a oscuras.

—¿Ethan? —La voz de Arvel le sobresaltó. No le había notado en las sombras.

—¿Arvel? —Ethan observó los ojos azules de su compañero, fríos como el hielo. Era lo único que se podía ver aparte de la túnica negra que le cubría el resto del cuerpo. Sus pupilas eran dos pozos sin fondo en la oscuridad—. ¿Qué estás haciendo aquí fuera?

—Estaba esperando a que volvieses... —En cuanto vio a la chica que llevaba en brazos, Arvel dio un paso hacia atrás. Tenía la ropa y el rostro manchados de sangre—. ¿Qué haces con...?

—¿Kenra? ¿La conoces?

—No —replicó el chico, después de una pausa—. ¿Qué está haciendo aquí? ¿Por qué está cubierta de sangre?

—Es el reemplazo de Sam. ¿Dónde están los demás?

Arvel ladeó la cabeza hacia la taberna, en silencio, mientras procesaba las palabras de su compañero. Ethan asintió y comenzó a caminar hacia el edificio.

—¿Vienes?

—No. Tengo cosas que hacer.

En cuanto entró por la puerta de la taberna seis pares de ojos se posaron sobre él.

—¡Ethan! —Mael se levantó, pero en cuanto vio a la chica que su compañero llevaba en brazos, se detuvo.

—¿Quién es esa? —preguntó Rhonda sin moverse de su silla.

—¿Está herida? ¿Necesitamos llamar a un sanador? —Ebony se levantó de su taburete y cruzó la taberna con rapidez, su rostro pintado con preocupación. Ethan dejó a Kenra sobre los escalones que había frente a la entrada, mientras soltaba un suspiro.

—Solo tiene unos cuántos cortes y moretones, nada grave.

—¿Entonces por qué está inconsciente?

—Eso... Bueno, eso he sido yo. —Después de una pequeña pausa, en la que los ojos castaños de Ebony sostuvieron los de Ethan, este continuó hablando—. Es el reemplazo de Sam.

—¿Qué? —exclamaron Zafrina y Kobu a la vez, con la misma cantidad de sorpresa que indignación.

—¿Ella es el reemplazo de Samuel? —inquirió Kobu—. ¿Ella?

—Es solo una niña. —Ebony se arrodilló frente a Kenra, asegurándose de que sus heridas no fuesen peores de lo que Ethan había descrito. Siguió el rastro de la sangre hasta su antebrazo, pero allí solamente había un rasguño, ¿Cómo había salido tanta sangre de una rozadura?—. Ethan, ¿quién es esta chica? —preguntó mientras le mostraba la falta de herida a su compañero, que se limitó a fruncir el ceño.

—Yo sé quién es —dijo Mael de pronto. Después de haberse acercado y mirado a Kenra de cerca, no dudó de sus palabras—. Es la chica del Sector del Sigilo. La que no tiene magia, ¿verdad?

—¿Qué? —Zafrina se acercó al grupo, que se había congregado alrededor de la niña.

—Es cierto, no puede transformarse y no posee magia alguna.

La sala se quedó en silencio durante unos instantes, mientras cada uno asimilaba lo que las palabras de Ethan significaban. Los hombros de Rhonda cayeron, sintiendo como su cuerpo se desinflaba con decepción.

—Espera, espera. ¿Me estás diciendo que el reemplazo de Samuel es alguien sin magia? —Kobu tuvo la reacción opuesta a Rhonda y en vez de decepción, lo que le llenó por dentro fue ira.

—Tiene potencial.

—¿Potencial? —dijo Zafrina, frunciendo los labios—. No necesitamos potencial, necesitamos poder.

—Necesitábamos un reemplazo y Kenra me pareció la mejor opción.

—Cualquier otro Volkai es mejor opción que ella —continuó, con sus tirabuzones rosas danzando cada vez que negaba con la cabeza—. Dime que no la has reportado todavía.

Ethan se quedó en silencio, arrancando un sonido frustrado de su compañera al confirmar sus sospechas.

—¿Acaso se permiten alumnos tan jóvenes en el Torneo? —preguntó Ebony, alzando la cabeza para mirar a Nahuel, que todavía no había dicho nada—. ¿Cuántos años tiene? —insistió, ladeando la cabeza hacia Ethan.

—¿Dieciséis? No estoy seguro.

Su comentario fue seguido por suspiros de frustración.

—¿No estás seguro? —bufó Kobu, que había gastado sus reservas de paciencia hacía tiempo—. ¡Le faltan cuatro años de entrenamiento!

—Kobu, siéntate y cállate. —Los ojos canela de Kobu se encontraron con los de Ethan, desafiantes—. ¡Ahora! —Se sostuvieron la mirada durante un par de segundos más, hasta que el chico obedeció a regañadientes, arrastrando una de las sillas hasta él y sentándose con las manos cerradas en puños—. Ya he escuchado suficientes quejas. Esta es la decisión que he tomado y vais a tener que aguantaros.

—Solo porque Samuel quería que tú te hiciese cargo del gremio no significa que...

—Rhonda —la interrumpió Ebony, deteniendo a su compañera antes de que dijese algo de lo que todos se iban a arrepentir—. Es normal que nos cueste un poco aceptar que...

—Kenra.

—... Que Kenra sea el reemplazo de Samuel, pero confío en Ethan.

—Nadie puede reemplazar a Sam —sentenció Kobu—. Y menos alguien como *ella.*

—*Ella* —comenzó Ethan, señalando a Kenra—. Ha vencido de forma justa a un Volkai transformado y a la hermana pequeña de Nitocris en un solo día.

—¿La hermana de la Araña?

—Bueno, eso tampoco es que tenga mucho mérito — murmuró Rhonda, evitando la mirada irritada de Ethan.

—Me la he llevado antes de que lo hiciese el Anacreón. — Su comentario fue recibido con exclamaciones de sorpresa.

—¿Kilyan? —preguntó Mael.

—¿Kilyan la quería a ella? —insistió Kobu, con escepticismo.

—Sí.

—A lo mejor no es tan mal reemplazo después de todo — murmuró Rhonda.

—Exacto.

Fue en aquel momento que Chi dejó escapar un gemido de dolor. Se inclinó hacia delante, sobre las escaleras, y giró la cabeza hacia un lado, haciendo que su cuello crujiera con un sonido seco. Dejó escapar otro suspiro de dolor.

—Ethan, ¿qué le has hecho? —susurró Ebony, horrorizada ante el sonido que su cuello acababa de hacer.

Chi abrió los ojos, al escuchar aquella voz desconocida, recordando lo que había ocurrido.

—¿Qué está pasando? —murmuró Chi, mientras terminaba de sacudirse la morriña. Estaba rodeada de extraños, y el único rostro que reconoció fue el de Ethan, lo que no significaba mucho—. ¿Quiénes sois?

—¿Perdona? —dijo una chica de figura esbelta y larga melena rosa. Sus ojos brillaban con una hostilidad que hizo que Chi se inclinase hacia atrás, intentando poner distancia entre ellas—. ¿No sabes quiénes somos? ¿Acaso vives debajo de una piedra?

—¿Dónde estoy? —insistió Chi, ignorándola.

—Un momento —dijo una voz ronca y grave. Chi miró más allá de la chica que tenía a su lado y vio a un joven de pelo engreñado y aspecto salvaje. Sintió un flechazo de miedo en el pecho—. ¿No sabe por qué está aquí?

—No —respondió Ethan, volviéndose hacia Kobu

—¡Esto es el colmo! —exclamó, mientras se levantaba de la silla, casi volcándola.

—Kobu, como no te calles juro que...

—¿Qué, Ethan? ¿Qué vas a hacer? —le interrumpió Kobu, acercándose lo suficiente como para que sus caras estuviesen a centímetros. Él era mucho más alto, más corpulento. Ethan no parecía intimidado.

Ambos comenzaron a discutir.

—Kenra. —La joven que estaba al lado de Chi puso una mano sobre su hombro. Su pelo caoba caía lacio sobre sus brazos, como seda enmarcando su rostro amable—. ¿Cómo te encuentras?

—Bien, solo necesito comer algo —respondió al notar la tirantez en su estómago. Se miró las heridas, que ya se habían curado prácticamente por completo, y supo que era por eso por lo que se sentía tan cansada.

—Eso es algo que puedo arreglar —dijo con una sonrisa, mientras se levantaba. Le tendió una mano a Chi, para ayudarla a ponerse de pie—. Me llamo Ebony.

—Encantada —respondió—. Pero no tienes que molestarte, puedo comer cuando vuelva a casa.

—Sobre eso... —Ebony se mordió el labio, sin saber cómo explicar la situación. Se dio vuelta hacia Ethan, pero seguía discutiendo con Kobu.

—No puedes irte. —Un chico se les acercó. Su pelo, largo y rubio, estaba recogido en una coleta baja que le descansaba sobre el hombro—. Soy Nahuel, es un placer.

—¿Cómo que no puedo...? —Chi inspiró hondo, intentando amueblar sus pensamientos—. ¿Dónde estoy?

—En la ciudadela del gremio Bershat —respondió Nahuel.

—¿Ciudadela...?

—Sí, genio —exclamó el chico, Kobu, que había estado discutiendo con Ethan—. ¿Es que no sabes lo que es una ciudadela? ¿Acaso no eres alumna de la Academia?

—¿Por qué no pruebas a calmarte? —dijo una chica alta y corpulenta de rastas rubias—. Si quieres morder algo búscate un hueso.

—¡¿Es que soy el único al que le molesta?! —Su voz era como un rugido, grave y potente. A Chi se le erizó la piel—. ¡Está intentando reemplazar a Sam!

—No estoy intentando reemplazar a nadie. —Chi dio un paso hacia atrás, subiendo un escalón. Se sentía abrumada y atrapada, rodeada de alumnos de la Zona Central, gente que podía pulverizarla si así lo deseaban. Y uno de ellos parecía estar a punto de hacerlo—. Solo quiero irme a casa.

—Kenra, sé que debería haber consultado contigo antes de tomar una decisión tan importante, pero ya no eres parte del Sector del Sigilo. —Ethan subió un par de escalones hacia ella y la cogió de la mano, dándole un apretón—. Ya he rellenado el reporte diciendo que te he escogido como nuevo

51

miembro del gremio, tuve que hacerlo para poder traerte de vuelta a la Zona Central.

—¿Que has hecho qué? —susurró Chi, negando ligeramente con la cabeza. La realidad de la situación la golpeó de lleno en el estómago, haciendo que lágrimas amenazan por caer, pero las contuvo—. ¿Por qué?

—Porque sé que eres capaz de más, y porque pensé que sería buena idea sacarte de ese sector. —Ethan se pasó una mano por el pelo. Ni siquiera se le había ocurrido que la chica fuese a reaccionar así. Todo alumno de la Academia soñaba con ser parte de la Zona Central y participar en el Torneo—. Parecía una atmósfera muy hostil.

—¿Y por eso has decidido que sería una buena idea traerme a la Zona Central? ¿Dónde lo único que hacéis todo el año es mataros los unos a los otros? ¿No tenéis un mayor número de muertos al año que todos los demás sectores juntos?

Las palabras de Chi no fueron más que un susurro y aun así, cayeron como losas sobre Ethan, que no pudo hacer nada más que encogerse con remordimiento.

—Y encima es una desagradecida —bufó la chica del pelo rosa.

—¡Zafrina! —exclamó Ebony.

—¡No! ¿Acaso no te das cuenta del *honor* que es ser un miembro de la Zona Central? ¡Y no solo eso, sino del gremio número uno!

—Lo único que he querido desde que tengo memoria es escapar del agujero que es esta academia —dijo Chi, atravesando a Zafrina con sus ojos carmesí. Sus pupilas, normalmente afiladas, se habían dilatado hasta ser círculos casi perfectos—. Y ahora estoy encerrada dentro, así que no, para mí no es un *honor*.

El grupo se quedó en silencio.

—Kenra de verdad que lo siento, no pretendía...

Ethan fue interrumpido por la puerta de la taberna abriéndose con brusquedad detrás de Chi. Las bocas de los presentes cayeron abiertas con sorpresa.

—¿Ma-magistrada? —tartamudeó Mael.

Chi se dio la vuelta y detrás de ella se alzó Hikami, con el rostro más severo de lo que la chica lo había visto nunca. Sin dudarlo un instante se lanzó a sus brazos.

—Te he echado de menos —susurró Chi, sin soltarla. La chica respiró hondo, inspirando la esencia de lluvia que siempre rodeaba a la mujer. En cuanto recordó que estaba en una habitación llena de gente se apartó, quedándose de pie al lado de Hikami.

—Y yo a ti —susurró la mujer de vuelta, antes de erguirse y volver a endurecer sus ojos negros—. Ahora —dijo, alzando la voz—. Quiero que se me explique qué está ocurriendo aquí y por qué habéis secuestrado a mi pupila.

53

Capítulo 6

—No hemos *secuestrado* a nadie —respondió Ethan.

—Nosotros no hemos secuestrado a nadie —replicó Zafrina, haciendo un gesto hacia todos sus compañeros menos su líder.

Hikami dejó escapar un suspiro exasperado.

—Todo el mundo fuera, solo necesito hablar con el líder del gremio —la magistrada se apartó de la puerta—. Vamos, no tengo toda la noche.

Kobu bufó, siendo el primero en salir por la puerta, seguido por Zafrina, Mael y Rhonda. Hikami alzó una ceja hacia los dos que no habían salido de la sala.

—Nahuel y yo nos quedamos —dijo Ebony, respondiendo a la mirada de la mujer con toda la confianza que pudo acumular ante una figura de semejante autoridad.

—Como prefieras —Hikami observó a Chi de reojo. Parecía devastada... y no podía culparla—. Lo cierto es que no hay mucho de lo que hablar. Gracias al hecho de que ya has entregado el reporte no hay nada que yo pueda hacer para arreglar este desastre.

—Espera, ¿Eso significa que me voy a tener que quedarme aquí?

—Me temo que sí.

—Hikami por favor...

—No puedo hacer nada —interrumpió la mujer, con brusquedad. Era la primera vez que Chi la veía tan alterada por lo que se calló las quejas. Ella no era la única que se encontraba sobrepasada—. Solo estoy aquí porque sabía que esto no iba a ser fácil de asimilar para ti.

Los tres miembros del gremio observaron la escena en silencio. ¿Quién era aquella niña para tener una relación como esa con una de las magistradas de la Academia? ¿Cómo podía hablar con ella de forma tan casual?

—Eso significa que... ¿Voy a tener que participar en el Torneo?

—Si —respondió Ethan.

—Pero yo no puedo... No puedo hacer lo que vosotros hacéis —murmuró Chi, pensando en todas las historias que había escuchado sobre la Zona Central, todos los cuentos truculentos sobre alumnos matándose unos a otros—. No voy a matar a nadie.

—No tienes por qué hacer eso... Las reglas del Torneo nunca favorecen matar por encima de otros métodos.

—Pero...

—Sin peros —interrumpió Nahuel, hablando por primera vez—. ¿Qué es lo que te está echando para atrás? La razón por la que siempre has querido marcharte de la

Academia eran tus compañeros, ¿verdad? ¿Por cómo te trataban? Eso no va a ser un problema en nuestro gremio.

—¿Cómo sabes...?

—Eso no importa —continuó, interrumpiéndola una vez más—. Lo que importa es que, si no haces esto, estás dañando el futuro de todos y cada uno de los miembros de este gremio. Si decides abandonar o marcharte, arrastrarás al gremio entero contigo y si decides rendirte en las peleas, le estarás dando puntos a los gremios enemigos.

Chi observó los ojos de Nahuel, del color del océano. Se vio puesta en la misma posición en la que había estado con Mara el día anterior. ¿Hasta qué punto podía ser egoísta sin dañar a la gente que tenía alrededor? La chica bajó los ojos al suelo, frunciendo el ceño, mientras debatía lo que debía hacer. Todos los presentes, incluida Hikami, sabían cuál era la estrategia de Nahuel; pero nadie le detuvo.

—Solo llevamos un par de meses en la Zona Central, pero vamos en cabeza... No solo eso, sino que hemos perdido a un amigo, a nuestro líder, por el Torneo. ¿De verdad quieres echar todo nuestro trabajo a perder?

—Nahuel... —susurró Ebony, poniendo una mano sobre el hombro de su compañero para que se detuviese. Frente a ellos, los ojos de Kenra brillaban por las lágrimas.

—Nadie te va a obligar a hacer nada... —dijo Ethan—. Pero por favor, ten en cuenta las circunstancias; y las consecuencias.

Hikami observó en silencio aquella manipulación desvergonzada por parte de los alumnos, sin saber si estaba haciendo lo correcto; al fin y al cabo, ¿No sería mejor para Chi aceptar la situación que continuar viviendo como lo había estado haciendo?

—Vamos a buscarte una habitación y mañana podemos seguir hablando —Ebony se acercó hasta Chi, acariciándole el pelo con cuidado.

La chica asintió y dejó que su nueva compañera la guiase hasta la puerta.

—No te preocupes, vendré a verte pronto —le dijo Hikami, antes de dejar que Ebony se la llevase. Esperó unos instantes a que se alejaran del edificio, pues no quería que Chi escuchase lo que estaba a punto de decir—. No quiero a Kenra en este sitio —le dijo a Ethan, volviéndose para mirarle—. Si tengo la más mínima oportunidad de sacarla de la Zona Central, lo haré... aunque eso signifique dejaros en desventaja.

—Lo entiendo.

—Bien —Hikami subió los escalones hasta la puerta de la taberna—. Os estaré vigilando.

—Buenas noches, Magistrada —dijo Nahuel, inclinando la cabeza.

La mujer les dio un asentimiento antes de desaparecer en la oscuridad de la noche.

—Creo que he cometido un error, Nahuel —murmuró Ethan, después de unos segundos en silencio.

—Pienso lo mismo.

—Por supuesto que lo haces —ambos sonrieron.

—Esa mujer da miedo —Kobu se recostó contra el marco de la puerta, apareciendo de la nada—. ¿Cómo es posible que alguien como ella tenga a una Magistrada debajo de la manga?

—Quién sabe —respondió Ethan—. Siento haber perdido los nervios antes, tu descontento no es infundado.

Kobu miró a sus dos compañeros mientras se encogía de hombros. Él también había perdido los estribos, aunque no fuese a admitirlo, pero aun así seguía molesto y sobre todo, preocupado por el futuro de su gremio.

Chi se despertó con la luz dorada de la mañana entrando por las rendijas de las contraventanas. La habitación en la que se encontraba no era la suya y aquello hizo que su corazón se acelerase... Hasta que recordó los eventos del día anterior.

Se incorporó sobre la cama, notando que, por el ángulo de la luz, el sol ya debía de estar alto en el cielo. Había dormido la mayor parte del día.

Alguien le había dejado un bol con fruta en la mesilla de noche. Su estómago se quejó.

Todavía medio dormida alcanzó a coger una de las manzanas y la mordisqueó en silencio, intentando hacerse a la idea de lo que su vida iba a ser a partir de aquel momento. ¿Se despertará todas las mañanas en aquella habitación minúscula? ¿Volvería a cenar con Jack y Rax?

Después de terminar la fruta y vestirse, con la misma ropa ensangrentada del día anterior, Chi asomó la cabeza al pasillo que daba a su habitación y miró a ambos lados. Se quedó así durante unos segundos, estática... El sitio estaba desierto.

¿Qué estaba haciendo? ¿Debería quedarse en la habitación hasta que alguien fuese a buscarla? ¿Podía merodear sin alguien del gremio con ella?

La chica no pudo evitar pensar en lo mal que podría acabar un encuentro con alguien como Kobu y sin poder evitarlo, se estremeció.

Decidió que esconderse en la habitación probablemente no era la mejor forma de aceptar su situación. Por lo que salió y comenzó a caminar por los pasillos en busca de unas escaleras por las que bajar al primer piso.

Gracias a su corazón inquieto y a su paso acelerado no se dio cuenta de la persona que caminaba hacia ella hasta que ambos giraron la esquina, dándose de bruces. Kobu agarró a Chi del codo antes de que esta se cayese hacia atrás por el impacto. En cuanto vio su pelo rojo y se dio cuenta de quién era, la parte más infantil del chico deseó haber dejado que se cayese.

—Mira por dónde vas —soltó, sin molestarse en ocultar la hostilidad en su voz. Chi dio un paso atrás en cuanto Kobu la soltó, maldiciendo su suerte.

—Lo siento —murmuró sin terminar de mirarle. Se frotó la frente, disuadiendo el dolor del golpe. El chico la observó durante unos instantes, debatiendo si debía simplemente marcharse.

—¿Qué estás haciendo?

—Eh... nada.

—¿Nada? —insistió, con la irritación en su voz aumentando con cada palabra.

—Bueno... No sé qué hacer —respondió—. O a donde ir, o si *tengo* que ir a algún sitio...

Kobu se dio la vuelta y comenzó a caminar, mascullando unas palabras ininteligibles. La chica le observó, preguntándose cómo había conseguido que su relación con su nuevo compañero fuese tan mala en tan poco tiempo.

—¿Qué estás haciendo? —ladró Kobu, mientras se daba la vuelta desde el otro lado del pasillo—. Vamos.

La joven se apresuró y le siguió por el edificio. Parecía una especie de hostal como los dormitorios del Sector, ya que en cada pasillo había al menos una docena de puertas.

El silencio se tornó incómodo mientras bajaban las escaleras, pues lo único en lo que Chi podía pensar era en las palabras de su nuevo compañero.

—Sobre ayer —Comenzó ella, sin saber muy bien cómo explicarse. Clavó los ojos en su espalda, grande y ancha, sin saber si debería sentir alivio o no al no poder ver su expresión—. De verdad que no pretendo reemplazar...

—No tenemos que hablar —la cortó.

Chi siguió a Kobu el resto del camino en silencio.

La taberna estaba en frente del hostal, al otro lado de la plaza. Todas las construcciones de la ciudadela parecían ser de ladrillo o piedra, a diferencia de las del sector, que eran todas de cemento... No solo eso, sino que había plantas por todas partes. Había arbustos cubiertos de flores y enredaderas trepando por las fachadas de unas casas que, a pesar de parecer desiertas, emanaban carácter.

Pasaron al lado de la fuente que había en el centro de la plaza y fueron directos hasta la taberna.

Kobu abrió la puerta y entró primero, seguido por la chica. Las conversaciones se detuvieron.

—¡Kenra! —Exclamó Ethan, al levantarse de la barra—. ¿Qué estás haciendo? Deberías estar descansando, tus heridas... —el joven se calló mientras recorría el cuerpo de Chi, libre de heridas, con los ojos. Frunció el ceño, consternado—. Eh...

—Me curo rápido —respondió ella.

Kobu bajó las escaleras y caminó hasta la barra, sentándose al lado de Ethan. Ebony se acercó a hablar con él, mientras Chi caminaba hasta el líder del gremio. Vio otros rostros familiares, pero nadie dijo nada.

—No exageres —murmuró—. ¿Estás segura de que estás bien?

—Sí.

—¿Seguro? —insistió Ebony, mientras se les acercaba del otro lado de la barra—. ¿Quieres que te haga algo de desayunar?

—Oh, no, había fruta en mi habitación.

—¿Fruta?

—Eso fui yo —dijo un chico, cuya piel dorada conjuntaba con sus rizos marrones. Se encontraba sentado del otro lado de la taberna en una de las mesas de madera que ocupaban el lugar. Frente a él estaba sentado el chico de pelo largo y rubio, Nahuel. Ambos parecían estar disfrutando de algún tipo de sopa—. Al final te fuiste sin cenar así que pensé que tendrías hambre, siento haber entrado en tu habitación sin permiso... Soy Mael, por cierto.

—Encantada —respondió Chi—. Y gracias.

—No hay de qué.

Chi se sentó en uno de los taburetes y Ebony le pasó un vaso lleno de zumo de naranja mientras continuaba danzando de un lado a otro, pasando un trapo por la barra.

La puerta de la taberna se abrió de par en par dando un portazo. Chi se dio la vuelta y vio entrar a una chica que no había visto antes. Tenía las mejillas de un rojo brillante y lucía un corsé, acompañado por pantalones de cuero. Bajó las escaleras tambaleándose, pero sin perder la sonrisa perezosa que le adornaba el rostro.

—Melibea, ¿Estás bien? —preguntó Ebony, detrás de Chi.

—¿Yo? Más que bien —aseguró. Era obvio por como arrastraba las palabras, que estaba borracha—. Pero me he quedado sin cosas que beber en mi habitación... ¡Oh! —sus ojos se detuvieron sobre Chi, mientras terminaba de cruzar la taberna—. ¿Eres la nueva? —se detuvo y puso una mano sobre la barra detrás de Chi, quedando a centímetros de su cara—. Eres adorable —murmuró. Sus ojos eran de un verde intenso, que brillaba en contraste con su pelo marrón oscuro y piel aceitunada.

Sin decir nada más, cerró el espacio que las separaba, juntando sus labios con los de ella.

Un escalofrío recorrió la columna de Chi mientras se inclinaba hacia atrás, sin saber cómo reaccionar.

—¿Qué estás haciendo? —exclamó Ethan. La joven se apartó, con una sonrisa de oreja a oreja—. ¡Melibea, ¿Cuántas veces hay que decirte que no puedes ir por ahí haciendo este tipo de cosas?!

—Lo haces sonar como si lo hiciese todo el tiempo —refunfuño—. Pero tienes razón, que malos modos —dijo, dando un vago asentimiento. En ningún momento alejó su cara de la de Chi, ni apartó el brazo que la mantenía atrapada contra la barra—. ¿Puedo volver a besarte? —preguntó mirándola a los ojos con una intensidad que hizo que su cara quemase. Ella abrió la boca, pero no supo qué decir.

—¡Melibea!

—¿Qué? —replicó de vuelta, burlándose del tono de su

compañero—. No ha dicho que no —Melibea se apartó de Chi, guiñándole el ojo—. No sé de qué te estabas quejando ayer por la noche, Kobu; creo que Kenra es un muy buen reemplazo... Solo mírala, es...

—Que su cara sea como es no significa que deba de estar aquí —respondió Kobu, interrumpiendo a Melibea desde el otro lado de la barra.

—¿No te das cuenta de que estás actuando como un niño pequeño?

—Tú no eres quien para acusar a otros de actuar como niños pequeños.

—Perdona —dijo Melibea con tono ofendido, mientras se ponía una mano sobre el pecho—. Pero un niño pequeño no ahoga sus penas en alcohol.

—¿De verdad vais a empezar otra vez...? —dijo Mael.

—¡Cállate! —ladraron Kobu y Melibea a la vez, sin dejar de fulminar con la mirada el uno al otro.

—Sé que necesitamos a alguien para no quedarnos en desventaja —el chico miró a Chi, que seguía callada detrás de Melibea. No podía evitar sentirse culpable por todas las disputas que estaba causando—. Pero no es más que una niña sin magia con una magistrada por guardiana.

—Y para la mayoría de nosotros tú no eres más que un perro grande que habla; pero no decimos nada.

Kobu golpeó la barra con el puño, haciendo vibrar su vaso, antes de levantarse, listo para convertir la discusión en una pelea. Melibea sonrió, cogió el vaso de zumo de Chi y lo zarandeó hacia el chico, antes de bebérselo, invitándole a que se acercase.

—¿Queréis parar de una vez? —dijo Ethan, levantándose

de donde había estado sentado—. Kobu vas a tener que aceptar a Kenra de una forma u otra porque ya no hay forma de cambiar el reemplazo.

—Lo que sea —bufó el chico mientras volvía a sentarse, encorvando la espalda.

—Cualquiera diría que solo uno de vosotros es hombre — murmuró Ebony, negando con la cabeza—. Melibea, no voy a dejar que bebas nada más que contenga la más mínima pizca de alcohol.

—Por favor, no seas una aguafiestas.

Melibea se sentó al lado de Chi; después de unos minutos en silencio en los cuales no dejó de hacer pucheros, intentó convencer a Ebony de darle una cerveza. Mael y Nahuel continuaron su conversación, intentando mitigar la tensión en el aire. Chi se limitó a juguetear con su vaso de zumo, ahora vacío.

—¿Ethan? —se volvió hacia su compañero, sin querer alzar la voz más de lo necesario.

—Dime.

—Necesito volver al Sector, hay algunas cosas que me gustaría traer de mi casa.

—Por supuesto —respondió, con una sonrisa—. Se me había olvidado por completo... Con razón llevas la misma ropa de ayer.

—¿Estás seguro de que es una buena idea? —preguntó Ebony, acercándose hasta ellos—. Pensé que tus compañeros de gremio no eran muy... Ethan lo hizo sonar como si fuesen peligrosos.

—Pues iremos con ella —dijo Melibea, saltando en la conversación—. Que mejor protección que el gremio número uno del Torneo.

—No es una mala idea —Ethan se levantó—. Kobu, tú también vienes.

—¿Qué? ¿Por qué?

—Porque lo digo yo.

Chi no pudo esconder una sonrisa. A pesar de la tensión y las peleas, sus intercambios le resultaban cómicos. A diferencia de sus compañeros de Sector, no parecía haber ninguna animosidad entre ellos.

—Por cierto, ¿Alguien ha visto a Arvel?

—No, no le he visto desde anoche —dijo Ethan, mirando a Ebony—. Dijo que tenía *"Cosas que hacer"*. Ya sabes cómo le gusta el secretismo.

Ella asintió, mientras daba la vuelta a la barra y se detenía frente al grupo que se había formado. Kobu también se acercó, refunfuñando.

—Nunca he visitado el Sector del Sigilo —Ebony sonrió de oreja a oreja— Vamos.

Capítulo 7

—¿Esta es tu casa? —preguntó Ebony en cuanto se detuvieron frente a la propiedad. No era mucho más que una cabaña de madera, pero parecía estar bien cuidada—. Pensé que todos los estudiantes tenían que quedarse en los dormitorios... Al menos era así cómo funcionaba en Construcción.

—¿Eres del Sector de Construcción? —preguntó Chi. Jamás lo habría adivinado.

—Sí, ya hay suficientes Volkai de fuego en Energía, Lucha y Sabiduría —Contestó ella—. Somos muy preciados en Construcción.

—Me imagino —murmuró. Abrió la puerta de la casa, extrañada ante el hecho de que no estaba cerrada con llave—. Soy la única que no vive en los dormitorios, digamos que mi presencia causaba... demasiados problemas. De todas formas prefiero tener mi espacio —añadió, pero ambas sabían que no vivía sola por gusto.

En cuanto dio un paso en la entrada, notó que algo estaba mal. Había pisadas manchando el pasillo, pisadas que no eran suyas, y fragancias que no reconocía. A Chi le resultó obvio que habían sido sus compañeros, pues llevaba un día entero sin mostrar la cara. No estaba segura de sí las noticias de ella uniéndose a Bershat eran públicas... Pero si lo eran, eso solo empeoraría la situación.

La chica no pudo evitar sentir náuseas ante la imagen de sus compañeros invadiendo su casa, invadiendo el único espacio que ella consideraba seguro.

—Kenra, ¿Estás bien? —preguntó Ethan después de unos segundos, al ver que la chica no terminaba de entrar—. ¿Hay algo...? —el joven miró el pasillo por encima de la cabeza de Chi y vio las pisadas en el suelo—. ¿Alguien ha entrado en tu casa?

—No te preocupes.

—¿Alguien ha entrado en tu casa y es así como reaccionas? —cuestionó Kobu, antes de alzar la barbilla y olfatear el aire—. Más de dos o tres personas por el olor.

—Ya no están aquí, así que no importa —replicó Chi, con menos paciencia de la deseada. El joven frunció el ceño, notando por su reacción que aquello le molestaba más de lo que estaba mostrando—. Solo necesito coger ropa y podremos irnos.

—¿Solo eso? ¿No hay nada más que quieras llevarte? —preguntó Ebony. Asomó la cabeza al salón admirando la simplicidad de la decoración. Había una mesa tallada en una piedra roja y muebles de madera oscura.

—No hay mucho que vaya a caber dentro de mi habitación.

—No tienes que quedarte en el hostal —dijo Melibea, que

fue la última en entrar por la puerta. Parecía haberse calmado durante el camino hasta el sector, de forma que sus frases no se alargaban y sus ojos parecían más atentos—. Todos los edificios en las ciudadelas están vacíos... Puedes escoger uno en el que vivir.

—Es cierto, muchos de nosotros no nos quedamos en el hostal —añadió Ethan.

—Aun así... Sería mejor que nos vayamos rápido.

Con aquello dicho, Chi cogió unas bolsas del armario de limpieza y se fue a su habitación. Todo seguía como lo había dejado la mañana del día anterior... Las sábanas revueltas, almohadas en el suelo y las puertas del armario abiertas. Comenzó a meter ropa en las bolsas sin preocuparse en mantener las prendas dobladas.

Melibea fue la única que la siguió dentro de la habitación, mientras los otros husmeaban por la casa intentando hacerse una idea de quién era su nueva compañera de gremio. Chi esperó a que la joven hablase para mirarla, pues seguía intentando combatir la molestia que sentía.

—En el gremio somos como una familia —Comentó. Se sentó a los pies de la cama, detrás de Chi, y observó la habitación con una sonrisa discreta—. Puede que ahora no lo sientas, pero lo harás... y cuando eso pase no te acordarás ni de este sitio ni de su gente.

—Creo que no todos los miembros del gremio piensan como tú —respondió, mientras la miraba por encima del hombro. Tal vez era culpa del beso que habían compartido, pero cada vez que Chi miraba a su compañera no podía evitar admirar los ángulos de su rostro.

—Kobu se acostumbrará... Estaba muy apegado a

Samuel, todos lo estábamos, por eso se lo está tomando tan mal —dijo. No pudo evitar oler el perfume de Chi en las sabanas y con aquel pensamiento, su sonrisa se alargó—. Y de la única otra persona de la que te tienes que preocupar es Zafrina... y a ella no le cae bien nadie, así que da igual.

—¿Zafrina?

—La del pelo rosa y ropa pintoresca.

—Ah... ella —murmuró Chi. Le hizo un nudo a la bolsa antes de continuar con la siguiente—. Es mejor de lo que estoy acostumbrada. Pero me temo que estáis sobrestimando lo que puedo y no puedo hacer. No tengo el nivel de la Zona Central.

—Puede que tengas razón... Pero eso será culpa de Ethan, no tuya.

—Tal vez, pero no va a ser él el que haga el ridículo en frente de una audiencia —susurró, más para sí misma que para su compañera. La joven dejó de guardar ropa y se contempló las manos. Puede que Melibea tuviese razón, pero eso no la hizo sentir mejor... solo hizo que su garganta se cerrase aún más—. Necesito salir a tomar aire —murmuró al levantarse.

—¿Quieres que te acompañe?

—No, estoy bien... gracias.

Chi cruzó el pasillo central de la casa en silencio, sin que ninguno de sus compañeros la notase al salir. Fuera, el sol amenazaba con empezar a bajar, pintando las orillas del cielo con tonos oscuros. Se sentó frente a la puerta y dejó escapar un suspiro antes de cerrar los ojos.

Podía escuchar a sus compañeros de gremio dentro, teniendo conversaciones tontas mientras peinaban el hogar de la chica... Podía escuchar a los pájaros entre las ramas de los árboles, el viento agitando las hojas... y unas pisadas acercándose.

Chi abrió los ojos y ladeó la cabeza hacia el camino que llevaba hasta su casa, a lo lejos vio una silueta que pronto tomó la forma de alguien que conocía: Mara.

—¿Kenra? —Chi se levantó y fue hasta su compañera, que la recibió con una sonrisa de oreja a oreja—. ¿Dónde estabas? Te he estado buscando por todas partes... Creo que mi consejo de ayer no fue muy bueno, quiero decir, fue un *muy* buen consejo, pero nuestra clase está llena de locos y lo siento...

—Mara —la interrumpió Chi, obligándola a respirar—. ¿De qué estás hablando?

—De Isis. Terminó en el hospital y llamaron a su hermana.

—¿Y? —insistió, a lo cual Mara respondió bajando la mirada y pasándose una mano por el cuello con nerviosismo. Por algún motivo Chi sintió la necesidad de alejarse de la casa y de sus nuevos compañeros, sin querer que alguien escuchase la conversación sin querer.

Le daba demasiada vergüenza que gente como ellos viesen lo poco que Chi era realmente.

—La hermana de Isis, se llama Nitocris y es miembro de uno de los gremios de la Zona Central. Ha estado buscándote con el resto de nuestra clase desde que se enteró de lo que le hiciste a su hermana.

—¿Siguen buscando? —preguntó, a lo cual su compañera asintió. Chi ladeó la cabeza hacia su casa, antes de volver a mirar a Mara—. No me estaba escondiendo.

—¿Y entonces dónde estabas?

—No te lo vas a creer —susurró. Si Mara no sabía que Chi era el nuevo miembro del gremio Bershat, el resto de la clase tampoco lo hacía.

—No puedes quedarte aquí —sin decir nada más, Mara cogió la mano de su amiga y comenzó a tirar de ella por el camino, alejándose de la casa—. Estarán esperando a que vuelvas a tu casa... No sé cómo no te han encontrado ya. Tenemos que llegar hasta uno de los instructores y decirles lo que está ocurriendo.

—¿Ellos no lo saben?

—¿Qué? —exclamó Mara, mientras la miraba con el ceño fruncido. No se detuvo, sin dejar que Chi tuviese tiempo para pensar o detenerla—. Por supuesto que no. ¿De verdad piensas que no harían nada para ayudarte?

—Han pasado muchas cosas a lo largo de los años —respondió ella—. Se me hace difícil creer que no estaban al corriente de ninguna de ellas.

El silencio que se asentó sobre las dos chicas hizo que ambas prefiriesen mirar el suelo, pues eran conscientes de que el comentario de Chi se aplicaba no solo a los adultos, sino a Mara.

Ella había estado en la misma clase que Chi desde que tenía memoria. Había sido testigo de todo lo que sus compañeros, tanto los de su clase como de muchas otras, habían hecho y jamás se le hubiese ocurrido intervenir.

Se encontraban tan lejos de la casa que Chi ya no se sentía segura en la presencia de sus compañeros de Gremio.

—Mara, creo que deberíamos volver... —Mara se detuvo, con tal brusquedad que Chi se dio de bruces contra ella—.

71

¿Qué pasa? —su pregunta fue respondida en cuanto alzó los ojos y vio a Landom de pie en la esquina frente a ellas, mirándolas.

Los tres se contemplaron en silencio con diferentes emociones inundándoles la cabeza. El chico miró detrás suyo, allí donde el edificio bloqueaba la visión de las chicas, y de vuelta a ellas, con los ojos abiertos de par en par. Mara se dio la vuelta y comenzó a empujar a Chi hacia atrás.

—Rápido, tenemos que irnos...

Ella tropezó hacia atrás y antes de que pudiese darse la vuelta, el grupo detrás de Landom le pasó de largo, fijando los ojos en ella.

—Pero si es el adefesio —dijo un chico pelirrojo, dando un paso frente al grupo. Puso un brazo sobre los hombros de Landom, colgándose de su amigo a pesar de que este no estaba devolviéndole el gesto—. Te estábamos buscando.

—Danny —dijo Mara, poniéndose de pie frente a su amiga y forzando una sonrisa—. ¿Por qué tienes que ser siempre semejante imbécil?

—Que alguien llame a Nitocris, decidle que hemos encontrado a Kenra —dijo el chaval, antes de que alguien del grupo se transformase y se alejase volando— Mara, sinceramente, ¿Qué estás haciendo? ¿Desde cuándo te juntas con ella?

—Desde que...

—¿Sabes qué? —la interrumpió Danny, alzando la voz—. No hace falta que lo expliques, no me importa.

Chi intentó colocarse al lado de su amiga. Pero ella alzó un brazo para detenerla.

—¿Qué estás haciendo? —susurró Chi, con miedo reptándole por el estómago.

—Intentar reparar todo el daño que te hemos hecho —respondió—. Corre —le dijo, ladeándose lo suficiente como para poder mirarla a los ojos, afilados por el miedo—. No te preocupes, para mí esto no es más que un entrenamiento.

Mara dio un paso al frente mientras se transformaba en un dragón rojo de cuatro patas y alas poderosas. Golpeó el suelo con su cola, recubierta de escamas tan afiladas como colmillos, y rugió.

El resto de los alumnos percibieron el gesto como lo que era: una invitación. Chi no esperó para darse la vuelta y comenzar a correr en dirección contraria, mientras escuchaba los alaridos de los alumnos al transformarse a su espalda.

La chica supo que no tenía posibilidades de escapar corriendo en línea recta, pues jamás había conseguido dejar atrás a un Volkai a pie... por lo que viró con brusquedad hacia uno de los edificios, sin dejar de correr tan rápido como sus piernas se lo permitían.

Cuando estuvo lo suficientemente cerca de la pared, dio un salto hacia una de las ventanas. Se cubrió el rostro con los brazos mientras atravesaba el cristal y antes de que pudiese reaccionar, se dio de bruces contra la pared del pasillo al que acababa de entrar. Notó como pedazos de cristal se le incrustaban en la piel, como sus ojos se nublaban por el golpe. Pero no tardó en recuperar el equilibrio, ignorando como su cabeza daba vueltas y como el suelo bajo sus pies parecía caerse hacia los lados.

Era ahora de correr.

Capítulo 8

—¿**H**abéis visto a *Kenra?* —preguntó Melibea mientras entraba en la cocina. Ethan y Ebony estaban sentados a la mesa, mientras Kobu sacaba cosas de los armarios—. ¿Os estáis comiendo su comida...? —la chica negó con la cabeza, callándose. No tenía tiempo para riñas—. No la encuentro.

—¿No estaba contigo?

—Le has estado babeando encima todo el día —dijo el Lobo, mientras dejaba montañas de paquetes de galletas sobre la mesa—. Tú sabrás donde está.

—Para tu información yo no babeo, no soy como tú — replicó Melibea, cruzándose de brazos. A pesar de poder hablar y moverse como alguien sobrio, la agresividad del alcohol seguía ahí, bullendo con cada palabra—. Y solo me estoy preocupando de que cuando dejes de estar cegado por tu propia estupidez y veas que Kenra es un regalo de los espíritus, sepas que es mía.

—Vuestra madurez jamás termina de sorprenderme —murmuró Ebony. Le dio un mordisco a la manzana que había estado comiendo y se levantó—. Si no está en la casa tenemos que ir a buscarla, cuidar de ella es nuestra responsabilidad.

—Si se la hubiesen llevado sus compañeros nos habríamos enterado, ¿verdad?

—Dejad de exagerar, esto no es más que un Sector lleno de niñatos...

Melibea le dio una patada a Kobu en la espinilla, callándole, antes de seguir a Ethan y Ebony fuera de la casa.

—Yo no estaría tan seguro... —Comentó el líder de gremio—. Kobu, ¿Puedes rastrearla?

—¿Para qué sigáis diciendo que soy un perro? No, gracias —los tres le miraron en silencio, cada uno agotando sus diferentes niveles de paciencia—. ¡Por los espíritus! Ya voy, ya voy...

Mientras Kobu olfateaba el aire, bajando por el camino de tierra que llevaba hasta la casa de Kenra entre los árboles, una sombra se cernió sobre el grupo.

La boca de Ethan cayó abierta mientras miraba al dragón que les sobrevoló. Su silueta, oscurecida contra el sol, dejaba atrás un rastro de humo negro haciendo su identidad inconfundible.

—¿El Anacreón? —murmuró Ebony, mientras seguían al joven con la mirada—. ¿Qué está haciendo aquí?

La bestia ladeó la cabeza para mirarles mientras dejaba atrás los árboles y se acercaba hasta los edificios. Rugió antes de devolver su atención hacia adelante, como si les estuviese llamando.

Ethan no pensó dos veces antes de comenzar a correr,

siguiéndole.

Los cortes en los brazos le sangraban; apenas podía respirar.

Chi se detuvo, apoyándose contra una pared, y puso las manos sobre sus rodillas, obligándose a sí misma a respirar. No estaba segura de sí había conseguido despistar a sus perseguidores, por lo que volvió a erguirse en cuanto pudo, lista para continuar corriendo.

Se encontraba en la otra punta del Sector, tan lejos de su casa que era inútil intentar volver hasta sus compañeros de gremio... Por eso, decidió que lo mejor era llegar hasta la entrada exterior del Sector, la cual siempre estaba custodiada por guardias.

En cuanto intentó volver a ponerse en marcha, algo le golpeó la mano, propulsándola contra la pared en la que había estado apoyada. Su mano estaba cubierta de las mismas telarañas de Isis. Intentó soltarse, pero lo único que consiguió fue que sus cortes sangrasen aún más.

Cuando alzó la mirada se encontró con unos ojos negros como lagunas sin fondo que perforaban.

Nitocris.

La chica era como una copia exacta de su hermana: igual de pálida, con el mismo pelo, pero más alta, más fuerte y con cicatrices surcándole los brazos de arriba abajo. La Araña ladeó la cabeza con una gracia muerta, observando a su presa con escepticismo.

—¿Tú eres el reemplazo del Paladín? —preguntó. Su voz era como un suspiro áspero, impregnada con desdén. Nitocris comenzó a frotarse los dedos de forma rítmica y antes de que

Chi pudiese reaccionar, su otra mano quedó atrapada contra la pared, inmovilizándola—. Mi hermana quiere hacerse un collar con tus dientes —la chica camino debajo de la sombra del edificio, cerrando el espacio que las separaba. Cogió la barbilla de Chi, clavándole las uñas sin cuidado—. He escuchado que no posees ningún tipo de magia, que no eres una Volkai... ¿Cómo ha podido alguien como tú dejar a Isis en el hospital? —negó con la cabeza, inclinando la cabeza hasta estar a la altura de la niña—. Mi hermana es una vergüenza, pero eso no cambia el hecho de que alguien como tú no debería existir.

Chi tenía tanto miedo que cuando su máscara de seriedad comenzó a resquebrajarse, entró en pánico. Su pierna voló hasta el estómago de Nitocris y el rugido de dolor que soltó fue suficiente como para empujar a Chi hasta el borde de un precipicio imaginario.

"¡No quiero morir!" Gritó en su cabeza, "No puedo morir, no así"

La chica tiró de sus brazos una vez más, con todas sus fuerzas, hasta que ambos hombros se le dislocaron. Chi dejó escapar un grito, pero no dejó de tirar. La pared a la que estaba pegada se resquebrajó y justo cuando pensaba que no iba a poder liberarse, el cemento cedió.

Chi trastabilló hacia delante, mientras Nitocris recuperaba el aliento.

"¿Ahora qué?"

La Araña se irguió, con una ira apenas contenible. Tiro a Chi al suelo de una sola bofetada, nublándole la mente.

La chica se encogió y cerró los ojos, anticipando un dolor que nunca llegó.

Sus jadeos se tornaron eternos, hasta que reunió el coraje

de abrir los ojos.

Frente a ella estaba el mismo joven de ojos violetas con el que se había encontrado el día anterior, antes de que Ethan la dejase inconsciente. Tenía una mano enguantada alrededor de la muñeca de Nitocris.

La joven retrocedió un par de pasos, sobresaltada.

—Kilyan —gruñó. Su mano estaba temblando allí donde su compañero la había tocado—, ¿Qué haces aquí?

—¿Qué haces aquí? —replicó. Su actitud calmada solo consiguió que Nitocris se revolviese aún más. Kilyan miró a Chi todavía en el suelo. Ella estaba encogida, escondiendo sus ojos rojos de él... Sin comprender que él estaba allí para ayudarla.

—Nada que te incumba —siseó. Cuando intentó dar un paso hacia la chica, Kilyan la bloqueó.

—Estás intentando matar a un miembro de otro gremio fuera de la Arena, ¿Cuán estúpida puedes llegar a ser? —inquirió, dando un paso hacia Nitocris, la cual retrocedió. Su voz seguía baja, manteniendo la conversación privada; pero aquello no suavizó su presencia intimidante—. ¿Acaso no estás viendo las consecuencias de lo que hizo Rahn? Si tanto querías morir solo tenías que decirlo... —el Anacreón comenzó a quitarse un guante, pero se detuvo en cuanto Nitocris trastabilló hacia atrás, cubriéndose el rostro con los brazos. El chico sonrió—. Ya me parecía.

—Eres un demente.

—Lo siento, pero no puedes decirme eso después de lo que estabas a punto de hacer —Kilyan volvió a dar un paso al frente, obligando a la chica a alejarse aún más. Chi se levantó del suelo, apoyándose contra la pared—. Vuelve a la ciudadela antes de que los de arriba escuchen de este... incidente.

—No, no voy a dejarla marchar después de lo que le ha hecho a mi hermana —insistió ella. En aquel momento Landom giró una esquina corriendo, y en cuanto vio la escena se detuvo. Sus ojos fueron de Chi a Nitocris y de ella a Kilyan. Durante un instante no pudo pensar, deslumbrado por el hecho de que estaba mirando al Anacreón en persona y que este le estaba mirando de vuelta—. Y si no soy yo, serán ellos.

—Kenra —dijo Landom, sacudiéndose la vergüenza y hablándole por primera vez en lo que se sentía como años—. Corre.

Chi le miró y luego miró a los dos alumnos de la Zona Central, que se encontraban a su lado. Sin pensar en nada más, obedeció y comenzó a correr en dirección contraria; el corazón le palpitaba de tal forma que lo sentía hasta en su garganta.

No había más edificios frente a ella, ningún sitio en el que esconderse, ningún sitio al que huir. Se dio la vuelta a tiempo de ver como Landom era tragado por el resto de la clase, que avanzaban hacia ella en sus formas de dragón.

La estaban alcanzando.

Escuchó un rugido que, a diferencia de los demás, venía en dirección contraria. Devolvió su mirada al frente y vio a un dragón gigantesco volando directamente hacia ella. Tenía el cuerpo cubierto de un pelaje marrón, que brillaba como si tuviese cubierto de polvo de bronce bajo el sol, y una cola increíblemente larga... parecía un Lobo.

La bestia abrió el hocico, dejando al descubierto una ristra de dientes como cuchillos del tamaño de su brazo, antes de emitir un rugido que hizo que las piernas de Chi flaqueasen.

La chica se dejó caer al suelo, encogiéndose sobre sus rodillas. La bestia le pasó por encima, ignorándola. Volaba a tal velocidad que la corriente de aire a su espalda tiró de Chi un par de centímetros hacia atrás, arrastrando sus rodillas contra el suelo.

—Por los espíritus, tus brazos... ¿Estás bien? —Melibea se arrodilló a su lado y le pasó una mano por la cabeza. Después de unos instantes, Chi se incorporó y miró hacia atrás, dándose cuenta de que aquella bestia era Kobu—. ¿Kenra?

—Si —murmuró, mientras observaba como el Lobo se abalanzaba sobre los alumnos que no habían sido capaces de frenar al verle. Tiró a unos cuantos de ellos al suelo, sin esfuerzo, y voló alrededor de los demás, evitándose que se marchasen como si no fuesen más que un rebaño de ovejas.

—¿Qué está ocurriendo? —exclamó Ethan, deteniéndose al lado de las dos chicas. Sus ojos siguieron a Kobu, que continuaba lanzándole mordiscos al aire alrededor de los estudiantes, para mantenerles quietos.

Melibea ayudó a Chi a levantarse, con cuidado de no tocarle los brazos, todavía cubiertas de telarañas, pero sin apartarse.

—Nitocris está aquí —le dijo Melibea a Ethan, señalando las manos de la chica.

Kilyan salió de entre dos edificios, solo, y se acercó hasta Kobu, no sin antes mirar hacia Chi.

—Voy a llevarles a ver a los instructores —dijo Kilyan. Gritos de protesta se alzaron entre los alumnos que habían vuelto a su forma Volkai—. El castigo por agredir a un miembro de la Zona Central es grave y me aseguraré de que sea impuesto. Voy a hacer que la disciplina en este sector vuelva a ser lo que era.

—¿De qué estás hablando? —protesto un alumno.

—¡Kenra no es una alumna de la Zona Central!

—Lo es —Ethan alzó la voz e irguió la espalda. Al igual que cuando Chi le vio por primera vez, puso una fachada de fuerza y autoridad; de líder de uno de los gremios más fuertes de la Zona Central—. Kenra es el nuevo miembro de Bershat y a partir de ahora se la tratará como tal.

Kilyan esperó unos segundos antes de volverse hasta Kobu, que le dio un gruñido de advertencia. El Anacreón guio a los alumnos hacia el centro del sector con el Lobo siguiéndoles de cerca, gruñendo a todo el que hiciese cualquier cosa aparte de caminar.

—Vámonos —dijo Ethan, rompiendo el silencio que se había formado—. No hay nada más que hacer aquí.

—¿Y las cosas de Kenra?

—Enviaremos una petición para que las traigan a la ciudadela, que es lo que deberíamos haber hecho desde el principio —dejó escapar un suspiro largo, cansado, antes de darse la vuelta y comenzar a caminar hacia la entrada de la Zona Central—. Puede quedarse en el hostal hasta entonces.

Chi se apartó de Melibea, trastabillando hacia delante. Ahora que el peligro había pasado y que la adrenalina comenzaba a evaporarse, sintió como su cuerpo se volvía pesado y como su cara se enrojecía con vergüenza.

Intentó mover los brazos, en vano.

Fue entonces cuando Ebony se acercó, viendo como sus otros dos compañeros observaban a la joven con pena. Les lanzó una mirada ácida a ambos, antes de poner una mano sobre el hombro de Chi.

—Tenemos que llevarte al hospital...

—No —interrumpió Chi, mientras alzaba la cabeza para mirarla. Era su primer día como miembro oficial del gremio y ya había demostrado su inutilidad. Si ellos de verdad habían creído que la decisión de Ethan no había sido completamente desacertada, ahora seguro que lo hacían—. Solo necesito que los coloquéis de vuelta.

—¿Estás segura? —insistió Ebony. Los tres intercambiaron miradas, mientras la más joven asentía—. Está bien.

Con la ayuda de Melibea, le recolocaron cada hombro con un chasquido seco. Todos los presentes habían tenido que aprender a arreglar hombros dislocados en el pasado. Pero jamás se lo habían hecho a alguien que podía aguantar el dolor sin pestañear.

Ebony puso sus manos sobre las de Chi cuando esta las alzó, derrotada por la situación.

—Puede que esto quemé un poco —Murmuró. Segundos después, Chi sintió como sus manos se calentaban, como si las tuviese sobre fuego.

De entre los dedos de Ebony salieron pequeñas volutas de humo, mientras las telarañas comenzaban a quemarse como pelo; desapareciendo antes de tocar el suelo.

—Listo.

Chi sacudió las últimas telarañas y se frotó las manos, suaves como la seda.

Sin decir nada más el grupo se puso en marcha, dejando atrás un sector al que ninguno de ellos deseaba volver.

Capítulo 9

Moverse por la Academia a pie resultaba tedioso, pues entre la Zona Central y los sectores, la escuela tenía el tamaño de una metrópolis entera... A pesar de ello, nadie dijo nada. Incluso Kobu, que no había tardado en alcanzarles volando, caminó con los demás en un silencio respetuoso. Después de lo que había presenciado en el Sector del Sigilo, se le hizo un poco cuesta arriba atacar a su nueva compañera como lo había estado haciendo hasta ahora... Cuando la miraba no podía evitar sentir lástima.

Al llegar de vuelta a la ciudadela, con el sol acostándose en el cielo, la única bienvenida que recibieron fue la de una sombra en el tejado de la taberna.

—¡Arvel! —llamó Ethan, en cuanto vio a su compañero sentado sobre las tejas. El chico se levantó y saltó como si no estuviese a dos pisos del suelo. Aterrizó con una gracia silenciosa, únicamente interrumpida por el más tenue de los tintineos, y caminó hasta el grupo. Como siempre, iba vestido con una túnica negra que ocultaba todo a excepción de sus ojos—. ¿Dónde has estado? Te estábamos buscando...

Chi, que había estado caminando detrás de Melibea, ladeó la cabeza para mirarles. Sin intentarlo, se encontró con los ojos de Arvel que, a pesar de ser de un azul pálido, poseían las mismas pupilas afiladas que las de ella.

Ebony le dio un abrazo a Arvel, el cual le devolvió el gesto, antes de entrar en la taberna con Kobu pisándole los talones. La única que se quedó atrás fue Melibea.

—Creo que todavía no has conocido a nuestra nueva adquisición —continuó Ethan, sin notar el aura que Arvel estaba desprendiendo ante la presencia de Chi. La joven, sin saber qué hacer, se limitó a presentarse.

—Me llamo Kenra —dijo, intentando que su voz sonase como algo más en un murmullo.

—Mientes —se limitó a decir, a través de la tela de su túnica. No había nada en su tono de voz que Chi pudiese utilizar, nada que le diese una idea de por qué había dicho eso; nada aparte de hostilidad y frialdad en sus ojos de reptil.

Ella inspiró hondo, mientras su corazón se aceleraba. ¿Cómo sabía que estaba mintiendo? ¿Cómo tenía que reaccionar?

—No estoy mintiendo.

—Tampoco estás diciendo la verdad —replicó él sin ceder... Sin darle espacio para defenderse. Chi fue la primera en bajar la mirada, sintiéndose sobrepasada por la presencia del chico, la cual era mil veces más poderosa que la suya.

—Déjala en paz —Melibea dio un paso al frente, deteniéndose al lado de Chi, y hablando por primera vez—.

¿Cuál es tu problema? —Arvel bufó antes de darse vuelta y caminar al edificio del que se había bajado—. ¿Qué le ocurre? —insistió ella, mirando a Ethan, que seguía la espalda de su amigo con la mirada.

—Ni idea, ya sabes cómo es con sus cosas.

—Ya... —Melibea puso una mano sobre los hombros de Chi, inclinándose para cerrar la diferencia de alturas—. No te lo tomes muy a pecho, Arvel es... especial.

—Hay mucha gente especial en este gremio —Melibea chasqueó la lengua ante su comentario, mientras asentía.

—No te equivocas —comentó Ethan.

—Vamos dentro, me estoy muriendo de hambre y estoy segura de que no soy la única... Sobre todo con el día que hemos tenido.

Los tres entraron en la taberna y adentro se encontraron con el gremio casi entero, bebiendo, comiendo y riendo. Chi supo que ella no era la única sorprendida por la atmósfera de celebración gracias al ceño fruncido de Ethan y la sorpresa en la sonrisa de Melibea. Esta última no desperdició la oportunidad para apresurarse hasta la barra y llenarse una jarra de cerveza, lista para unirse a la celebración.

—¡Ethan! —Ebony se acercó, sujetando un papel de color crema en las manos—. No te lo vas a creer.

—¿El qué?

—El Presidente ha enviado una carta a todos los gremios. Tenemos un mes de descanso antes de que el Torneo continúe —su voz sonaba tensa, mientras intentaba reprimir su sonrisa para poder hablar con claridad—. Estamos de vacaciones.

—¿En serio? —Ethan cogió la carta y la leyó con rapidez.

Era cierto—. Benditos sean los espíritus —susurró—. Esto es lo mejor que nos podría haber pasado.

—¿Por qué? —preguntó Chi. Los dos la miraron, con chispas de emoción en los ojos—. ¿Qué?

—Tenemos un mes entero para ponerte al nivel del resto de la Zona Central.

—¡Joder! —exclamó Rhonda, por encima del resto de las conversaciones. Estaba sentada del otro lado de la taberna, en una mesa redonda frente a una de las ventanas, con el respaldo de la silla contra el pecho. Tiró las cartas que había estado sosteniendo sobre la mesa al levantarse, haciendo que su silla golpease la mesa—. ¡Deja de hacer trampas! —le dijo a la chica que tenía sentada en frente, la cual se limitó a mirarla con una expresión calmada. Las puntas de su pelo, negro y corto, eran de un gris claro, prácticamente blanco.

—Eres tú la que insiste en que juegue con nosotros —le dijo la chica a su compañera.

A su lado, Mael ahogó una risa con la mano.

—Tiene que haber algo en lo que pueda ganarte —Rhonda dejó escapar un gruñido exasperado, mientras se dejaba caer sobre su silla. Su camisa tenía la espalda rota, dejando a la vista su columna, que se le marcaba contra la piel al encorvarse.

—Tal vez quieras mantenerte alejada de los juegos de cartas.

—¡Kenra! —Mael dejó sus cartas sobre la mesa y se levantó, haciéndole señas para que se acercase.

Antes de hacerlo, Chi miró a Ethan y a Ebony, asegurándose de que podían continuar con su conversación en otro momento.

—Voy a buscarnos algo de comer —dijo Ebony que, junto a su líder de gremio, bajó las escaleras de la entrada y caminó hasta la barra, donde Melibea ya se estaba llenando la jarra por segunda vez.

Chi caminó hasta la mesa en la que se encontraba Mael y Rhonda.

—Todavía no has conocido a Naeko —dijo el joven, haciéndole un gesto para que se sentase en una de las sillas vacías.

—Encantada —dijo Naeko, la chica del pelo negro, asintiendo con los ojos.

—Igualmente —respondió Chi, devolviéndole el gesto.

—Voy a por algo de beber —farfulló Rhonda mientras volvía a levantarse con la misma brusquedad de antes, agitando las cartas sobre la mesa.

Mael sonrió.

—Naeko es un clarividente.

—¿Eso significa que puedes ver el futuro? —preguntó Chi.

—Sí —respondió ella, mientras su mirada iba de la espalda de Rhonda hasta las cartas en su mano. Una sonrisa discreta se dibujó en su rostro—. Es un poco más complicado que solo ver el futuro —Chi alzó las cejas con interés—. Digamos que el futuro no es una sola calle... es más como una ciudad: llena de cruces, callejones, y esquinas inesperadas. Puedo ver el camino que tenemos en frente y las cosas que harían que ese camino se dividiese en múltiples otros futuros... pero solo puedo ver lo que hay al final de las calles que camino. Y a veces hay cruces inesperados.

—Impresionante... —murmuró Chi.

—¿Verdad? —Mael se recostó sobre su silla, poniéndose las manos detrás de la cabeza—. Estoy intentando pensar a quién más tienes que...

—Leon y Alessia —interrumpió Naeko, mientras recogía las cartas de la mesa y comenzaba a barajarlas—. Esos dos son los únicos que... —los ojos de la chica se posaron sobre los de Chi—, Kenra no ha conocido.

—¿Dónde está Leon? Siendo como es debería estar acosando a Kenra durante al menos unas horas antes de calmarse.

—Se fue a pedir permiso para ir a visitar a su familia después de que llegase la carta del Presidente... Ya debe de haber salido de la Academia.

—Quiero la revancha —dijo Rhonda, sentándose de vuelta en la mesa. Soltó tres jarras de cerveza sobre la madera—. Lo siento, pero creo que tú todavía eres menor —le dijo a Chi, sin mirarla.

Naeko ya había empezado a barajar las cartas. Le repartió a Chi, sin molestarse en preguntar si quería jugar, y a la silla vacía que tenía al lado.

—No hay nadie... —Comenzó ella, en vano.

—Yo también quiero jugar —Kobu se sentó al lado de Chi, sobresaltándola, allí donde Naeko había estado repartiendo las cartas.

—Lo sé —dijo la clarividente, con una sonrisa discreta.

Chi estuvo en la taberna durante horas, hasta que los únicos que quedaban eran ella, Ebony y Ethan.

—Deberías irte a dormir —dijo él, mientras ladeaba la

cabeza para mirar a su nueva compañera. Los dos estaban sentados en la barra, Chi con un plato vació frente a ella, y Ethan con una taza de café frío—. Hay muchas cosas que discutir mañana.

—¿Cómo cuáles?

—No queríamos interrumpir antes —comenzó Ebony, mientras recogía el plato—. Pero aparte de la carta del Presidente, nos ha llegado una carta de Hikami... Bueno, le ha llegado a Ethan.

—¿Qué decía? —preguntó Chi, mientras sus ojos se iluminaban ante la noticia.

—La Magistrada se preocupa de que tus estudios se vean afectados durante tu estancia en la Zona Central... Como ya sabes, todos nosotros somos alumnos de último año y el Torneo es como nuestra graduación, no tenemos ninguna clase.

—Pero tú todavía estás en tu primer año de entrenamiento práctico, todavía estás en lo básico —Ebony le quitó la taza a su compañero, ansiosa de poder terminar de limpiar el lugar para marcharse—. Así que mañana nos encargaremos de hacerte un... "Horario". La Magistrada nos ha encargado continuar entrenándote más allá de las cosas que necesitas para sobrevivir el Torneo.

—Entiendo —dijo Chi, mientras se levantaba—. Supongo que eso es mejor que estar un mes entero sin hacer nada.

—Sí, así que ve y descansa mientras todavía puedes.

—Buenas noches.

—Buenas noches —dijeron los dos.

Chi salió de la taberna y cruzó la plaza, en silencio, iluminada por una única farola de luz anaranjada. Se detuvo al lado de la fuente y miró la fachada del hostal, sumida en las penumbras. Era la primera vez que estaba sola en la ciudadela... La primera vez que podía pararse a respirar y admirar todo lo que la rodeaba.

El cielo estaba despejado, dejando al descubierto un manto de estrellas infinito, y la brisa era fría, a diferencia de la del día.

Comenzó a caminar hacia una de las calles paralelas al hostal. Todos los edificios tenían más o menos el mismo aspecto: muros de ladrillo y dos pisos, con ventanas de marcos de madera y balcones pequeños. Caminó en silencio durante más tiempo del que pretendió, dándose cuenta de que la ciudadela era muchísimo más grande de lo que se había imaginado.

Había suficientes casas para alojar a un pueblo entero... ¿Y cada gremio vivía en una ciudadela igual? ¿Qué tan grande era la Academia en realidad? Chi se preguntó si se había saltado la clase en la que explicaban todo aquello.

Mientras continuaba deambulando un ruido estridente la sacó de sus pensamientos, devolviéndole a la calle en la que se encontraba.

Fue hacia donde había escuchado el sonido, girando hacia el callejón que había entre dos edificios. Al principio sólo vio una figura encorvada en el suelo; pero no tardó en reconocer aquella vestimenta de cuero y melena oscura.

—¿Melibea? —Chi vio una botella rota contra la pared opuesta a la chica y supuso que había sido aquello lo que había escuchado. No se movió al escuchar su nombre; se limitó a mantener la cabeza escondida entre las rodillas y los brazos atados alrededor de sus piernas—. ¿Es-estás bien?

Se sintió extraño pronunciar aquellas palabras mientras se arrodillaba al lado de alguien que había conocido hace menos de dos días.

—¿Qué haces aquí? —una vez más, las palabras de Melibea pesaban sobre su lengua al hablar. Chi quiso tocarla, poner una mano sobre su espalda, pero no tuvo suficiente confianza como para hacerlo.

—¿Estás borracha?

—¿A ti qué te parece? —la joven levantó la cabeza por primera vez, con el ceño fruncido. Tenía los ojos tan rojos e hinchados como su nariz; no le resultó difícil adivinar lo que había estado haciendo.

—¿Qué ocurre? —insistió Chi, mientras veía como el enfado en sus ojos verdes palidecía hasta convertirse en amargura.

—Todo y nada —su labio inferior comenzó a temblar y con aquella pequeña muestra de vulnerabilidad, su enfado volvió—. ¿Cómo pueden aplazar el Torneo durante un mes entero? ¿Cómo voy a sobrevivir todo ese tiempo sin hacer nada? —la piel de una de sus manos cobró un aspecto metálico, grisáceo, antes de golpear el suelo con un estruendo. Cuando levantó el puño, los ojos de Chi se quedaron fijos en el agujero que había quedado en la piedra—. Necesito peleas, necesito no tener tiempo, no... pensar.

Melibea hizo un gesto con la mano, intentando coger algo invisible del suelo.

—¿Dónde está mi botella? —Chi señaló hacia el montón de cristales rotos y la joven dejó escapar un suspiro exasperado—. Me acuerdo, me acuerdo... —se levantó sin decir nada más y comenzó a caminar hacia la calle principal, ignorando la presencia de su compañera.

—¿A dónde vas?

—A por algo de beber.

—Creo que no necesitas más alcohol...

—Mira —Melibea alzó los brazos al tropezarse, igual que lo haría un niño pequeño al intentar recuperar el equilibrio. Se dio la vuelta lo suficiente como para mirar a Chi y dijo—. Me encanta tu cara, mucho, muchísimo; y te respeto a ti y todo lo que has sufrido. Pero ahora mismo me da muy igual lo que creas... *muy.*

Chi dejó escapar un suspiro antes de seguir a su compañera fuera del callejón, en silencio.

—¿A qué te refieres con que necesitas no poder pensar?

—La curiosidad es peligrosa —canturreó.

—Creo que puedo sobrevivir un poco de peligro.

Melibea se detuvo en aquel momento, mientras la poca concentración de su mente ebria se desplazaba desde la necesidad de alcohol a algo más carnal.

—Te hago un trato... dejaré de beber si me distraes.

—¿Distraerte? ¿Cómo? —Melibea se dio la vuelta y cerró la distancia que las separaba.

Puso los brazos sobre los hombros de Chi, curvando la espalda para poder bajar a su altura, de forma que sus caras se encontraban separadas por unos meros centímetros.

—Estoy segura de que no eres lo suficientemente ingenua como para no saber de lo que estoy hablando... —de pronto, el único pensamiento inteligente de la noche brotó en su cabeza—. ¿Cuántos años tienes?

—Dieciséis —contestó Chi, provocando que su compañera dejase escapar un suspiro pesado. Dejó caer la frente sobre uno de sus brazos, que todavía descansaba sobre el hombro de la chica—. ¿Estás bien?

—No —respondió ella, sin levantarse—. Estoy cansada.

—Te acompañaré a casa.

Melibea sonrió ante lo primero que se le vino a la cabeza con las palabras de Chi, pero no dijo nada. Dejó caer todo su peso sobre ella mientras dejaba que la joven le rodease las caderas con una mano, para poder ayudarla a mantener el equilibrio. Esperó que su compañera no pudiese moverse bajo su peso, por su aspecto frágil y pequeño, pero para su sorpresa Chi comenzó a caminar sin problemas.

Las dos continuaron en silencio, hablando únicamente para que Melibea le explicase cómo llegar hasta su casa. La joven vivía a una calle de la taberna, en un edificio como cualquier otro de la ciudadela.

Chi dejó que su compañera caminase los últimos pasos hasta el portal, girando el pomo para abrir la puerta.

—Buenas noches —dijo Chi.

Melibea se detuvo en el umbral y se dio la vuelta.

—¿*Buenas noches*? ¿Eso es todo?

—¿Qué...? —antes de que pudiese terminar la frase, Melibea dio dos zancadas en su dirección y plantó un beso en sus labios.

La piel de Chi se erizó, sus ojos se abrieron de par en par; pero como la última vez, no supo si quería apartarse o devolverle el gesto. Mientras pensaba, la ventana de oportunidad para rechazarla se cerró y con ella el beso se alargó unos segundos más hasta que Melibea decidió que era suficiente.

—Buenas noches —susurró con una sonrisa. Sus ojos, perezosos, recorrieron el rostro de Chi durante unos instantes antes de entrar de vuelta en el edificio y cerrar la puerta a su espalda.

La chica esperó hasta que estuvo de espaldas a la casa y alejándose para sonreír.

Capítulo 10

C hi *había estado demasiado* cansada la noche anterior como para hacer cualquier cosa aparte de tirarse en la cama y fantasear con su nueva vida hasta quedarse dormida.

Lo primero que hizo después de despertarse a la mañana siguiente fue ir a las duchas del hostal para limpiarse la sangre seca que seguía incrustada en sus brazos y rodillas. Al caminar en frente de algunas ventanas se dio cuenta de que, una vez más, había dormido hasta bien entrado el día... Por lo que no le resultó extraño que los pasillos estuviesen tan desiertos.

Había baños compartidos en cada planta; y como todo lo demás de aquella ciudadela, estaban siempre limpios y organizados a pesar de que todavía no había visto a ningún conserje trabajando.

Se quitó la ropa y la dejó doblada en la banqueta de madera que había al lado del cubículo de la ducha. Sus pies apreciaron el frescor suave de las baldosas contra su piel. No supo decir cuánto tiempo pasó bajo la corriente de agua caliente... la suficiente como para sus dedos se arrugasen como pasas y le costase un poco respirar por culpa del vaho. Después de volver a su habitación y vestirse, salió a la calle.

Ethan se encontraba sentado en el bordillo de la fuente, estudiando unos papeles con una atención diligente. Estaba tan ensimismado que Chi tuvo que caminar hasta estar a su lado para que el joven notase su presencia.

—¡Estás despierta! —exclamó, alzando la vista con sorpresa—. Te estaba esperando.

—Podrías haberme despertado.

—No tenía prisa —respondió, mientras negaba con la cabeza—. ¿Qué te parece si vamos a buscarte una casa? Cuanto antes elijas, antes podrán empezar a mover tus cosas.

—¿Estás seguro? —preguntó ella. Dio un paso atrás mientras en chico se incorporaba a su lado—. ¿No tienes cosas más importantes que hacer?

—Conseguir que te encuentres a gusto en el gremio y la ciudadela es mi única prioridad ahora mismo.

Chi bajó la mirada, con una sonrisa iluminando su rostro. Todavía se le hacía difícil creer que estaba rodeada de gente que no la odiaba, de gente que se preocupaba. Juntos comenzaron a caminar por una de las calles principales de la ciudadela, en busca del lugar perfecto.

—Sé que ser parte de la Zona Central no era algo con lo que soñabas y puede que te resulte complicado acomodarte a nuestra... forma de vida. Así que he pensado que cuantas más cosas podamos recrear de tu antiguo hogar mejor.

—Eso me gustaría —respondió Chi sin querer decirle que fuese donde fuese ella se sentiría más en casa que de vuelta en su sector.

Se metieron por una de las calles más pequeñas, alejándose de la avenida, hasta que Chi se detuvo en frente de una casa. Como muchas otras, tenía la fachada cubierta casi completamente por enredaderas. Pero aparte de hojas, había flores blancas que se abrían como campanas bajo la sombra del tejado.

—¿Te gusta esta? —preguntó el joven, sin poder evitar que sus ojos se fijasen en las enredaderas que habían conseguido empujar su camino entre los marcos de las ventanas.

—Sí.

—¿Quieres que entremos?

Chi asintió mientras subía los escalones de la entrada. Tuvo que empujar la puerta con el hombro para desatascar la madera del marco y las bisagras. Lo primero que había nada más entrar era un escalón que daba a un pasillo con tres puertas de cada lado y una escalera al final. Ethan y ella pasearon por el primer piso, asomando la cabeza en cada una de las habitaciones, todas vacías a excepción de algunos muebles.

En el segundo piso había una sola habitación y un baño.

—Creo que esta es la habitación principal —Comentó Ethan—. ¿Qué te parece?

—Me encanta —murmuró ella, ignorando la capa de polvo que cubría los suelos de madera—. ¿Estás seguro de que puedo vivir aquí? No me importaría quedarme en el hostal, no quiero imponer...

—No te estás imponiendo —interrumpió él—. Eres un miembro de Bershat, y eso significa que tienes derecho a lo mismo que el resto de nosotros; y eso incluye un lugar privado en el que puedas descansar en paz.

Chi admiró como la luz entraba por la ventana del balcón, revelando los ácaros de polvo que flotaban por la habitación. Sentía tanta felicidad que su pecho pesaba como si estuviese esperando a que algo malo ocurriese, como si fuese demasiado bueno para ser verdad.

—¿Puedo preguntarte algo?

—Por supuesto.

—¿Por qué yo? —preguntó la chica, con el más leve tono de melancolía—. De toda la Academia, de todos los alumnos... ¿Por qué elegirme a mí, incluso sabiendo que no tengo magia?

—No estoy seguro —la respuesta de Ethan fue tan simple como sincera. Dejó escapar un suspiro, mientras se recostaba contra la pared—. Cuando te vi peleando... La energía que desprendías era tan diferente a cualquier otra cosa que hubiese visto que no pude evitar pensar en Samuel. Creo que él también te habría escogido a ti —hizo una pequeña pausa, mientras se pasaba una mano por el pelo—. La muerte de Sam nos ha afectado a todos más de lo que ninguno quiere admitir... y lo cierto es que él tenía una visión del mundo muy idealista. Siempre decía que una persona con corazón valía más que una persona dispuesta a cualquier cosa, y creo que eso es lo que nuestro gremio necesita más que nada. Necesitamos algo que nos muestre la luz al final del túnel... Perdóname si no estoy siendo muy coherente... Cuando decidí escogerte a ti lo hice más por instinto que por lógica.

—Gracias —susurró Chi, negando con la cabeza.

Bajó la cabeza mientras intentaba reprimir las ganas de llorar.

—¿Por?

—Por todo —cuando volvió a alzar la mirada, cualquier rastro de lágrimas se había esfumado—. Por confiar en mí. Por tratarme como a una más —recordaba pocos momentos en los que se sintiese como lo hacía en aquel momento... Era tan gratificante que alguien la hubiese elegido a ella, a *ella*, por encima de cualquier otra persona.

—No tienes nada que agradecerme... Sé que esto no es lo que querías. Lo mínimo es hacerte sentir como una más, Kenra.

—Chi —murmuró ella, mientras su corazón se aceleraba. Hace años, Hikami le había dicho que su nombre era su secreto, y que solo se lo diese a aquellos que se lo merecían... Aquella era la primera vez que se lo decía a alguien fuera de su "familia".

—¿Qué?

—Chi es el nombre que me dio Hikami... Kenra es solo mi nombre de asignación.

Ethan la miró durante unos instantes antes de sonreír, mientras sopesaba lo que aquella confesión significaba para la chica.

—Chi.

Capítulo 11

Ethan *entró en la taberna* y bajó los escalones mientras sus ojos bailaban de cabeza en cabeza para ver quien se encontraba presente.

—¿Dónde está... —comenzó a preguntar, deteniéndose antes de decir Chi—... Kenra?

—Sigue durmiendo —respondió Naeko desde su mesa usual, con Rhonda y Mael a cada lado.

El joven caminó hasta la barra, sentándose en el sitio más cercano a una de las ventanas. Giró sobre su taburete hasta poder ver a cada uno de sus compañeros, con la espalda contra una esquina.

—¿Dónde has estado? —preguntó Ebony. Pasó por debajo de la barra y se sentó a su lado, reposando los codos sobre la madera. Su pelo caoba estaba recogido en una coleta alta, despejándole la cara.

—Planeando con Nahuel las... "clases" —respondió él—. Arvel se ha negado a ayudar.

—¿Tú crees que se conocen? —preguntó Kobu, sacando la cara de su vaso por primera vez desde que Ethan había entrado por la puerta.

—No, no lo creo —se encogió de hombros—. Pero por alguna razón no parece gustarle.

—Tendrá sus motivos —Rhonda ladeó la cabeza, haciendo que sus rastas, atrapadas en una trenza intrincada, le cayesen sobre el hombro—. Arvel nunca hace las cosas porque sí...

Melibea comenzó a reír por lo bajo haciendo que su compañera se callase para mirarla con ojos entrecerrados. Estaba recostada sobre la mesa, haciendo que sus pechos se desbordasen de su corsé.

—Arvel tiene un palo metido por el culo —dijo la joven, antes de enderezarse para poder terminar de beber el contenido de su vaso—. ¿Qué otro motivo tendría para tratarla tan mal? O sea... ¿Os he dicho ya lo adorable que es?

—No, ¿Por qué no nos lo dices más? —gruñó Kobu. La sonrisa de Melibea se alargó con la malicia de un niño pequeño.

—Kenra... es... *adorable.*

—Por favor —intervino Ethan, viendo por donde iban los tiros—. No empecéis otra vez.

—¿Empezar qué? —bramó Melibea, arqueando la espalda contra el respaldo de su silla. Ambos cruzaron ceños fruncidos.

—¿Quieres morir? —siseó el Lobo.

—No empecéis —repitió Ethan, mostrando las primeras señas de irritación. Melibea se levantó y fue hasta la barra, asomándose en busca de una botella más de alcohol—. Kobu, estaba pensando que tal vez podrías ayudarme con las clases; necesito a alguien que la ponga en forma —Ethan le sostuvo la mirada, esperando su respuesta.

—Va a decir que sí —comentó Naeko después de unos segundos de silencio, sin levantar la mirada del cuaderno que tenía frente a ella.

—¡No me digas lo que voy a hacer! —ladró él, volviéndose para perforarla con la mirada. La joven alzó las cejas, disimulando una sonrisa. Después de unos segundos más, Kobu habló con resignación—. Supongo que puedo hacerlo.

—Perfecto, una cosa menos de la que preocuparse... — Ethan se volvió hasta estar frente a Ebony, mientras el resto de sus compañeros volvían a sus conversaciones—. ¿Cómo te encuentras?

—Bien, no te preocupes por mí —respondió la joven, bajando la mirada a su taza de té—. He estado pensando que tal vez deberíamos hacer unas cuantas actividades en grupo; como... como Sam las hizo después de que se formase el gremio. Creo que nos vendría bien a todos —sus ojos se detuvieron sobre Kobu y Melibea, antes de dejar escapar un suspiro cansado—. Y así Kenra tendrá más oportunidades para acostumbrarse a nosotros.

—Y nosotros a ella —añadió Ethan—. Lo cierto es que no tengo ni idea de las cosas que puede hacer... ¿Notaste que ayer por la noche los cortes que tenía en las manos y las rodillas ya se habían curado? —Ebony asintió, dándole un sorbo a su bebida—. Al único que conozco capaz de hacer algo así es a Mael. Quién sabe qué otras habilidades posee.

—Puedo ir a hablar con el Capitán para ver si nos da permiso para utilizar el bosque.

—Perfecto...

Chi abrió la puerta de la taberna con cuidado, entrando en silencio. Ethan observó su ceño fruncido y como todavía tenía los ojos ligeramente entrecerrados por el sueño.

—Buenos días —dijo Mael, sonriente.

—Buenos días —contestó ella, con voz ronca. El Lobo la miró, pero no dijo nada. Frente a él estaba Melibea, que al igual que su compañero, la siguió con la mirada en silencio mientras bajaba las escaleras y se acercaba a la barra.

—Buenos días —dijo Ebony en cuanto se sentó entre ella y Ethan—. ¿Has dormido bien?

—Si... Demasiado bien —Chi se dejó caer sobre la barra, poniendo la mejilla sobre la madera—. Ni siquiera sé si estoy despierta todavía.

—Lo estás. Pero necesitas sacudirte el sueño para que puedas absorber toda la información que estoy a punto de tirarte encima —Ethan dio una palmada, haciendo que Chi se tensase—. A partir de hoy y durante el mes entero vas a entrenar como nunca antes —Ebony se levantó y fue hasta el otro lado de la barra, donde llenó una taza de café antes de pasársela a Chi, la cual arrugó la nariz ante el olor amargo del líquido—. No más saltarse clases, desaparecer durante días y suspender exámenes a propósito.

—¿Cómo sabes todo eso?

—Porque he tenido una larga y reveladora conversación con Ransa...

—¿Kenra es una rebelde? —interrumpió Mael, dándose la vuelta para mirarles. Chi se tapó la cara con los brazos, sin levantar la cabeza—. Quien lo habría dicho.

—Yo no lo llamaría rebeldía —añadió Naeko.

103

—Tenía mis motivos —murmuró la chica para sí misma. Apartó un brazo lo suficiente como para mirar de reojo a Ethan, que sonreía—. No tenías que decirlo en voz alta.

—¡Anímate! —exclamó el líder de gremio, dándole una palmada en la espalda. Chi se alzó sobre el taburete, todavía encorvada, y le dio un sorbo al café. Sabía incluso más amargo de lo que olía—. La mayoría de nosotros tampoco éramos estudiantes de honor.

—Habla por ti —Ebony apoyó los codos sobre la barra, observando al joven con ojos brillantes—. Yo tenía las notas más altas de mi clase entera.

—¡Oh, yo también! —exclamó Mael, queriendo ser reconocido como parte de la élite del gremio.

—Pensaba que Nahuel era el primero de su clase — replicó el Lobo.

—Solo estábamos en el mismo sector. Diferentes cursos y diferentes clases...

—Kenra —susurró Ebony para captar la atención de la chica mientras sus compañeros charlaban—. ¿Quieres que te haga algo de desayunar?

—Sabes que no tienes que molestarte, ¿verdad? Puedo buscar algo yo sola.

—Lo sé... Pero me gusta.

—¿Es por eso por lo que siempre le sirves a todo el mundo? —Ebony asintió—. ¿Por qué?

—Mis padres tenían una taberna cuando era pequeña... Supongo que me recuerda a casa.

—¿Les echas de menos?

—Todos los días —murmuró, con una sonrisa

melancólica. Chi quiso seguir preguntando, pero supo que había una razón detrás de su repentino cambio de tono—. Te preparé algo.

—Gracias.

—Bien, este es el plan —comenzó Ethan, devolviéndole su atención mientras Mael y Kobu continuaban discutiendo de fondo—. Vas a pasar la mayor parte de tu día con Nahuel, ya que él tiene que encargarse de todas las asignaturas generales.

—¿Todas? —se quejó Chi.

—Todas —respondió él—. Conmigo intentaremos encontrar tu estilo para el Torneo: que armas vas a utilizar y ese tipo de cosas; luego Rhonda —continuó, ladeando la cabeza hacia la joven sin mirarla—. Con ella practicarás diferentes tipos de lucha y por último Kobu... —la nariz de Chi se arrugó instantáneamente, pues el Lobo no había hecho nada más que dejar clara su aversión hacia ella—... se encargará de ponerte en forma.

—Pero yo ya estoy en forma...

—No para el Torneo —interrumpió Kobu—. Sobre todo teniendo en cuenta que al parecer ni siquiera entrenabas en serio de vuelta en tu sector.

Chi bajó la mirada hasta sus manos, avergonzada por el peso de sus palabras. Tenía razón, no podía olvidarse de que alguien como ella tendría que esforzarse el triple que todos los demás para poder llegar a tener el nivel de la Zona Central.

Sus hombros se hundieron al darse cuenta de la gravedad de su situación.

—¡Ethan! —dijo Melibea, hablando por primera vez desde que Chi había entrado en la taberna—. ¿Y yo qué?

—¿Tú qué? —preguntó el líder de gremio, mientras una sonrisa se formaba en sus ojos.

—Yo también quiero entrenarla.

—Necesitamos que mejore, no que la acoses todos los días.

—Ethan, *por favor*, la voy a acosar de todas formas, lo mínimo que puedes hacer es darme un horario para hacerlo —el tono serio y expresión plana de la chica hicieron que a Chi le costase determinar si estaba bromeando o no.

—No, lo siento —insistió Ethan, que, a pesar de estar negando con desaprobación, no podía parar de sonreír. Chi hundió la cara en su taza, escondiendo sus mejillas enrojecidas—. Kenra, ¿Qué te parece si empezamos tu entrenamiento mañana?

Ella asintió.

Ebony apareció después de unos minutos con un plato de huevos revueltos y un par de tostadas. Chi desayunó acompañada de sus compañeros que cada poco tiempo encontraban algo nuevo sobre lo que discutir... Aunque resultaba obvio que lo hacían más por entretenimiento que por cualquier otra cosa, como si estuviesen intentando distraerse los unos a los otros para no acabar en silencio.

Chi había crecido observando a otras personas, aprendiendo a descifrar mentes para poder sobrevivir en su sector. Aquel grupo era uno que estaba intentando no desmoronarse, una familia haciendo todo lo posible por soportar el peso de los que estaban teniendo más problemas para levantarse.

Y a primera vista, parecían estar consiguiéndolo.

—Tengo que irme a preparar unas cuantas cosas con

Nahuel —dijo Ethan mientras se levantaba. Le dio una palmada a Chi en el hombro, antes de acercarse a Ebony y darle un abrazo—. No sé si voy a estar de vuelta para cenar.

—No pasa nada, buena suerte —respondió ella.

Ethan se despidió del resto de sus compañeros antes de salir de la taberna. Chi se quedó sentada con Ebony durante unos minutos más... hasta que su corazón comenzó a latir demasiado rápido para su gusto.

Aunque sabía que no tenía que estar en guardia, no podía evitar mirar por encima de su hombro, esperando a que algo malo ocurriese.

—Yo también me voy —sentenció. Ebony alzó las cejas, preguntando si le pasaba algo con los ojos—. Creo que debería descansar el resto del día.

—Buena idea —respondió—. El horario que Ethan tiene preparado no es tan suave como lo ha hecho sonar... Si necesitas cualquier cosa estaré aquí.

—Gracias.

Cruzó la taberna con la cabeza gacha, de forma que casi ninguno de sus nuevos compañeros notó que se marchaba.

En cuanto la puerta se cerró a su espalda Melibea alzó su vaso y se bebió el resto del alcohol de un trago.

—Déjala en paz —le advirtió Kobu a su amiga—. Obviamente no le gusta estar rodeada de gente.

—Dudo que mi presencia la moleste —replicó al levantarse. Los dos se sostuvieron la mirada el uno al otro.

—Pensé que solo estabas jugando con ella.

—Yo no juego con nadie... Además, ella es diferente.

—Ya —bufó el Lobo, apoyando un codo sobre la mesa—.

Seguro.

Melibea ignoró la amargura de su compañero y se apresuró a salir de la taberna. Chi ya se encontraba del otro lado de la plaza, de pie frente a la puerta del hostal como si estuviese intentando debatir si debía o no debía entrar.

—Kenra —la joven se dio la vuelta para mirar a su compañera mientras esta cerraba el espacio entre ellas. Chi solo necesito esos ojos esmeralda sobre ella durante unos segundos para que su cara se calentase—. ¿Qué estás haciendo?

—Nada.

Todavía no había encontrado su lugar en aquel gremio, aquella ciudadela...

—¿Por qué no me has hablado ahí dentro? —preguntó, haciendo un gesto hacia la taberna. El pulso de Chi se aceleró.

—No sabía si podía; si querrías... —dejó la frase colgando sin saber exactamente qué era lo que estaba intentando decir. La verdad era que jamás había tenido a alguien como Melibea en su vida, alguien que no solo parecía estar interesada en ella, sino algo más—. Lo siento.

—No tienes por qué disculparte —Melibea frunció el ceño mientras alzaba una mano para frotarse la nuca—. Supongo que es normal que no supieses qué hacer, teniendo en cuenta como me he estado comportando.

—Tienes una capacidad impresionante para sacudirte el alcohol.

—¿Qué? ¿Lo dices porque parece que estamos teniendo una conversación más o menos civilizada? —la chica agitó una mano en el aire, con una sonrisa de oreja a oreja—. Que va, estoy *extremadamente* borracha ahora mismo, solo estoy haciendo un esfuerzo tremendo para que no se me note.

Chi dejó escapar una risa suave, casi involuntaria, mientras evitaba los ojos de Melibea.

—¿Por qué no vamos a dar un paseo? —preguntó la joven, irguiéndose en el corsé que le quedaba como una segunda piel—. ¿A menos que tengas otras cosas que hacer?

Chi esperó unos segundos antes de contestar, debatiendo si de verdad era el momento de consentirse tanto a ella como a Melibea.

—No, no tengo nada que hacer.

Chi notó que habían empezado a caminar por la misma calle que bajaba hasta el edificio que había escogido para vivir. ¿Cuánto tiempo tardarían en traer sus cosas del sector?

Observó la ciudadela que se expandía frente a ella, sintiendo un cosquilleo de emoción en el pecho. Observó las calles, los edificios de piedra pulida y ladrillo rojo, y como el sol brillaba sobre todas las plantas y ventanas, haciendo que pareciese un lugar al que escaparse, un lugar en el que disfrutar de paz y simplicidad.

—La próxima vez deberías sentarte con nosotros —comentó.

—¿Con Kobu? —preguntó ella—. Dudo que me quiera cerca.

—Que va, a Kobu ya no le molestas... Lo que pasa es que tiene demasiado orgullo como para admitirlo.

—¿Estás segura?

Melibea sonrió.

—Si —ambas observaron como el muro que rodeaba la ciudadela se hacía más y más alto a medida que se acercaban al final de la calle—. Y, ¿Qué más da la opinión de Kobu? Nos gustas a todos los demás; sobre todo a mí, así que da igual.

Chi sonrió.

—¿Cómo se llama... el chico de negro?

—¿El de la túnica? —preguntó Melibea, a lo cual ella asintió—. Arvel.

—Creo que a él tampoco le caigo bien... o a Zafrina.

—Zafrina siempre ha sido a si, no le cae bien nadie —ambas intercambiaron miradas—. Está bien, está bien, nos gustas a la *mayoría* de nosotros, sobre todo a mí —repitió una vez más, con descaro—. Así que sigue dando igual.

Se detuvieron al llegar a la sombra del muro, que cortaba el sol sin piedad. Todas las ciudadelas, al igual que los sectores, estaban divididos por altos muros grises. Pero el muro de aquel lugar parecía diferente. Había casas partidas por la mitad, atravesadas por la piedra pulida que constituía la muralla.

—¿Qué piensas? —preguntó Melibea, observando como los ojos rojos de la joven vagaban.

Mientras esperaba una respuesta, las sombras de dos personas caminando por el muro se dibujaron en el suelo frente a ellas.

—Me siento fuera de lugar —murmuró, mientras seguía a los guardias con la mirada. Ambos hombres las ignoraron, mientras continuaban patrullando. Antes de que Melibea pudiera decir nada, Chi habló de nuevo—. ¿Qué hay del otro lado del muro? ¿Otra ciudadela?

—No —respondió la joven después de unos segundos—. Todas las ciudadelas están rodeadas por un muro y entre los muros hay árboles... bueno, bosque —puso énfasis en aquella última palabra sin motivo alguno, mientras se llevaba una mano a la cabeza—. Creo que este es todo el tiempo que puedo pasar de pie al sol ahora mismo.

—¿Te encuentras bien?

—Mejor que nunca —a pesar de sus palabras, se tambaleó hasta atrás. Chi rodeó el torso de su compañera y pasó su brazo derecho sobre sus hombros, sujetándola. Melibea dejó escapar un resolló—. No sabía que eras así de atrevida, quien lo habría dicho...

—Tenías razón, sí que estás borracha —dijo Chi, repitiendo sus palabras. Melibea la ignoró, apoyando la mejilla sobre la cabeza de la chica. Su pelo era suave, como seda hecha de rubíes—. ¿Cómo se vuelve a tu casa desde aquí?

—¿Quién sabe? —murmuró, sin abrir los ojos. Chi suspiró—. Hueles bien.

—Tú no —susurró ella, quien todavía no tenía la confianza de decir las palabras en voz alta.

—Lo sé —susurró de vuelta. Melibea entrelazó los dedos de ambas manos, dejando que la chica cargase con ella.

El trayecto hasta su casa fue lento y silencioso... Probablemente mucho más largo de lo que debería haber sido. Cuando por fin llegaron, Chi abrió la puerta de entrada y trastabilló dentro, pues Melibea se había convertido en un peso muerto.

Si no fuese porque era bastante más alta que Chi, esta no habría tenido problema alguno para moverla.

Entró en el salón y sentó a Melibea sobre el sofá. La joven dejó caer su cabeza hacia atrás, medio dormida, por lo que Chi se arrodilló y comenzó a desatarle las botas. No pudo evitar que sus ojos se entretuviesen en los pantalones de cuero de Melibea... Jamás había visto a alguien que pudiese vestir algo semejante y que le quedase como le quedaba a ella.

—¿Ves algo que te guste? —murmuró Melibea, sobre-saltándola. A pesar de sus palabras juguetonas, su voz sonó vacía... como si estuviese leyendo de un guion. Tenía uno de sus ojos entrecerrados, como si hubiese notado los ojos de Chi sobre ella.

—Deberías dormir —respondió la chica. Terminó de quitarle las botas, dejándolas caer sobre el suelo de madera, y empujó a la chica sobre su costado, tumbándola. Con cada parpadeó, los ojos de Melibea tardaban más y más en volver a abrirse—. ¿Por qué te haces esto?

—Porque es lo único que me hace sentir mejor.

—¿Cómo es posible que te sientas mejor así?

Mantuvo los ojos abiertos, perdidos más allá de Chi; como si estuviese mirando a alguien que no estaba ahí. No respondió a su pregunta.

—El Torneo es lo peor que me ha pasado en la vida —dijo, con amargura, mientras se volteaba en el sofá, dándole la es-palda a Chi—. No deberías haber venido.

Capítulo 12

C hi *se despertó sobresaltada*, al escuchar una mano aporreando su puerta. La noche todavía estaba cerrada del otro lado de su ventana por lo que su corazón se aceleró, con miedo... hasta que recordó que ya no se encontraba en su sector.

Ya no tenía que tener miedo de la gente que la rodeaba.

Se deslizó sobre las sábanas, con la torpeza de alguien que seguía medio dormido, y abrió la puerta.

—Ya estabas tardando —gruñó Kobu. Sus ojos bajaron automáticamente al cuerpo de Chi, cubierto únicamente por una camiseta que apenas le bajaba hasta los muslos—. Por los espíritus, ¿Cómo abres así? ¡Vístete!

—Pensé que ibas a tirar la puerta abajo —contestó ella, demasiado dormida como para actuar con su docilidad de siempre—. ¿Qué estás haciendo aquí?

—¿Cómo que qué estoy...? —Kobu se calló y se puso una mano sobre la frente, cubriendo tanto sus ojos como su falta de paciencia. Se dio la vuelta, al ver que a Chi no parecía molestarle estar medio desnuda frente a él—. Estamos empezando tu entrenamiento.

—¿Qué hora es?

—Las cuatro de la mañana.

—¿Por qué tan temprano...?

—Porque lo digo yo. Ahora, vístete.

El chico se dio la vuelta y dio un portazo sin decir nada más, obligando a Chi a dar un paso atrás.

Ella suspiró, mientras se frotaba los ojos. Era demasiado temprano como para intentar tener una conversación decente con alguien como Kobu. Se quitó la camiseta y se puso uno de los conjuntos que había traído de su casa.

Cuando salió de su habitación el Lobo la miró con el ceño fruncido, antes de comenzar a caminar por el pasillo, sin decir nada.

Chi le siguió, igualando su silencio, mientras luchaba con su letargo. Fuera del hostal, el aire era frío y las pocas farolas que había no brillaban lo suficiente como para iluminar las fachadas de los edificios... Aunque eso a ella no le molestaba, pues en la oscuridad sus pupilas se dilataban hasta adoptar por completo su forma más afilada.

Se detuvieron al lado de la fuente justo cuando Chi reunió el coraje suficiente como para hablar.

—¿Qué vamos a hacer?

—Correr —respondió Kobu, mientras se quitaba la chaqueta que llevaba. Dejó caer la prenda sobre el bordillo de la fuente, a centímetros del agua, quedándose en una camiseta de tirantes blanca.

Fue entonces cuando Chi se dio cuenta de que nunca había conocido a un alumno de la Zona Central antes de venir a la ciudadela. Su cuerpo no se parecía en nada a los de sus compañeros de sector... su musculatura parecía tallada en piedra, resultado de años de entrenamiento y meses en un lugar en el que se peleaba con la vida.

—¿Lista?

—¿Solo vamos a correr? —preguntó ella.

—Intenta no quedarte atrás.

Sin decir nada más, Kobu comenzó a correr... Pero no como lo hacían durante los entrenamientos de su sector, como si estuviesen paseando, sino como si hubiese alguien persiguiéndole.

Chi se apresuró a seguirle y en poco tiempo, para la sorpresa del Lobo, le alcanzó sin problemas. Bajaron corriendo por la calle principal y en un par de minutos, llegaron hasta el muro donde los guardias de turno les dedicaron unas miradas curiosas.

La chica tardó un tiempo en conseguir sacudirse la sensación de que estaba huyendo de algo, de alguien. Corrieron a ese ritmo hasta que el sol comenzó a iluminar el cielo de tonos anaranjados, hasta que Chi dejó de estar relajando el paso para no ir más rápido que el Lobo y empezó a costarle mantener el ritmo.

—¿Qué estás haciendo? —preguntó Kobu, al darse cuenta de que poco a poco la chica se quedaba atrás, hasta parar.

—No... Puedo... —puso las manos sobre sus rodillas, jadeando. Tenía la garganta demasiado seca para hablar, el pulso demasiado acelerado como para descansar. Sus músculos estaban tan exhaustos que parar no hacía ninguna diferencia.

—Solo han pasado dos horas —replicó el Lobo. Sus palabras fueron acompañadas por su aspecto. Tenía el pelo pegado al cuello del sudor, al igual que su camiseta; pero a diferencia de Chi y a pesar de que su pecho también subía y bajaba con rapidez, estaba erguido y lleno de energía—. Vamos, no hemos terminado.

—Dos horas corriendo... como estábamos... corriendo... es demasiado —sentenció entre jadeos.

—Sé que puedes correr más rápido que yo, sé que eres más ágil y más fuerte que la mayoría, pero eso no significa nada en el Torneo... nada de eso te va a servir si te cansas.

—Las peleas no duran tanto y seguramente no las pase corriendo.

—A veces duran minutos y a veces duran días, todo depende de quien esté peleando y cómo —Kobu dejó escapar un suspiro exasperado—. ¿Nunca le has prestado atención al Torneo? No todo son peleas, a veces lo único que puedes hacer es correr por tu vida... y tú ya estarías muerta.

Chi dejó caer la cabeza, de forma que algunos mechones de su coleta se pegaron contra el sudor de su mejilla. Soltó un gruñido frustrado, mientras se enderezaba.

El Lobo no dijo nada más antes de empezar a correr de nuevo, con Chi pisándole los talones. Continuaron durante una hora más, hasta que sus piernas temblaban como hojas contra el viento. Se arrodilló al lado de la fuente y metió los brazos en el agua, enfriándose la piel.

—¿Vamos a hacer esto todos los días? —suspiró la joven, con la cara apoyada sobre el bordillo de piedra, todavía fresca de toda la noche.

—Sí.

—Voy a morir —susurró.

—Probablemente —Chi alzó la cabeza para mirar al Lobo, frunciendo el ceño. ¿Acababa de hacer una broma? Tal vez Melibea tenía razón, tal vez Kobu ya no la odiaba—. Levántate, tienes una hora para dejar de dar asco antes de tener que ir con Nahuel.

—¿Por qué una hora?

—Porque se suponía que ibas a poder correr durante cuatro horas, no solo tres.

—¿Solo? —masculló para sí misma, mientras se levantaba.

Ninguno de los dos notó los ojos acristalados que les observaban, desde lo alto de un tejado, mientras entraban en el hostal. Camuflado contra las tejas negras, Arvel se dejó caer hacia atrás, mientras sus pupilas se afilaban por culpa de la luz. Se puso una mano sobre la cara y suspiró, sin poder terminar de creer lo rápido que todo se estaba desmoronando.

Chi salió de vuelta a la calle justo antes de que pasase la hora. Tenía la piel arrugada de pies a cabeza pues había cometido el error de sentarse bajo la corriente de agua caliente mientras se duchaba y sus piernas no le permitieron volver a levantarse.

Tenía el pelo suelto, por lo que su camisa terminó igual de mojada que el resto de ella.

Kobu ya estaba esperándola fuera, sentado en el bordillo de la fuente con los ojos cerrados y la barbilla alzada, mientras tomaba el sol. Se volvió para mirarla en cuanto escuchó sus pasos repiquetear sobre el suelo de piedra.

—No tenías que esperarme —dijo ella.

—¿Acaso sabes dónde te está esperando Nahuel? —Chi frunció los labios, mientras negaba con la cabeza—. Ya me parecía.

Comenzaron a andar en dirección contraria al muro que había visitado con Melibea el día anterior. Una vez más un silencio espeso se posó sobre ellos, dejando a Chi sin saber qué hacer más que mover los dedos de forma nerviosa al caminar.

—Entonces... ¿A dónde vamos?

—A la biblioteca.

—No sabía que teníais una biblioteca —comentó ella, intentando que no volviesen a quedarse en silencio.

Kobu entrecerró los ojos en su dirección, pero hizo todo lo posible para no sonar cortante.

—No todo son edificios abandonados —dijo el Lobo—. Tenemos la taberna, la biblioteca, el hostal, un par de salas de entrenamiento, y unas saunas.

—¿Saunas? —preguntó Chi, sin poder esconder la emoción en su voz.

Kobu sonrió.

—Si —se detuvieron frente a un edificio de madera, con cristaleras de colores por encima de la puerta y aspecto antiguo—. Es aquí.

El chico abrió la puerta e hizo un gesto impaciente a Chi para que entrase. Ya adentro vio algo que jamás había presenciado antes. El lugar entero estaba iluminado por pequeñas luces flotantes, que parecían danzar entre estanterías sin un rumbo definido, como grandes motas de polvo.

—¿Qué son...? —murmuró Chi, mientras alzaba la mano hasta una de ellas. La luz flotó hasta ella, posándose en su dedo. Estaba caliente.

—Las llamamos hadas —explicó Kobu—. Son producto de un hechizo que se hizo mucho antes de que nosotros llegásemos a la ciudadela.

—¿Están vivas?

—No lo creo, al fin y al cabo, están hechas de magia... Pero se mueven solas —Kobu cerró la puerta y en cuanto dieron un par de pasos dentro del lugar, docenas de hadas se acercaron a ellos, iluminándoles—. Nahuel debe de estar por allí —dijo, señalando hacia la parte de atrás de la biblioteca, donde había más luz.

Chi esperó a que el Lobo se marchase, aun así por algún motivo continuó guiándola a través de las pilas de libros y estanterías. Todo olía a papel viejo, tinta y humedad.

Giraron al final de una estantería deteniéndose al principio de una docena de mesas de maderas rectangulares que formaban una fila en medio de la biblioteca. Nahuel se encontraba en una de las mesas rodeado por montañas de libros. Estaba inmerso en su lectura, por lo que no notó la presencia de sus compañeros hasta que Kobu dio un golpe a la mesa con su mano.

Nahuel irguió la espalda con sorpresa, pero en cuanto vio al Lobo su sobresalto cambió a irritación.

—Llegáis tarde.

—Hola a ti también —respondió Kobu, mientras le hacía un gesto a Chi para que se acercase—. Ya es toda tuya.

Se dio la vuelta sin esperar a que Nahuel le dijese nada,

por lo que ella se apresuró a hablar.

—Gracias por traerme.

El Lobo la ignoró, desapareciendo entre las estanterías y atrayendo a todas las hadas que vagaban sin rumbo entre los libros.

—Debes de estar cansada, ¿Por qué no te sientas? —Nahuel hizo un gesto hacia la silla que había del otro lado de la mesa, mientras volvía a bajar la mirada al libro que sostenía. Chi obedeció—. Hoy no vamos a hacer mucho, todavía estoy repasando los materiales que Ethan me ha traído de tu Sector para saber qué es lo que tengo que enseñarte... ¿Estabais estudiando las Guerras Territoriales en historia?

—Sí.

—Y... ¿Solo tenéis una clase de historia?

—Si —repitió Chi—. ¿Cuántas clases de historia esperabas?

—Nosotros teníamos historia antigua, historia contemporánea e historia espiritual... solo durante el último curso.

—Supongo que los planes de estudios cambian mucho dependiendo de cada sector y cada curso —murmuró ella, recordando escuchar que Nahuel había sido alumno del Sector de la Sabiduría.

—No sabes cuánta razón tienes —respondió él en voz baja, como si no quisiese interrumpir la atmósfera callada de la biblioteca a pesar de estar solos—. Y al parecer no solo reducen las clases, sino que también cambian bastante el contenido... —el chico dejó de hablar, mientras sus ojos se perdían más allá de las palabras de su libro—. Me pregunto por qué...

—¿Qué?

—Nada —respondió después de unos segundos de silencio—. Tengo que aclarar unas cosas con el consejo de educación antes de poder enseñarte... cualquier cosa.

—Bueno, no voy a quejarme —respondió ella, con una sonrisa—. No estaba muy emocionada con la idea de tener que continuar mis clases, encima de estar en la Zona Central.

—La tuya sí que es una situación desafortunada —asintió Nahuel. Cerró el libro, dejándolo sobre la mesa y se quitó la cinta que le había estado sujetando el pelo en una coleta baja para empezar a hacérsela de nuevo. Pasó los dedos entre sus mechones dorados, peinándose, y volvió a hacer un nudo con la cinta negra—. No debe de ser fácil manejar todo el estrés que viene con la Zona Central; y con todo lo que está en juego.

Sus últimas palabras hicieron que el corazón de Chi se acelerase con nervios. Lo que ella no sabía era que esa era la intención de Nahuel.

—¿A qué te refieres?

—Ya sabes... todos los miembros del gremio están aquí por alguna razón. Ninguno de nosotros está intentando ganar el Torneo solo por las riquezas y el estatus que se nos otorgaría... para algunos es cuestión de vida o muerte —los ojos de Nahuel no se apartaron de los de Chi, mientras estudiaba sus reacciones—. Pero tú no tienes ese tipo de motivación y aun así tienes que cargar con el peso de que, si no te esfuerzas lo suficiente, estarás jugando con las vidas de tus compañeros.

Los ojos de Chi cayeron hasta sus manos. Tenía razón; ahora que era parte del gremio era su responsabilidad levantar el doble que todos los demás y aun así aquí estaba, feliz de no tener que estudiar historia.

—Puedes marcharte si quieres, no estoy pretendiendo que te quedes aquí una hora entera mirando a las musarañas.

Chi dudó un poco antes de levantarse. Nahuel no volvió a decir nada ni a levantar la mirada, por lo que la chica se dio vuelta y comenzó a caminar hacia la salida. Por algún motivo, casi todas las hadas que habían estado alumbrando la mesa siguieron a Chi, dejando a su compañero prácticamente a oscuras.

Se detuvo en la calle, dejando que el sol le calentase la piel, antes de darse cuenta de que no sabía dónde tenía su siguiente clase. No quería volver a entrar para preguntarle a Nahuel, así que se limitó a merodear por la ciudadela, sin rumbo.

El tiempo pasaba lento cuando uno no sabía qué hacer o a dónde ir; como si el universo se estuviese burlando de su indecisión y duda. Era así como Chi se sentía, como si el mundo entero la estuviese observando y riéndose ante su situación. No tenía ningún interés en ganar el Torneo, ni siquiera quería estar allí... Ahora entendía el descontento de Kobu hacia ella. Su presencia ponía en peligro todo por lo que habían trabajado y se burlaba de todo lo que habían perdido.

Sus hombros cayeron mientras su espalda se curvaba al caminar, a la vez que una nube de ansiedad se asentaba sobre su cabeza. Siempre estaba decepcionando y causando problemas a quien fuese que se cruzase con ella.

—¿Kenra? —Chi se detuvo al escuchar su nombre y se dio la vuelta. Naeko caminó hacia ella, bajando por el centro de la calle. Llevaba un vestido blanco que ondulaba a su espalda, del mismo color que las puntas de su pelo—. ¿Estás buscando la sala de entrenamiento?

—Pues... no lo sé —respondió ella en cuanto estuvieron a la misma altura. Miró al final de la calle y luego de vuelta a su compañera—. No sé a dónde se supone que debería estar yendo.

—A la sala de entrenamiento —respondió Naeko, con una sonrisa tan suave como su aspecto—. Pero no vayas por ahí... Vamos, ven conmigo.

Chi quiso preguntar por qué no podía ir por donde había estado caminando y luego se acordó de la magia de Naeko: clarividencia. ¿Había sido casualidad que se hubiesen encontrado? ¿O tal vez su compañera estaba intentando evitar que algo ocurriese? Se tragó la curiosidad y caminó detrás de la joven, hasta que esta interrumpió sus pensamientos.

—Puedes preguntarme lo que quieras.

Chi la miró de reojo, escondiendo su sorpresa.

—Cuando nos conocimos dijiste que hay muchos futuros diferentes y que tienen que pasar ciertas cosas para que ocurra uno u otro —Naeko asintió—. ¿Eso quiere decir que puedes moldear el futuro como te apetezca?

—Depende del cambio que esté intentando provocar— respondió—. Diferentes futuros requieren diferentes cosas de mí. A veces el futuro que quiero solo necesita que sea una espectadora y otras veces necesita que intervenga. Otras veces alguien como yo no sería capaz de cambiar nada, ya que, al fin y al cabo, no soy la protagonista de todos los futuros — Naeko suspiró, mientras sus ojos danzaban por los edificios—. Siempre estoy intentando que el mejor futuro se haga realidad... No siempre consigo hacerlo.

Chi no necesito escuchar más para saber qué estaba hablando de lo que había ocurrido con Samuel. Ahora que la conocía y comprendía vagamente cómo funcionaba su magia, no podía evitar imaginar cómo Naeko debía de sentirse. Capaz de ver el futuro y, a la vez, incapaz de cambiarlo.

—Supongo... que me habrías parado si no quisieses hablar de ello, pero... ¿Qué ocurrió con Samuel?

—No estoy segura —respondió. Bajó la mirada al suelo y frunció el ceño—. No sé si es que no estaba prestando atención... o si no había forma de saber lo que iba a pasar. No lo vi venir. Era un futuro tan poco probable, tan volátil e imprevisible, que ni siquiera mi magia pudo preverlo.

—No es culpa tuya —dijo Chi. Se puso en los zapatos de Naeko y su pecho comenzó a doler, como si unas uñas se estuviesen hincando en su corazón—. Custodiar el futuro no es tu trabajo, tampoco debería ser tu responsabilidad asegurar el mejor futuro posible... Nadie necesita semejante peso sobre los hombros.

—Gracias —respondió la clarividente, volviendo a sonreír—. Tienes la razón, por mucho que me cueste aceptarlo.

Se quedaron en silencio, mientras Chi debatía si debía hacer una última pregunta. Alzó los ojos hacia Naeko, la cual se limitó a mirar hacia delante.

—Viste que Ethan me iba a seleccionar... y lo dejaste pasar, ¿Verdad? —su pregunta pesaba tanto como la melancolía en su voz. La joven se volvió para mirar a su compañera, preguntándose qué clase de vida cosechaba semejante tristeza en tan pocos años—. ¿Por qué?

—Kenra, entiende que no puedo ver tu pasado, ni tus aspiraciones, pero te vi en el futuro de Ethan y luego vi el tuyo... y estabas mejor con nosotros. Por eso decidí no intervenir y dejar que tu destino siguiese su curso —Naeko dejó caer los ojos. Sus pestañas crearon sombras alargadas sobre sus pómulos, acentuando la sinceridad en su expresión—. Espero que puedas perdonarme.

Capítulo 13

Rhonda *arrojó a Chi* contra el suelo una vez más mientras caminaba alrededor de ella como un depredador a punto de comerse a su presa. Ella se alzó sobre uno de sus codos mientras se pasaba una mano por el cuello, intentaba mitigar el dolor.

—Estoy un poco decepcionada —dijo Rhonda, zarandeando su trenza al caminar—. Ethan me había dado a entender que eras más fuerte que un Volkai común; pero no lo veo. Pareces saber los estilos de pelea que estoy utilizando así que... ¿Cuál es el problema? ¿No sabes poner teoría en práctica?

—No es eso —respondió Chi. Se quedó sentada en el suelo, encorvando la espalda para poder descansar los brazos sobre sus piernas.

—¿Entonces? —su compañera vestía una camiseta de espalda descubierta y unos pantalones elásticos, aireados, de forma que la tela formaba una bolsa de sus caderas hasta la parte alta de sus muslos. Ambas se sostuvieron la mirada, pues Chi no sabía qué responder—. No me digas que tienes miedo de hacerme daño —la chica dejó caer la mirada, respondiendo la pregunta—. No me insultes; levántate.

Chi obedeció, notando la repentina falta de paciencia en la voz de su compañera. En cuanto estuvo de pie, algo la golpeó en la cara... con suficiente fuerza como para hacerla trastabillar hacia atrás. Se tocó el labio inferior con una mano, antes de mirarse los dedos.

Estaba sangrando.

Rhonda seguía de pie frente a ella, con los brazos cruzados, como si no hubiese ocurrido nada.

—¿Qué ha sido eso? —en cuanto preguntó aquello, fue golpeada en el estómago, provocando que tosiese durante unos largos segundos—. ¿Rhonda?

—No puedes sentirte inferior y a la vez subestimar a la gente que te rodea, no es así como funciona el mundo —cuatro extremidades grises aparecieron a su alrededor, moviéndose como colas de animales y, aun así, de aspecto tan duro como el metal. Aquellas... cosas parecían empezar en la espalda de Rhonda... como brazos sin manos, tentáculos finos y afilados—. ¿Te gustan mis escamas?

—¿Escamas?

—Esa es mi magia —dijo, mientras se daba la vuelta lo suficiente como para que Chi pudiese ver el lugar en el que las extremidades se unían a su espalda. La piel alrededor de ellas tenía la misma textura que la de un dragón... El mismo color grisáceo iridiscente que el de las escamas—. Puedo hacer crecer escamas de cualquier parte de mi cuerpo y hacerlas invisibles... Bueno, —Rhonda sonrió— eso entre otras cosas —Chi volvió a pasarse la mano por la boca, limpiándose unas gotas de sangre que habían empezado a caerle por la barbilla—. Ahora que todo está explicado, vamos a hacer esto en serio, ¿Quieres? Ya hemos malgastado suficiente tiempo.

Las escamas de Rhonda volvieron a desaparecer, y la joven se puso en guardia. Chi hizo lo propio, alzando sus manos abiertas frente a su cara, como garras, y doblando las rodillas, imitando la postura agresiva de su compañera.

Rhonda fue la primera en moverse, cerrando el espacio que las separaba sin dudarlo. Chi bloqueó el primer puñetazo de su compañera dirigido directamente a su mandíbula. Instantáneamente, bajó las manos para desviar su gancho izquierdo. Comenzó a buscar aperturas en las defensas de Rhonda.

Con cada puñetazo de Chi que bloqueaba, su cuerpo se movía más y más hacia atrás por la fuerza de cada impacto.

La chica no lo sabía, pero si su compañera no estuviese reforzándose los brazos con sus escamas, sus huesos ya se habrían roto por la presión.

Rhonda vio una apertura al esquivar el gancho derecho de Chi y deslizó una mano hasta su nuca. Empujó su cabeza hacia abajo, lo suficiente como para poder darle un rodillazo en la cara.

Chi dejó escapar un gemido mientras retrocedía. Sujetó su nariz con una mano, la sangre colándose entre sus dedos se deslizaba por sus muñecas.

—¿Estás bien?

—Si —respondió, volviendo a ponerse en guardia... Pero esta vez con una postura diferente, una postura airada. Balanceó su peso de una pierna a la otra, sin dejar que ambos pies estuviesen tocando el suelo a la vez—. Una vez más.

Chi cargó hacia delante, pero en vez de bloquearla, Rhonda la esquivó virando sobre la punta de su pie derecho. Sin levantar un dedo, una de sus escamas golpeó a Chi en la espalda, empujándola contra el suelo.

Cualquier otro habría caído de bruces, pero Chi dio una voltereta, rozando el suelo con la espalda, y volvió a terminar de pie. Se dio la vuelta, pasándose una mano sobre la zona que había sido golpeada. Volvió a ponerse en guardia, mientras se limpiaba el labio superior, ya que su nariz no había dejado de sangrar.

Antes de que pudiese volver a atacar, la puerta de la sala de entrenamiento se abrió. Ethan se detuvo en el umbral, observando la escena con los ojos abiertos como platos.

—¿Qué has hecho? —le preguntó el joven a Rhonda, alarmado por la cantidad de sangre que manchaba tanto el suelo como la cara de Chi—. ¿Le has roto la nariz?

Ethan dio cuatro zancadas hasta la chica y le examinó la cara.

—Que va...

—Está rota —interrumpió. El chico pasó los pulgares por el puente de la nariz de su compañera, asimilando el daño.

—No te preocupes —dijo ella. Chi alzó las manos y apartó las de Ethan para poder palparse la cara. Inclinó la cabeza hacia atrás y sin perder un segundo, se recolocó la nariz, alineándola de vuelta con un chasquido.

—¡Kenra! —exclamó el líder de gremio, encogiendo los hombros y tensando la mandíbula mientras un escalofrío de dentera le recorría el cuerpo—. ¿Qué estás haciendo? Tenemos que ir al hospital y que te lo vea un sanador. Vas a necesitar vendajes y una...

—Ethan, ya está arreglado —le interrumpió ella—. Me han roto la nariz en más de una ocasión... Se curará sola.

—Aun así... —el joven negó con la cabeza, mientras ladeaba la cabeza lo suficiente como para fulminar a Rhonda con la mirada—. ¿Por qué no vuelves al hostal por hoy? No queremos empujarte demasiado el primer día.

—¿Estás seguro? —preguntó Chi.

Ethan observó sus ojos tirantes por el cansancio y su postura encorvada. Era obvio que le estaba costando mantenerse derecha.

—Seguro.

La chica dio un asentimiento y comenzó a caminar hacia la puerta, arrastrando los pies.

—Eres fuerte —dijo Rhonda, antes de que Chi saliese por la puerta—. Lo suficientemente fuerte como para matar a alguien de un buen golpe... y a la hora de pelear conoces la teoría, solo necesitas técnica; con un poco de práctica podrías ser una de las mejores luchadoras cuerpo a cuerpo de la Zona Central.

—Gracias...

—Pero no te relajes —advirtió Rhonda, poniéndose las manos sobre las caderas—. Mañana vamos a seguir entrenando; me da igual lo mucho que te haga trabajar Kobu, ni lo mucho que te duelan los golpes de hoy.

Chi asintió, con una sonrisa, y salió a la calle, dejando a Ethan y Rhonda en la sala de entrenamiento.

Chi fue hasta el hostal a paso de tortuga y maldijo cada

escalón que tuvo que subir hasta su planta. Cuando por fin llegó a su habitación, se dejó caer sobre la cama, sin molestarse en quitarse la ropa sucia ni en limpiarse la cara, pues no planeaba en quedarse dormida tan rápido como lo hizo, cuando el sol todavía brillaba con fuerza del otro lado de la ventana.

Tenía el cuerpo entumecido y tan dolorido que se sentía como si un caballo la hubiese pasado por encima; por eso cuando volvió a abrir los ojos tardó un par de minutos en poder levantarse. La habitación estaba completamente a oscuras a excepción de la luz nocturna que se colaba por las contraventanas.

¿Cuánto tiempo llevaba durmiendo?

Se pasó una mano por la boca, secándose la saliva de la comisura de los labios y notando la sangre seca pelándose en su barbilla. Con un suspiro cansado bajó de la cama, cambió su ropa y salió de la habitación para ir a los baños.

Se lavó la cara con agua fría una y otra vez intentando despejarse la cabeza sin éxito. Decidió salir a la calle y pasear por la ciudadela, pues no sabía qué más hacer.

Afuera reinaba el silencio.

Chi caminó debajo de las farolas que iluminaban la calle principal hasta el edificio que había escogido con Ethan. La fachada seguía igual que el otro día, con enredaderas invadiendo cada grieta y cada recoveco, sin nada que indicase que ya no era una casa abandonada. Subió a las escaleras de incendios de los edificios que había del otro lado de la calle, hasta el tejado y se sentó al lado de una de las chimeneas de piedra.

Las noches cada vez eran más y más frías a pesar del calor

que irradiaba del sol durante el día. El muro solo estaba a un par de tejados de distancia. Al igual que la última vez que lo había visto con Melibea, había dos guardias patrullando; caminaban en dirección contraria, cruzándose una sola vez antes de continuar.

Chi no pudo evitar pensar que dos personas no eran suficientes para custodiar algo de semejante longitud, pues cuando los hombres se encontraban en los extremos más alejados del muro, allí donde se alzaban pequeñas torres por las que se podía entrar y salir, no eran más que borrones en la oscuridad. Por algún motivo este pensamiento encendió una chispa en su pecho.

Esperó a que los guardias se cruzasen en el centro del muro y comenzasen a alejarse el uno del otro, para levantarse y saltar los tres tejados que había entre ella y el muro. Melibea le había dicho que del otro lado había un bosque y lo único que Chi podía pensar era en el bosque que rodeaba su casa en el sector.

Anhelaba escuchar el murmullo de las hojas al ser agitadas por el viento y las pisadas disimuladas de las ardillas por las ramas. Chi cogió carrera sobre las tejas del último edificio, sin perturbar el silencio estático de la noche lo más mínimo, y saltó con todas sus fuerzas. Sabía que no podía trepar unas paredes tan lisas como aquellas, por lo que su única opción era llegar hasta la cima saltando... lo cual no le pareció demasiado difícil pues su altura no era comparable a la muralla que separaba los Sectores de la Zona Central... Aquel muro chocaba con las nubes y este... este separaba dos orillas como un riachuelo a punto de secarse.

Mientras comenzaba a caer se dio cuenta de que había sobrestimado la distancia que había entre el edificio del que había saltado y su objetivo. Sobrevoló la mayor parte de la superficie del muro; lo suficiente como para que su corazón se acelerase al acercarse peligrosamente al borde del otro lado. Cuando sus pies por fin tocaron el suelo estos se deslizaron sobre la pulida superficie de piedra. Mientras dejaba que su cuerpo cayese hacia atrás en un intento de detenerse antes de llegar al final del muro, sin éxito, deslizó las manos por el suelo, pero cuando se dio cuenta de que no iba a poder parar antes de caerse del otro lado, supo que tenía que actuar rápido.

Sus pies se amoldaron al bordillo del muro mientras doblaba las piernas para coger impulso. Había una explanada de hierba considerable antes de que el bosque comenzase... y nada en lo que aterrizar.

Sin poder hacer nada más, volvió a saltar precipitándose hacia la nada.

El sonido del viento cortándose contra su cuerpo no fue más que un mero silbido mientras caía.

Durante unos segundos, no pudo permitirse el lujo de respirar.

A pesar de sus dudas, había saltado con suficiente fuerza como para llegar hasta el bosque... Pero el poco alivio que había consiguió sentir se desvaneció en cuando su cuerpo comenzó a golpear las ramas.

Se obligó a sí misma a abrir los ojos, mientras sentía un latigazo tras otro tanto en los brazos y las piernas, en el torso y en la cara.

Antes de golpear el suelo, Chi consiguió abrazarse a una rama lo suficientemente robusta como para parar la fuerza de su caída, deteniéndola.

Respiró contra aquella rama durante unos minutos tratando de calmar su respiración.

Alzó la mirada hasta lo alto del muro y no pudo evitar pensar que aquello había sido una estupidez. ¿Cómo iba a volver a subir? No solo eso; pero tenía que empezar a preocuparse seriamente de las cosas que le hacía a su cuerpo. Se sentó en la rama, todavía respirando con dificultad. Tenía un par de cortes y el dolor de las agujetas se había triplicado.

Observó a los guardias, que todavía no habían terminado de llegar a sus finales respectivos del muro. No parecían haberse dado cuenta de nada de lo que acababa de ocurrir... pero eso no le impidió que su estómago se retorciese.

Se levantó y comenzó a saltar de rama en rama, alejándose del muro y de los guardias; mientras tanto, su mente paranoica le decía que de alguna forma se iban a dar cuenta de su presencia. Se alejó hasta que la vegetación se hizo demasiado espesa como para poder divisar el principio del bosque.

Avanzó hasta llegar a una zona despejada de árboles.

Saltó de una última rama, dejándose caer sobre la hierba con todo el cuidado que sus piernas le permitieron tener. Se dejó caer de rodillas en medio de aquel claro, dejando escapar un suspiro largo y tembloroso. Cerró los ojos, disfrutando del frescor en el aire, del olor a hojas y madera, del sonido de los grillos cantando...

Disfrutó de aquel silencio durante unos efímeros instantes... hasta que el latir de un corazón interrumpió sus pensamientos.

Capítulo 14

Kilyan *no escuchó a la chica* acercándose hasta que esta pasó por encima de él, sacudiendo un par de hojas sobre su pelo. El joven abrió los ojos con ceño fruncido y observó como la chica del pelo escarlata saltaba frente a él. Al principio no supo qué hacer, pero después de unos segundos, cuando la joven se cayó de rodillas sobre la alfombra de hierba, Kilyan se dio cuenta de que no había notado su presencia. Quedó quieto como una estatua, todavía recostado contra el árbol en el que se había quedado medio dormido, y observó la escena en silencio.

Observó los moretones que recorrían la piel de sus brazos y como sus hombros se movían al respirar.

Entonces, la chica se dio vuelta, clavando sus ojos de reptil en él.

Chi no se atrevió a moverse, pues al igual que él, no estaba segura de que hacer. Sin embargo, a diferencia de Kilyan, su quietud acarreaba miedo. En medio de aquella batalla de miradas, la chica escuchó una rama partirse en la lejanía. Ladeó la cabeza para poder escuchar mejor.

Escuchó las pisadas de dos personas acercándose.

—¿Qué estás haciendo? —preguntó Kilyan, sobresaltando a la chica. Ella volvió a mirarle, con los ojos de un cordero a punto de entrar al matadero. El joven alzó las cejas, urgiéndola a hablar.

—Viene alguien —susurró en respuesta.

—¿Qué...?

—Dos personas —Chi apuntó a su espalda, indicando la dirección por la que los pasos se acercaban. Kilyan se quedó en silencio, intentando escuchar algo en vano.

—Mierda —murmuró para sí mismo antes de levantarse, listo para desaparecer en el bosque cuando sus ojos se encontraron con los de la chica. No podía dejarla allí para que los guardias la encontrasen... Al fin y al cabo, a juzgar por la dirección de la que venían, eran los de su ciudadela, no los de ella—. Mierda.

—¿Qué está...? —Kilyan cerró la distancia que les separaba de dos zancadas y la cogió por la muñeca con su mano enguantada, y tiró para levantarla antes de empezar a correr fuera del claro, hacia los árboles.

Se escondieron detrás de unos arbustos frondosos. Chi se tomó un momento para normalizar su respiración, mientras miraba la mano de Kilyan, todavía cerrada alrededor de su muñeca. ¿Qué estaba pasando?

—A este paso van a despedirnos —gruñó un hombre, rompiendo el rítmico silencio del bosque.

Chi imitó a Kilyan y alzó los ojos por encima de las hojas, mirando al hombre que había salido de entre los árboles a un par de metros de distancia. Su uniforme le delató como un guardia, al igual que al otro hombre que le acompañaba.

—¿Cómo es posible que se nos escape cada noche? —Chi sintió como el nudo de su garganta desaparecía al darse cuenta de que esos guardias no la estaban buscando a ella... Si no a él.

—Tal vez, solo tal vez, si dejases de mirarte los pies mientras caminas, serías capaz de ver cuando alguien vuela por encima.

—Por supuesto, siempre es culpa mía.

Chi escondió una sonrisa, olvidándose momentáneamente de a quien tenía acuclillado al lado. Miró al chico de reojo, dándose cuenta por primera vez de lo casuales que eran sus ropas... nada que ver con cómo había estado vestido las otras dos veces que se habían encontrado.

—¿Se han marchado? —preguntó Kilyan, después de unos minutos de estar agazapados en silencio. Chi tardó unos segundos en darse cuenta de lo que el chico quería que hiciese. Alzó la cabeza y escuchó las pisadas, cada vez más y más livianas a medida que la distancia entre ellos crecía. Ella asintió—. Bien.

Sin soltarla se levantó y comenzó a correr en dirección contraria a la ciudadela de Bershat. Chi miró hacia atrás, luego de vuelta al pelo azabache de Kilyan; no sabía qué hacer. ¿Debería soltarse? ¿Debería hablar? ¿A dónde estaban yendo?

A pesar de que el chico no había mostrado ninguna señal de querer hacerle daño, Chi todavía sentía las caricias de su miedo sobre la piel, erizándole el pelo.

Siguieron corriendo hasta llegar a un muro idéntico al de

la ciudadela. Kilyan le soltó la mano y se arrodilló frente al muro. Hundió los dedos en la tierra, levantando una tapa cubierta de hierba y musgo.

—Adelante —dijo, mientras se hacía a un lado para que Chi pudiese entrar. La chica dudó, pero terminó por saltar dentro, contra todos sus instintos. "Que sea lo que los espíritus quieran" se dijo a sí misma.

Cayó sobre una superficie de piedra irregular y retrocedió un par de pasos observando las paredes húmedas del túnel. No había iluminación alguna aparte de la poca que entraba por el agujero del que había caído. No pudo evitar preguntarse si estas eran las mismas catacumbas que había encontrado hacía años debajo del Sector del Sigilo.

Era impresionante.

Kilyan saltó a su lado. Dejó escapar un suspiro antes de tirar de una cuerda que colgaba del techo, arrastrando la tapa hasta sellar el agujero, dejándoles a ambos sumidos en las sombras. Con un amago de sonrisa, el chico se dio vuelta para mirar a Chi, cuyos ojos parecían brillar cuál rubíes.

—Perfecto —dijo, hablando en voz alta por primera vez en toda la noche—. ¿Ves bien?

—Si —murmuró, sin poder esconder la tensión en su voz.

Ahora que estaban a oscuras en aquel túnel, Chi empezó a lamentar su decisión de seguir a Kilyan hasta allí.

—Me doy cuenta de que la situación en la que nos encontramos no es muy ideal... Pero los guardias van a estar peinando el bosque hasta que amanezca —el joven comenzó a caminar hacia delante. Después de un par de pasos se detuvo y se volvió para mirar a la chica—. No vas a poder marcharte hasta el cambio de turno —aclaró, como si sus palabras no hubiesen sido lo suficientemente concisas. Después de unos momentos de silencio, añadió—... No tienes que tenerme miedo.

—No te tengo miedo —replicó Chi, demasiado rápido como para sonar convincente.

—Por supuesto que no —dijo él, con la sonrisa tiñéndole la voz—. ¿Por qué no me acompañas?

—¿A dónde?

—Fuera de las catacumbas —respondió, mientras reemprendía la marcha. Esta vez, Chi le siguió—. Entiendo que esto, probablemente, no era lo que estabas esperando hacer con tu noche, así que lo mínimo que puedo hacer es invitarte a... no pasar la noche aquí abajo.

—No tienes que hacer nada, no es tu culpa.

—Técnicamente, lo es, esos guardias me estaban buscando a mí... —Kilyan se quedó en silencio durante unos segundos—. ¿Cómo has hecho para salir de tu ciudadela sin que te vean? Pensé que tú... pensé que no...

—No lo hago —le interrumpió, sabiendo lo que estaba intentando decir—. Digamos que puedo saltar muy alto.

Continuaron caminando hasta llegar a unas escaleras que subían hasta una puerta de madera vieja.

—Espérame aquí —dijo el joven mientras subía. Abrió la puerta y salió. Chi podía escuchar su corazón, palpitando extrañamente despacio para la situación en la que se encontraban. Ella podría haberle dicho que no había nadie del otro lado de la puerta, pero no se atrevió a abrir la boca. La puerta volvió a abrirse, mientras Kilyan asomaba la cabeza—. Puedes subir.

Chi obedeció subiendo cada escalón con un poco menos

de ansiedad. Kilyan le hizo un gesto para que pasase mientras sujetaba la puerta.

—No hagas ningún ruido —le dijo.

Estaban dentro de una casa, igual que cualquiera de las que había en la ciudadela de Bershat. Cuando la puerta que daba a las catacumbas estuvo cerrada, no pareció más que la puerta que daba a una habitación cualquiera.

Interesante.

Entraron en un salón cuyas ventanas estaban hechas añicos y esparcidas por el suelo, creando una alfombra de cristal. Chi siguió a Kilyan dentro de la sala, sus pisadas crujían sobre el suelo. Caminaron al lado de las ventanas, hacia las escaleras que subían al segundo piso, cuando escuchó algo fuera.

Se detuvo, mirando más allá de la calle. Una luz azul apareció detrás de una esquina, avanzando por la calle frente a ellos. Parecía fuego..., como una llama encendida por el aire que la rodeaba. Chi escuchó un corazón y en su garganta se formó un nudo. Sin darse tiempo a pensar, alargó una mano hasta la manga de la camisa de Kilyan y tiró de él hacia atrás, deteniéndole.

—¿Qué estás...? —el joven siguió la mirada de Chi hasta la llama azul. Sin perder un segundo se dio la vuelta, poniendo una de sus manos enguantadas sobre la boca de la chica y empujándola hacia abajo, hasta que ambos quedaron escondidos debajo de la ventana.

—Shhh —la calló Kilyan, mientras miraba por encima del bordillo de la ventana. Azura giró la esquina, siguiendo a su llama en la oscuridad, caminando con una lentitud tediosa.

Chi respiró contra el guante que olía igual que él, como si

nunca se los quitase. Cuando por fin terminó de cruzar la calle, desapareciendo detrás de otros edificios, Kilyan se apartó de Chi y la ayudó a levantarse antes de sacudirse los cristales de los pantalones.

—Siento la brusquedad —dijo, mientras se daba la vuelta para seguir caminando—. Pero si alguien te ve aquí... Digamos que los dos perderemos la cabeza.

—¿En serio? —Kilyan tuvo que mirarla para asegurarse de que su pregunta no era de broma.

—No, claro que no —respondió, sonriendo—. ¿No te sabes las reglas de la Zona Central?

—Nunca he prestado demasiada atención a lo que pasaba en esta parte de la Academia —confesó ella—. No sería una sorpresa si ejecutasen a sus alumnos por cualquier infracción menor.

—Parece que no tienes a la Academia en muy alta estima —comentó el joven, mientras empezaba a subir las escaleras—. Si alguien nos ve, nos expulsarían... Y eso es algo que yo no me puedo permitir.

Ambos se quedaron en silencio, mientras terminaban de subir hasta la azotea. Kilyan le abrió la puerta una vez más, y dejó que Chi saliese del edificio primero. La luna era lo suficientemente brillante como para iluminar los tejados de todos los edificios que tenían alrededor.

—Te ofrecería algo de comer, pero no tengo nada en mi habitación.

—¿Vives en este edificio?

—Si —respondió él—. Me gusta pasar tiempo en el bosque así que... esta era la mejor opción. Normalmente mis compañeros no se acercan tanto a este lado de la ciudadela, no sé lo que Azura estaba haciendo en la calle a estas horas —cerró la puerta de las escaleras detrás suyo, antes de sentarse contra la pared, lejos del bordillo.

—¿No tienes miedo de que te atrapen?

—Bueno... Hasta ahora estaba yendo al bosque solo, lo cual es una infracción mucho menor que ir a ver a un miembro de otro gremio.

—Pero... No es como si lo hubiésemos hecho a propósito; tal vez si les explicásemos la situación no nos penalizarían.

Kilyan siguió a la chica con la mirada, mientras se sentaba a una distancia prudente. Era increíblemente ingenua si de verdad creía que podrían resolver semejante malentendido con facilidad. Aunque era refrescante estar en la compañía de alguien que no estaba podrida por la Zona Central... alguien que todavía tenía un poquito de fe en otras personas.

—¿Puedo preguntarte algo?

—Si —respondió él, clavando su mirada en los ojos de la chica. Sus pupilas estaban dilatadas, como dos pozos negros—. Lo que quieras.

—Cuando nos vimos por primera vez... ¿Estabas allí para intentar reclutarme? —Kilyan asintió, recordando el encuentro. Se alzó una mano al pelo, jugueteando con un mechón que le caía sobre los ojos—. ¿Sabías que no tenía ninguna magia?

—Por supuesto... si no supiese algo tan básico como eso entonces no estaría haciendo bien mi trabajo.

—¿Entonces por qué elegirme a mí? Si sabías que no tenía magia.

—Supongo que por lo mismo que Ethan te quiso en su

gremio —respondió—. Tienes una presencia poderosa, a pesar de no tener poder alguno. Tal vez los dos nos estábamos dejando llevar demasiado, aunque lo dudo.

Chi bajó la mirada hasta sus manos, sin saber cómo responder. ¿Una presencia poderosa? ¿Acaso no la estaba observando en aquel mismo momento? ¿Qué había de poderoso en algo como ella?

Pegó los brazos contra su costado, mientras cerraba las manos sobre su regazo.

—¿Tienes frío? —preguntó Kilyan, mientras comenzaba a quitarse la chaqueta.

—No, no, estoy bien —se apresuró a decir, mientras airaba su postura para que no diese una impresión errónea—. Yo... no paso frío.

—¿Te refieres a que te gusta el frío o que de verdad no pasas frío? —pregunto él, mientras volvía a colocarse la chaqueta.

Un Volkai sin magia... ¿Cuán interesantes podían llegar a ser las cosas? La joven era como un signo de interrogación andante. Podía saltar desde alturas indecentes sin acabar con algo peor que algunos cortes, podía ganarle en fuerza a un chico que la doblaba en tamaño... ¿Qué más podía hacer?

—Siento el frío; sé que ahora mismo hace frío, pero no me afecta —explicó, mientras se detenía por primera vez a mirar la vestimenta del chico. Una simple camisa blanca, chaqueta y pantalones oscuros, eran suficientes para darle un aire de superioridad—. Tampoco me afecta el calor.

—¿Qué hay de tus ojos? ¿Por qué son así?

—No lo sé.

—¿Y tu pelo? —una vez más, la chica negó con la cabeza,

apartando la mirada. ¿Era vergüenza lo que teñía su expresión? ¿Vergüenza por no poder darle respuestas? Kilyan dudó antes de volver a hablar, sabiendo que lo más seguro era que la respuesta que iba a recibir fuese una que haría que Chi se sintiese incómoda... y aun así no se detuvo—. ¿Tus padres no pueden explicarte nada de eso?

—No... no tengo padres —murmuró. No sabía si tenía que explicarse o si él iba a seguir preguntando—. Yo...

—No tienes que contarme nada si no quieres —la interrumpió, arrepintiéndose de haber preguntado—. También soy huérfano —le contó, intentando mitigar la culpa. Observó cómo la chica se escondía detrás de su pelo, ocultándose.

—¿Tu nombre es de asignación también?

—No lo sé, me han llamado Kilyan desde que tengo memoria... Pero no sé si es el nombre que me pusieron mis padres —cambió de posición con nerviosismo, preguntándose por qué le estaba contando algo tan personal a alguien que acababa de conocer. ¿Qué era lo que había en aquella chica que le incitaba a confiar en ella? ¿En pensar que era la mejor opción para sustituir a Rahn?—. Entonces, ¿Tu nombre es de asignación?

—Si —respondió, sin dar más explicaciones.

Se quedaron en silencio durante unos instantes.

—¿Sabes qué? Creo que me alegro de que Ethan te alcanzase primero.

—¿Por qué dices eso? —Chi volvió a alzar la cabeza, agradeciendo el cambio de tema. Kilyan sonrió.

—Ahora que te he conocido siento que estarás mejor en Bershat de lo que estarías en Millien —alzó la barbilla para mirar el cielo, contemplando sus palabras—. Al menos estás en un gremio que te acepta, en vez de en aquel sector.

—¿Por qué piensas que me han aceptado?

—No es difícil de deducir —respondió—. Llevamos meses enfrentándonos los unos a los otros... Es difícil no terminar por conocer cada detalle de tus contrincantes. Además, es Bershat de quienes estamos hablando; no hay corazones más blandos en la Zona Central que los suyos.

—No creo que ser buena persona signifique que tengas un corazón blando... —murmuró ella—. Hay que ser valiente para tener morales en medio de una sociedad que recompensa la brutalidad.

Kilyan apartó sus ojos de la chica, dejándolos vagar por el horizonte. Puede que tuviese razón. Pero al final del día, los únicos que quedarán en pie serán aquellos dispuestos a sacrificar sus morales..., por muy bonito que fuese pensar lo contrario.

Capítulo 15

oco antes de que el sol se levantase por el horizonte, Kilyan y Chi se encontraron agazapados en los arbustos enfrente del muro de la ciudadela de Bershat. Los dos esperaron, en silencio, pacientes a que los guardias se marchasen para hacer el cambio de turno, antes de moverse.

Habían conseguido esquivar a los dos guardias que habían estado buscando a Kilyan sin mayores problemas, pues a tan poco tiempo de que pudiesen volver a sus casas, habían decidido darse por vencidos.

Por primera vez en toda la noche, los dos estaban igualmente nerviosos ante la posibilidad de ser descubiertos

—Se me olvidó preguntar antes, pero... ¿Qué estabas haciendo en el bosque? —Kilyan apartó sus ojos de lo alto del muro para mirarla. Todavía no se había acostumbrado a lo minúscula que era ella.

—No estoy segura, creo que estaba sintiendo un poco

de... morriña —respondió ella—. Caminar por el bosque siempre me hace sentir mejor.

—Entiendo —susurró con melancolía, bajo su aliento. Se quedaron en silencio durante unos segundos más, hasta que Kilyan notó que los guardias no estaban volviendo al centro del muro—. Ya se han marchado, vamos.

Chi siguió al chico cuando este se levantó, saliendo fuera del bosque de dos zancadas.

—¿Lista? —le preguntó, mientras le tendía una mano.

—Si —respondió dejando que el cuerpo esbelto de Kilyan la envoliese, abrazándola.

Chi se encogió, ligeramente incómoda por la cercanía. Pero no dijo nada mientras las alas del chico crecían. Se aferró a su camisa blanca en cuanto sus pies dejaron de tocar el suelo. No tardaron más de un par de segundos en sobrepasar el muro.

—¿Necesitas que te deje en uno de los tejados? —preguntó, sin soltarla. El latir de su corazón retumbaba en los oídos de la chica.

—No, puedo seguir desde aquí —le aseguró al destensar la mandíbula y apartarse.

Las gigantescas alas del joven, negras como la ausencia de luz más absoluta, se sacudieron a su espalda, creando una ráfaga de aire que sacudió su pelo rojo. El cielo ya había comenzado a teñirse de tonos anaranjados, anunciando el comienzo de un nuevo día.

—¿Vendrás al bosque algún otro día? —Chi miró hacia atrás, hacia los árboles, y de vuelta a él. ¿Qué tenía que decir? ¿Qué quería decir? Kilyan sonrió, mientras observaba como los ojos rojos de la chica se movían con nerviosismo—. Ten

147

cuidado bajando.

—Tú también —respondió ella, sin poder pensar en ninguna otra cosa que decir.

Kilyan sonrió de oreja a oreja y alzó el vuelo, sobrevolando la explanada y desapareciendo entre los árboles.

Chi se apresuró hasta el bordillo opuesto del muro, antes de saltar hasta el tejado más cercano. Flexionó las rodillas en cuanto sus pies rozaron las primeras tejas, suavizando el choque.

Se quedó allí de pie durante unos segundos observando el amanecer; hasta que se acordó de Kobu. Se le hizo un nudo en la garganta mientras se apresuraba a bajar por una de las escaleras de incendios tan rápido como pudo. Corrió hasta la plaza, intentando ganarle al tiempo.

El Lobo se encontraba sentado en al borde de la fuente, con una mano sujetándole la frente y un codo sobre la rodilla. Cuando la escuchó llegar se irguió y la fulminó con la mirada.

—¿Dónde estabas? —Chi se detuvo a un par de metros de su compañero, demasiado intimidada por su tono agresivo como para acercarse más.

Después de unos segundos de silencio, viendo como el rostro de Kobu se contorsionaba con irritación, la joven dejó escapar un suspiro tembloroso.

—Me quedé dormida en un tejado —respondió, con tanta confianza y fluidez como su voz le permitió.

—¿Qué tejado?

—El del edificio que Ethan y yo escogimos para mi casa —respondió. Su primer instinto fue el de soltar detalles y excusas, pero su entrenamiento la detuvo. Una de las cosas más básicas que enseñaban en el Sector del Sigilo era como mentir—. Lo siento, no me he despertado hasta que ha empezado a salir el sol.

—Que no vuelva a pasar —gruñó, antes de levantarse y comenzar a correr igual que lo habían hecho el día anterior.

Las agujetas que atenazaban los músculos de Chi hicieron que su aguante menguase y cuando por fin terminaron, a pesar de que habían entrenado durante una hora menos que ayer, la chica apenas podía caminar.

—¿Te acuerdas de cómo llegar a la biblioteca? —preguntó él, con tono neutro. La chica le miró con sorpresa, pues no esperaba que su enfado fuese a disiparse con tanta facilidad—. ¿Qué?

—Nada, yo... —Chi carraspeó, mientras sonreía—. Creo que puedo llegar sola.

—Bien, porque me voy de vuelta a la taberna —replicó, mientras se marchaba—. No me molestes.

Chi asintió y siguió al joven con la mirada mientras se alejaba. Intentó dibujar un mapa de la biblioteca en su cabeza, lo cual resultó ser más fácil de lo que había previsto. No tardó mucho en encontrar el lugar. Dentro, Nahuel se encontraba sentado en la misma mesa del día anterior, esperándola.

—Buenos días —le dijo el erudito.

—Buenos días —respondió ella, a pesar de que se sentía como si hubiese estado levantada durante días. Se sentó frente a él, entre pilas y pilas de libros.

—Eh... ¿Qué tal te encuentras? —preguntó, mientras sus ojos se entretenían en los moretones que le cubrían los brazos.

—Bien.

—Perfecto —Nahuel se levantó ligeramente de su silla para alcanzar un par de libros que había al final de la mesa—. Esto es para ti... —murmuró mientras le pasaba cuatro libros—. Léelos en tu tiempo libre.

"¿Qué tiempo libre?"

—Gracias.

—Ahora, sobre las Guerras Territoriales —murmuró entre dientes antes de pasarle un último libro a la chica, que ya estaba abierto en el tema del que hablaba—. Tengo entendido que esta era la unidad que estabais a punto de empezar en historia, ¿Cierto?

—Sí.

—Bien, empecemos —el joven carraspeó, antes de recostarse sobre su silla—. Hace 562 años los Volkai del Continente Central, es decir nosotros, descubrimos la existencia de un segundo continente habitado por salvajes: tribus de Volkai ostensiblemente menos evolucionados que nosotros. Entonces los líderes de la época decidieron que podrían colonizar las nuevas tierras sin demasiada oposición por parte de los nativos. Pero cuando llegó la hora de hacerlo los Salvajes resultaron estar mucho más organizados de lo esperado — Chi mantuvo los ojos clavados en su compañero pues parecía estar contándolo todo de memoria—. Los Salvajes tardaron solo 5 años desde el primer intento de colonización, en el año 1342, en empujarnos fuera de sus tierras y continuar la guerra en el suroeste de Sulbade. La guerra se alargó durante 57 años más, durante los cuales, poco a poco, los Salvajes fueron conquistando pequeños trozos de tierra en la costa sureña hasta que finalmente tomaron control de todo el Bosque Jade. Después de un alto al fuego que duró unos meses, ambos bandos decidieron terminar con la "Disputa".

Hubo una reunión entre los líderes salvajes y los continentales en la cual se decidió que los Salvajes se quedarían con las tierras ganadas durante la guerra; todavía no se sabe por qué los Volkai continentales accedieron a unos términos tan poco favorecidos, pues no hubo un registro oficial del encuentro. También se acordó que nadie, ni salvaje ni continental, volverían al segundo continente y de ahí que ahora lo llamemos el Continente Abandonado... ¿Alguna pregunta? —Chi abrió la boca, antes de volver a cerrarla y negar con la cabeza—. Bien, creo que te gustará saber que no voy a hacerte ningún tipo de examen sobre nada de lo que te enseñe, esto es más que nada una formalidad para la Magistrada. Los libros que te he dado son sobre la guerra, aunque son todo especulaciones y leyendas más que nada... Por si te aburres.

—Lo tendré en cuenta.

—Si quieres algo más casual, los libros que no son académicos están en el segundo piso.

Alzó una mano, haciendo que las hadas que habían estado flotando a su alrededor se dispersasen. Chi miró hacia donde estaba apuntando. Había una apertura en el techo, revelando un segundo piso abierto.

Chi asintió, antes de alargar la mano hasta una hoja de papel en blanco para comenzar a escribir todo lo que Nahuel acababa de relatarle. A pesar de que le había dicho que no habría ningún tipo de examen ni calificación, la joven sintió que le debía a su compañero un poco de esfuerzo; al fin y al cabo, se había ofrecido a perder su tiempo con ella.

Nahuel siguió la mano de Chi sobre el papel, observando su letra pequeña y redonda en tinta negra. Chi alzó la mirada después de unos minutos, encontrándose con los ojos de Nahuel sobre ella.

—¿Qué?

—Nada —respondió él, apartando la mirada. Se reprimió a sí mismo por considerar el pensamiento de utilizar su magia en la joven, aunque fuese solo durante unos instantes—. Creo que ya casi es hora de que vayas a la sala de entrenamiento.

—Creo que tienes razón —murmuró ella, mientras se levantaba y comenzaba a coger todos los libros que su compañero le había dado.

—Kenra —la llamó Nahuel, mientras se daba la vuelta para marcharse—. Sé que no he sido la persona más agradable desde que has llegado al gremio y por eso me disculpo. Estas últimas semanas han sido... Bastante más de lo que ninguno de nosotros puede manejar. Pero quiero que sepas que estoy aquí para ti, para lo que necesites.

Chi sonrió, con una agradable calidez calentándole el pecho.

—Gracias, por todo.

Las siguientes horas se arrastraron con lentitud mientras el cuerpo de Chi resentía la falta de descanso y las agujetas. A Rhonda no pareció importarle el estado de su compañera, pues entrenó con ella igual que lo había hecho el día anterior; pero cuando por fin le llegó la hora a Ethan, el chico se compadeció y la dejó marchar una vez más.

Chi arrastró los pies por la calle, caminando pegada a las paredes de los edificios para esconderse en la poca sombra que daban.

No recordaba haber estado tan exhausta jamás en su vida, tanto que hasta mover los dedos le dolía. Sabiendo que todavía le quedaba un buen paseo hasta la plaza, se recostó contra una pared de piedra, resollando.

No pudo evitar alzar los ojos para admirar la calle iluminada por un sol que brillaba sin piedad sobre su cabeza, creando sombras tan afiladas como oscuras. A pesar de todo el encanto que tenía cada edificio y de cómo las plantas parecían medrar sin pausa, era como un pueblo fantasma.

No podía pensar en ninguna razón por las que las ciudadelas fuesen tan grandes, con docenas y docenas de edificios capaces de alojar a dos e incluso tres familias enteras... aquello la hacía sentir pequeña y mucho más fuera de lugar de lo que ya se encontraba por sí sola, como si estuviese ocupando un hogar ajeno.

La canción de las cigarras y los pájaros se vio interrumpida por una puerta al cerrarse. Melibea bajó los escalones de su entrada, zarandeando una botella al caminar. Sus ojos pasearon por la calle desierta hasta que se encontraron con Chi.

—¿Kenra? —la chica cruzó la calle y se acercó hasta ella, examinándola con una mirada curiosa—. ¿Estás bien...?

—Si —se apresuró a decir Chi, mientras se incorporaba—. Solo estaba descansando.

Melibea alzó la botella, pero antes de que esta le tocase los labios, los ojos felinos de su compañera la detuvieron, enviando ondas de vergüenza por su cuerpo.

—No pensé que Ethan fuese a hacerte trabajar tanto —comentó, mientras bajaba la botella hasta dejar su brazo de vuelta contra su costado—. ¿Por qué no vienes a tumbarte un rato?

—Estoy bien, de verdad...

Melibea chasqueó la lengua, interrumpiéndola.

—No seas así —le reprimió, con una molestia fingida. Una sonrisa se extendió por su rostro bronceado, mientras rodeaba el torso de Chi con un brazo. La chica no protestó, dejando que Melibea la llevase hasta su casa—. Quería disculparme por cómo dejé las cosas el otro día.

—¿A qué te refieres?

Una vez dentro del edificio, Melibea dejó que su compañera se sentase en el sofá, hundiéndose en el acolchado. No la había visto entrenar todavía, pero conocía a sus compañeros lo suficiente como para saber que no iban a ponérselo fácil solo porque era una alumna de primer año... sobre todo Kobu y Rhonda. ¿Cómo estaba siendo capaz de mantenerles el ritmo? Cualquier otro a su nivel, incluso con magia, se estaría viendo superado por la situación y aun así allí estaba ella, sufriendo en silencio. Melibea dejó de divagar antes de sentarse a su lado, dejando la botella sobre la mesa de café frente a ellas.

—Cuando dije que el Torneo era lo peor que me había pasado en la vida... No pretendía meterte miedo, ni dudas. Sé que no has acabado aquí por tu cuenta, no tuve demasiado tacto.

—No tienes que disculparte, sé que no estabas intentando asustarme —le aseguró Chi, incorporándose lo suficiente como para poder descansar sobre su costado y mirarla. Se quedaron en silencio durante unos segundos, hasta que Chi bajó los ojos a sus manos—. Pero... ¿Puedo preguntar a qué te referías?

Melibea se movió sobre el sofá, haciendo que una de las piernas de Chi se deslizase un par de centímetros hasta tocar la suya. La más joven de las dos observó el lugar donde sus pieles se tocaban, sintiendo como su corazón se aceleraba y, a la vez, arrepintiéndose de haber preguntado sobre algo que acarreaba tantas emociones negativas.

—No tienes que decírmelo si no quieres, no es mi lugar... —comenzó Chi, después de unos segundos de silencio y sin atreverse a levantar la mirada hasta el rostro de su compañera.

—No —la interrumpió ella—. Quiero contártelo, quiero que me conozcas —le dijo. Cuando Melibea consiguió anclar sus ojos con los de Chi, le dedicó una pequeña sonrisa, antes de volver a hablar—. Durante estos últimos años, con todos los avances en tecnología y nuevas invenciones, los Volkai de mi especie han estado subiendo los escalones de poder con rapidez. Mi familia no es una excepción, pero querían ponernos por encima de la competencia, coronarnos como la realeza de los metales, así que decidí intentar llegar hasta la Zona Central. Mi familia me dijo que no hacía falta que hiciese algo así, pero les ignoré. Convencí a mi primo de hacer las pruebas conmigo y de alguna manera los dos conseguimos ser seleccionados; pero nos asignaron a diferentes gremios. No me preocupé demasiado en el momento, porque pensé que de lo único de lo que tendría que preocuparme era de terminar en una pelea contra él, o de no poder hablarle durante los meses que dura el Torneo.

Melibea frunció los labios, quedando en silencio. Sus ojos se detuvieron sobre la botella, pero antes de que sus pensamientos se viesen monopolizados por el alcohol, Chi se inclinó para cogerle la mano.

—Él... murió en uno de los combates —murmuró Melibea, mientras Chi entrelazaba sus dedos con los de ella—. Fui estúpida e inmadura, y solo pensé en todas las cosas que podríamos ganar, en vez de pensar en todo lo que podríamos perder. Antes de darme cuenta, él estaba muerto, mi familia estaba de luto y yo estaba atrapada... Samuel fue el que me mantuvo cuerda después de todo aquello... porque pasase lo que pasase él siempre se mantuvo fuerte, pero ahora... —Melibea sacudió la cabeza y soltó la mano de Chi, antes de inclinarse hasta la botella y dar un par de tragos—. Si Sam puede caer, todos podemos —le dio un último sorbo a la botella, antes de dejarla de vuelta en la mesa—. Lo siento, sé que probablemente no querías escuchar nada de eso...

Antes de que pudiese terminar la frase, Chi se alzó sobre sus rodillas, sobre su compañera, y le plantó un beso en los labios. Por un segundo, temió ser rechazada, pero Melibea no tardó en devolverle el gesto, poniéndole una mano sobre la cadera, allí donde su camiseta había dejado al descubierto una rendija de piel.

Sus labios sabían igual de amargos que el alcohol que había estado bebiendo, pero no le importó. Intercambiaron alientos durante unos instantes más, antes de que Chi rompiese el beso, solo para abrazarla.

Después de unos segundos de perplejidad, Melibea la abrazó de vuelta, hundiendo la cara en su pelo. La estrechó con fuerza, agradeciendo su calidez y su aroma dulce, hasta que la chica dejó escapar un gemido de dolor.

—¿Estás bien?

—Sí —respondió ella, tan rápido que ni siquiera a ella misma le sonó creíble. Bajó la mirada a pesar de estar a centímetros del rostro de Melibea, que alzó una ceja con escepticismo—. Rhonda se ha dejado llevar un poco mientras entrenábamos.

Chi se sentó sobre sus rodillas, entre las piernas de Melibea, y dejó que esta le alzase las mangas, dejando al descubierto su piel amoratada.

—Date la vuelta —le pidió. En cuanto estuvo de espaldas a ella, Melibea le levantó la camiseta. Le pasó una mano por la columna, cuyos huesos estaban marcados por aureolas de un morado azulado, y por los costados, que fue cuando Chi se apartó ligeramente de su tacto—. Tienes una costilla rota.

—No pasa nada, solo necesito descansar un poco.

—¿A qué te refieres con que solo necesitas descansar? Esto necesita tratamiento... —Melibea dejó la frase en el aire, mientras veía como Chi negaba con la cabeza—. Supongo que yo tampoco sé nada sobre ti —murmuró.

La joven tardó un par de segundos más en apartar sus manos de la piel de su compañera, antes de bajarle la camiseta. Chi ladeó el cuerpo para poder mirar a la joven, con una sensación pesada en el pecho... Era la primera vez que anhelaba la compañía y el tacto de otra persona como lo hacía en aquel momento. Su cuerpo se sentía cálido, como si hubiese ascuas en su estómago, haciendo que sus mejillas se ruborizasen.

—Supongo que era por eso por lo que me estaba costando respirar —le dijo, con la voz en un susurro—. Mañana ya se habrá curado —añadió, con una sonrisa.

—Eres un peligro —respondió Melibea que cerró las piernas alrededor de la chica, empujándola aún más cerca—. ¿Cómo puedes no darte cuenta de que tienes huesos rotos?

Chi se limitó a encogerse de hombros sin saber qué responder. Se sentía estúpida, pero feliz. Melibea rodeó a la chica con los brazos, apoyando la barbilla sobre su hombro hasta que tuvo los labios a centímetros de su oreja.

—Me haces sentir mejor —le susurró, haciendo que la piel de Chi se erizase, enviando escalofríos por su cuerpo—. No sé cómo, tampoco estoy segura de por qué, pero te lo agradezco.

Sin saber qué decir, Chi ladeó el rostro, cerrando aún más la distancia entre sus labios y los de Melibea, cuyos ojos sonreían con vivacidad.

—Tú también me haces sentir mejor —murmuró de vuelta, ligeramente avergonzada por la admisión y por la atmósfera de intimidad que se había posado entre las dos.

Melibea sonrió antes de mover la cabeza hacia adelante, lo suficiente como para posar sus labios sobre los de ella, con una lentitud suave. Sus bocas se abrieron, mientras poco a poco se recostaban contra el brazo del sofá, hasta quedar tumbadas.

Chi fue la primera en romper el contacto, necesitando recuperar el aliento mientras su compañera le cubría la comisura de los labios y la mandíbula de pequeños besos, antes de mirarla.

Melibea alzó una mano, pasando sus dedos por su cuero cabelludo. Guio la cabeza de Chi hasta que esta estuvo tumbada contra su pecho, escuchando el latir de su corazón.

—Descansa —le dijo—. Te lo mereces.

—Tengo algo que confesar —susurró ella de vuelta, mientras rodeaba a su compañera con los brazos, acomodándose—. No me llamo Kenra... me llamo Chi.

—¿A qué te refieres? —preguntó Melibea, sin dejar de acariciarle el pelo—. ¿Kenra es tu nombre de asignación?

—Sí.

—Pues encantada de conocerte, Chi.

Ambas sonrieron, arropadas por las rendijas de sol que se colaban por las ventanas.

Chi cerró sus ojos, y antes de siquiera darse cuenta, ya estaba durmiendo.

Capítulo 16

—*e muero de hambre* —se quejó Chi, mientras caminaban calle arriba hacia la plaza. Melibea respondió con una carcajada—. Es en serio.

—No lo dudo —respondió. Tenía un brazo sobre los hombros de Chi, manteniéndola pegada a su costado mientras andaban—. Pero se me hace tan raro que alguien de tu tamaño coma tanto.

—Tampoco es que coma más de lo normal.

—No intentes negarlo, te he visto comer —Chi sonrió, dejando que su compañera se inclinase para darle un beso en la frente. Giraron la esquina a la calle principal, riéndose, hasta que los ojos de Melibea se posaron en una pequeña congregación de gente al lado de la fuente—. ¿Qué está pasando? —murmuró, más para sí misma que para Chi, mientras observaba a dos hombres de armadura plateada. Sin decir nada, la chica se escabulló del agarre de Melibea y comenzó a correr hacia la plaza—. ¿Chi?

—Estoy seguro de que si esperamos, Kenra aparecerá en cualquier momento —explicó Ethan ante la impaciencia de los guardias que se alzaban frente a él—. Si la mandé a descansar después de su entrenamiento...

—Pero no está en su habitación —interrumpió Jack, con brusquedad—. ¿Cómo es posible que no sepas donde...? —el joven calló al sentir la mano de Rax sobre su hombro. En cuanto se dio la vuelta para mirarle, un destello rojo acercándose hacia ellos le llamó la atención.

Chi terminó de cerrar el espacio que les separaba, con una sonrisa de oreja a oreja que sólo vaciló en cuanto registró la expresión irritada en el rostro de Jack.

Sin pensárselo dos veces, dio una zancada hacia ella y le dio una colleja lo suficientemente fuerte como para hacerla trastabillar hacia delante. Chi alzó una mano hasta la parte alta de su cabeza, frotándose allí donde había recibido el golpe.

—¿Qué haces? —exclamó ella con toda la indignación que su personalidad le permitía juntar, que no era mucha.

Se apartó de los dos hombres con rapidez, intentando evitar cualquier otra agresión. No recordaba haber visto a Jack tan enfadado desde que había vuelto a casa después de que sus compañeros la dejasen dos días encerrada en un pozo.

—¡¿Qué haces tú?! —Rax, que todavía no había dicho nada, puso una mano sobre el pecho de su amigo para evitar que se moviese—.¡¿Tienes idea de lo preocupados que estábamos?! ¡¿Dónde has estado?!

—¡Lo siento!

—¡No puedes desaparecer sin más! —insistió Jack, sabiendo que ya no se estaba refiriendo únicamente a lo que estaba ocurriendo en el momento.

—Me había quedado dormida... —murmuró, bajando la mirada al suelo. Jack apartó la mano de Rax y volvió a acercarse a la joven, esta vez para abrazarla.

—¿Qué está ocurriendo? —Melibea se detuvo al lado de Ethan, observando la escena con incertidumbre.

—No estoy seguro —contestó él.

—Lo siento —repitió Chi, contra la armadura del hombre.

—No sabes el calvario que hemos pasado estos últimos días —dijo, mientras se apartaba—. Te estuvimos esperando, pero nunca llegaste a casa y antes de enterarnos de lo que había ocurrido Hikami ya había venido a la ciudadela.

—Lo siento.

—Deja de disculparte —dijo Rax, interrumpiendo su silencio y acercándose para darle un abrazo—. No es culpa de nadie —nada más decir aquello, los ojos del guardia se posaron sobre Ethan, que cambió su peso de un pie a otro con incomodidad.

—Perdón, pero... ¿Quiénes sois? —preguntó Melibea.

—Guardaespaldas de la Magistrada Hikami, y de Kenra —respondió Jack, dándose la vuelta para mirar a ambos miembros del gremio.

—No sabía que tenías guardaespaldas —murmuró Ethan, que a pesar de ser quien era, y estar donde estaba, seguía sintiendo un ligero toque de intimidación ante la distintiva armadura que vestían los guardias de más alto rango del Palacio del Cielo.

—No son mis guardaespaldas —le aseguró Chi, mientras le daba un codazo discreto a Jack—. Solo cuidan de mí. Hikami es una mujer muy ocupada, tiene mejores cosas que hacer que pasar su tiempo preocupándose de que no se me olvide comer.

—Cierto, pero ahora que la habéis secuestrado nos hemos quedado prácticamente sin trabajo —añadió Jack, cruzándose de brazos—. Solo han pasado un par de días y Hikami ya se ha cansado de tenernos a su alrededor.

—Está bromeando —dijo Rax con rapidez, para asegurarse de que el humor de su compañero no pasase desapercibido—. Kenra, ¿Podemos hablar en privado?

La chica asintió y dejó que los guardias la guiasen dentro del hostal, dejando a sus compañeros en la plaza.

—Entonces... ¿Qué está pasando? —insistió Melibea en cuanto se quedaron solos.

—No lo sé, han aparecido de la nada y han exigido verla —respondió Ethan—. Por cierto, ¿Qué estabas haciendo con Kenra?

—Apuesto a que te encantaría saberlo —dijo ella, después de reírse por lo bajo.

Ethan echó la barbilla hacia atrás, antes de alzar las manos en derrota.

—Solo preguntaba, no hay necesidad de insinuar nada —el líder de gremio fue el primero que caminó de vuelta a la taberna—. ¿Vienes? —Melibea tardó un par de segundos en seguirle, pues sus ojos estaban pegados a la puerta del hostal.

—Sí.

Jack se sentó al lado de Chi en la cama de la habitación y puso un brazo sobre sus hombros, abrazándola. Los tres se quedaron en silencio durante unos instantes.

—Sabíamos que iban a visitar reclutadores, pero nunca se me ocurrió que te fuesen a reclutar a ti —dijo Rax, quien se había recostado contra la puerta del armario frente a la cama.

—Nunca habríamos dejado que te seleccionasen si lo hubiésemos sabido —añadió Jack, apretando su agarre sobre la joven como si estuviese intentando consolarla, cuando el que necesitaba ser reconfortado era él—. Espero que puedas perdonarnos.

Chi miró a Jack, alzando la barbilla, y sonrió con dulzura.

—No es culpa de nadie —respondió, sus ojos rojos absorbieron los del guardia, inundándole con alivio por dentro. El hecho de que tuvieron que enterarse de lo que había ocurrido a través de Hikami, horas después de que ya la hubiesen reportado y aceptado en el gremio, había hecho que ninguno de los dos pudiese dormir en paz—. Creo que haber terminado en este gremio es lo mejor que podría haberme ocurrido.

—¿Qué?

—Solo he pasado aquí unos días, pero estoy más feliz de lo que lo he estado nunca en el sector —Chi cogió la mano de Jack y le dio un apretón—. Me costó un poco aceptarlo al principio, pero ahora... me gusta. Nunca he tenido compañeros tan amables, me tratan como a una más y se preocupan a pesar de que no estoy a su misma altura.

—Chi... Queremos que seas feliz —dijo Rax—. Si has encontrado eso aquí, entonces te apoyaremos con lo que necesites. Lo único que nos preocupaba es que hubieses terminado en un sitio peor que el de antes.

—Entonces puedes decirle a Hikami que no tiene de qué preocuparse —contestó ella—. Estoy bien aquí, soy feliz.

Rax dio un par de pasos hacia la cama y puso una mano sobre la cabeza de Chi, acariciándole el pelo.

—Estamos orgullosos de ti —le dijo—. Lo estábamos antes y lo seguiremos estando. Si necesitas cualquier cosa vamos a seguir a tu disposición, aunque no podamos venir a visitarte tan a menudo.

—Gracias —respondió la chica, bajando la mirada a su regazo. Durante los segundos de silencio que siguieron, una idea abrió la puerta en su cabeza—. A decir verdad, creo que sí que hay una cosa que podríais hacer por mí.

—Pensé que la gratitud iba a durar un poco más —murmuró Jack.

—Lo que necesites —dijo Rax, ignorando a su compañero.

—¿Creéis que hay alguna forma de que pueda salir de la ciudadela por las noches? Sabéis lo mucho que me gusta salir a caminar por la noche. Pero con los guardias en el muro y todas las reglas de la Zona Central no sé si puedo...

—No te preocupes —Jack se levantó de la cama, alzándose al lado de su compañero—. Estoy seguro de que podemos pensar en algo.

—Gracias —Chi también se levantó y abrazó a los dos hombres, tan fuerte como pudo a pesar de sus costillas—... por todo.

—Bueno, bueno, suenas como si no fuésemos a volver a verte —comenzó el guardia del pelo ceniza, visiblemente incómodo por todo lo que estaba sintiendo. ¿Desde cuándo era tan blando? —. No nos pongamos muy emotivos.

—Tú eres el único poniéndose "emotivo" —replicó Rax, mientras comenzaba a caminar hacia la puerta, con el rostro y la voz tan planas como siempre—. Volveremos a reportarle a Hikami... También veremos qué podemos hacer sobre tus escapadas nocturnas.

—¿Cuándo vais a volver? —preguntó ella, mientras les seguía fuera de la habitación.

Los dos se pusieron a caminar en frente de ella, haciendo que esta tuviese que apresurarse para seguirles el ritmo.

—En cuanto podamos —respondió Jack—. Siempre hay muchos ojos en la Zona Central, especialmente en este gremio... y no da muy buena impresión que haya guardias del palacio y una Magistrada visitando a un alumno de forma constante. Por favoritismo y esas cosas.

—Espera, ¿A qué te refieres con que hay muchos ojos?

—Está exagerando —dijo Rax—. Como en cualquier otra parte de la Academia, la privacidad de los alumnos está protegida del exterior; pero en el Palacio del Cielo todo el mundo tiene oídos, sobre todo alrededor de alguien con el poder que tiene Hikami. Así que no puede estar mandando a sus guardaespaldas personales dentro y fuera de las ciudadelas como le plazca.

—Entiendo.

Terminaron de bajar las escaleras y salieron de vuelta a la plaza. El sol comenzaba a esconderse detrás de los edificios, tiñendo el cielo de un naranja oscuro.

—Chi —Jack se dio la vuelta y le dio un beso en la frente—. Cuídate, y si necesitas algo solo tienes que encontrar a alguien que te lleve hasta el palacio.

Rax le dio un beso en la mejilla y sin añadir nada a lo que

había dicho su compañero, hizo crecer sus alas.

En cuanto los dos alzaron vuelo, Chi cruzó la plaza hasta la taberna en busca de comida.

—¡Kenra! —la llamó Ebony en cuanto la vio bajando por los escalones. La joven se acercó con rapidez, sentándose entre Ethan y Melibea en la barra—. Te he preparado algo de cenar.

—Gracias —respondió ella, con una sonrisa de oreja a oreja. Su compañera le pasó un filete tan grande que el plato en el que se encontraba era prácticamente inexistente. Se le hizo agua en la boca—. Gracias —repitió, mientras se estiraba sobre el plato para poder coger un par de cubiertos del otro lado de la barra.

—¿Asumo que los guardias ya se han ido? —le preguntó el líder de gremio.

—Si —respondió, mientras comenzaba a cortar un cacho de carne—. Espero que no hayan causado mucha conmoción... Normalmente no son así de hostiles.

—No te preocupes, solo me han aterrorizado un poco; no es para tanto.

Melibea río, mientras enredaba su pie en la silla de Chi y le daba sorbos a una jarra de madera. Chi la miró de reojo, pero esta parecía estar perdida en sus propios pensamientos, mirando al resto de sus compañeros en la taberna.

—Ethan tiene una sorpresa para cuando termines de comer —dijo Ebony, apoyando los codos sobre la madera de la barra frente a Chi. Sus ojos se iluminaron mientras sus pupilas se dilataban ligeramente, cambiando de grietas a diamantes.

—¿Qué?

—Es una sorpresa —dijo Ethan antes de que Ebony pudiese dar cualquier tipo de pista—. Por todo el esfuerzo que has estado haciendo estos últimos dos días.

—¿En serio? —preguntó ella, sintiéndose ligeramente sobrestimada—. No es que haya hecho demasiado, ni siquiera he podido entrenar contigo...

—Tonterías —interrumpió Melibea, cambiando de posición sobre el taburete para mirar a sus compañeros. Alzó la jarra hasta Ethan—. ¿Sabías que tiene una costilla rota?

—¿Qué? ¿Ahora mismo? —Ebony se irguió como un resorte, lista para entrar en modo de emergencia—. ¿Por qué no has dicho nada? Alguien tiene que ir a buscar a Mael antes de que la llevemos al...

—Estoy bien —se apresuró a decir la joven, frunciendo el ceño hacia Melibea, que se limitó a sonreír con picardía—. No necesito ningún tipo de tratamiento, se curará solo en un par de horas.

—Cierto... Rhonda le rompió la nariz ayer y hoy está como si no hubiese ocurrido nada —comentó Ethan hacia Ebony que le observaba con escepticismo—. Aun así, tal vez debería hablar con ella.

—Deberías. No puede ir por la vida rompiéndole los huesos a mi amada —le dio un último sorbo a su bebida después de decir aquello, esperando a una respuesta que nunca llegó, pues los tres la miraron en silencio, con diferentes niveles de *shock*—. ¿Qué?

—¿Amada? —preguntó Ethan, sin poder esconder la sonrisa en su voz.

—¿Qué? —insistió la joven, estirando sus pantalones de cuero al cruzarse de piernas—. No miento —Ebony y Ethan miraron a Chi y luego de vuelta a Melibea, que se limitó a alzar una ceja.

—No digo que no sea cierto, pero... ¿No crees que novia suena mejor que amante?

—Depende de a quién le preguntes —respondió ella—. Además, ¿Quién crees que soy? ¿Un hombre? —la joven bufó—. No voy a cargarla con la responsabilidad de que sea mi novia sin ni siquiera hablarlo con ella.

—¿Pero sí con que sea tu amante?

—Por algún sitio hay que empezar, ¿No?

Chi mantuvo la cabeza metida en el plato, mientras engullía su filete y rezaba para que cambiasen de tema. No estaba hecha para mantener ese tipo de conversaciones tan a la ligera.

—Sí que hay que pedirle a Rhonda que tenga un poco más de cuidado —comenzó Ebony después de unos segundos de silencio.

—No hace falta —murmuró Chi, mientras masticaba el último cacho de carne—. Estoy bien y mañana estaré mejor.

—Pues eso lo decide —Ethan se puso en pie, seguido por Melibea, mientras Ebony apartaba el plato de enfrente de Chi.

La joven se dio la vuelta y siguió a sus compañeros mientras cruzaban la taberna hasta la salida, todavía ligeramente conmocionada por la vergüenza. Fuera ya era prácticamente de noche, a excepción de unos retazos de azul claro en el horizonte. La brisa ya había comenzado a enfriarse, refrescando el aire en la ciudadela mientras la temperatura de los edificios se ajustaba y las flores se cerraban para pasar la noche.

—¿A dónde estamos yendo? —preguntó Chi después de unos segundos en silencio.

—Sorpresa —repitió Ethan.

—¿Melibea?

—A mí no me preguntes —respondió la joven. Se detuvo hasta que Chi llegó a su altura y luego le rodeó los hombros con un brazo, manteniéndola cerca—. Solo estoy siguiéndoos.

Chi hizo un puchero discreto, mientras intentaba pensar lo que podría ser. Melibea rio entre dientes, antes de darle un beso en la cabeza. Bajaron el resto de la calle principal en silencio, antes de girar una esquina y detenerse en frente del edificio de Chi.

—¿Qué estamos haciendo aquí? —preguntó ella.

Sus dos compañeros respondieron con silencio, mientras el líder de gremio abría la puerta y les hacía un gesto para que entrasen.

Subieron las escaleras y con cada escalón el corazón de Chi se aceleraba un poco más. La chica se asomó a su cuarto, cuya puerta se encontraba abierta de par en par. Todos los muebles de su habitación en el sector estaban allí, colocados con cuidado sobre un suelo inmaculado.

Chi entró dentro, prácticamente de puntillas, mientras miraba su cama cubierta de almohadas, su armario lleno de ropa... y las estanterías que le daban hogar a todos sus libros.

—¿Cuándo habéis movido todas las cosas?

—Esta mañana —respondió Ethan, deteniéndose al lado de Melibea, que se había quedado debajo del umbral—. La primera puerta de la izquierda, nada más entrar en la casa, es donde hemos puesto las cosas del salón y también te han montado el baño entero.

—Gracias —murmuró ella—. ¿Eso significa que puedo quedarme aquí esta noche?

—Por supuesto.

—¿Necesito una llave o...?

—No, ninguno de los edificios de la ciudadela tiene cerradura —le explicó Ethan, mientras se enderezaba—. Pero no tienes nada de lo que preocuparte, nadie va a entrar aquí sin tu permiso —aseguró—. Tengo unas pocas cosas más que hacer antes de que termine de hacerse de noche, así que me voy ya —el joven miró a Melibea, alzando las cejas como si le estuviese preguntando si iba a acompañarle.

—Puedes irte sin mí —le dijo—. Voy a ayudar a Kenra a que se asiente.

—Buena suerte —Ethan se encogió de hombros y se dio la vuelta para salir de la habitación—. Os veré mañana.

—Buenas noches —murmuró Chi, mientras el joven desaparecía por las escaleras. En cuanto escuchó la puerta de la entrada cerrarse, sus ojos se encontraron con los de Melibea—. ¿Qué?

—Nada —respondió ella, a pesar de que la miraba con una sonrisa en los ojos—. Solo estoy feliz.

Chi sonrió, mientras tocaba las mismas cortinas blancas que habían colgado de las ventanas de su habitación durante años. Era uno de los primeros regalos que Hikami le había hecho cuando se mudó a la casa del Sector.

—Ethan también sabe que me llamó Chi —comentó ella, dándose cuenta de que ambos habían estado llamándola Kenra todo el día.

—¿En serio? —Melibea se acercó hasta la ventana y miró a Ethan, que se alejaba calle abajo—. Espera... ¿Se lo dijiste antes que a mí? —preguntó, dándose la vuelta para mirar a su compañera, fingiendo indignación.

—Lo siento —una sonrisa se alargó en los labios de Melibea mientras esta cerraba la distancia entre ellas, antes de rodearla con los brazos. Chi la abrazó de vuelta, descansando la mejilla contra su hombro—. Tengo que ir de vuelta al hostal y traer mis cosas hasta aquí. No tienes que quedarte a ayudarme.

—Lo sé —respondió ella, apartándose lo suficiente como para darle un beso en la nariz—. Pero quiero hacerlo.

Pasaron un par de horas, durante las cuales ambas jóvenes hicieron viajes entre el hostal y la nueva casa, transportando ropa y libros; caminando a paso lento para alargar el tiempo que pasaban en compañía de la otra. Sin querer que el día terminase a pesar del negro que cubría el cielo. Al final, terminaron sentadas en el bordillo del tejado, zarandeando las piernas sobre el vacío.

—¿No estás cansada? —preguntó Melibea después de unos minutos de silencio. Estaba pegada a Chi de tal forma que tanto sus brazos como piernas se tocaban.

—Un poco —murmuró ella, escondiendo las manos entre las piernas—. Pero no quiero que te vayas todavía.

—Puedo quedarme todo el tiempo que quieras —respondió ella, sonriendo. Sus ojos se fijaron en las manos de Chi y confundió aquel gesto de timidez por una reacción a la temperatura—. ¿Tienes frío? —le preguntó.

—No.

Se sostuvieron la mirada la una a la otra; Melibea entrecerró sus ojos verdes.

—Voy a pretender que has dicho que sí —murmuró, mientras le rodeaba los hombros para abrazarla. Chi se dejó estrechar, reposando la mejilla contra el calor de su compañera, mientras esta le frotaba el brazo con una mano, calentándole la piel.

—No puedo pasar frío —dijo Chi bajo su aliento, mientras curvaba los labios en una sonrisa discreta. Liberó las manos de entre sus piernas y rodeó las caderas de Melibea son los brazos, entrelazando los dedos sobre su espalda—. No sé por qué.

—Suena bien.

—No está mal —murmuró ella, dándole la razón.

—¿Puedo preguntarte algo? —dijo Melibea contra el pelo rojo de la joven, la cual asintió—. Si no tienes padres, ni magia... ¿Cómo has terminado en la Academia?

—No estoy segura. Me desperté en uno de los bancos en el jardín de recepción sin ninguna memoria de quién era ni cómo había llegado hasta allí —frunció los labios—. Un guardia me llevó hasta el Palacio del Cielo donde conocí a Hikami, Jack y Rax.

—¿La Magistrada es tu madre adoptiva?

—Nunca ha pretendido ser mi madre —respondió Chi, frotando la cabeza contra la camisa de la chica al acomodarse. Entrelazó uno de sus pies con el de ella—. Pero siempre se ha ocupado de que estuviese cuidada.

—Suena a que tuviste mucha suerte... O sea, me imagino que solo os cruzasteis por pura casualidad —comentó Melibea. Su voz era tan baja, tan calma, que la piel de Chi se erizó—. ¿Qué habría pasado si te hubiesen encontrado unos minutos antes o después? Tal vez nunca os habríais conocido.

—Nunca se me había ocurrido pensar en eso —respondió—. Supongo que tienes razón... Tengo mucha suerte. Me pregunto dónde estaría ahora si no fuese por ella.

—Con suerte, seguirías en mis brazos —contestó.

Chi bufó, intentando no reír.

—Cállate.

—¿Qué? ¿Demasiado? —Chi asintió. Melibea bajó la cabeza hasta tocar la frente de la chica y luego sus labios. Quiso decirle que iba a tener que acostumbrarse a escuchar palabras empalagosas. Por algún motivo se mantuvo en silencio. Compartieron un par de segundos más, antes de que Melibea se apartase para poder observar el cielo negro y el horizonte, marcado por el muro de la ciudadela, antes de suspirar—. Deberías irte a dormir e intentar recuperarte para mañana —dijo, mientras dejaba ir a Chi. Se dio la vuelta después de unos segundos, poniéndose en pie—. No me imagino lo cansada que debes de estar.

—Estoy bien, lo prometo... —Chi dejo la frase en el aire en cuanto sus ojos se encontraron con los de Melibea, que la retaban a intentar mentirle—. Vale, vale, me iré a dormir.

Chi se levantó y siguió a Melibea por el tejado. Entraron al ático por un ventanuco y bajaron las escaleras, hasta el segundo piso. La chica se mantuvo pegada a los talones de su compañera, por lo que cuando esta se dio la vuelta, se vio obligada a dar un par de pasos hacia atrás para mantener una distancia cómoda.

—¿Qué hay con la cara larga?

—¿Qué cara larga? —preguntó Chi, frunciendo el ceño.

—La tuya —respondió Melibea, entretenida por el comportamiento infantil de su compañera. A pesar de su estatura y personalidad, a veces se le olvidaba la edad que tenía—. ¿Qué ocurre? ¿Quieres que pase la noche contigo? —susurró la última pregunta mientras se inclinaba hacia abajo, cerrando la distancia entre ellas. Chi sintió como su cara se calentaba, por lo que negó con rapidez; no podía decidir lo que quería. Los ojos de Melibea brillaron con picardía, disfrutando lo fácil que era de ofuscar—. Eso pensaba —dijo, mientras posaba sus labios sobre los de ella.

El beso duró unos segundos largos, suaves, y agradables; en los cuales Chi no supo si aquello significaba que iba a irse o a quedarse, pues ni ella misma sabía lo que quería.

—Puedo salir por mi cuenta —le dijo, levantando una pequeña marea de decepción en el estómago de la joven—. Te veré mañana.

Le dio un segundo beso rápido antes de bajar las escaleras en un susurro. Chi quedó allí de pie hasta que escuchó la puerta de la entrada abrirse y volver a cerrarse.

Dejó escapar un suspiro largo y lleno de frustración, antes de ir hasta su habitación y dejarse caer de cara sobre su cama. No conseguía decidir si su corazón dolía de felicidad o de vergüenza, o de anhelo; o tal vez de todo.

Mientras intentaba racionalizar sus emociones y calmar el palpitar de su corazón se quedó dormida, abrazando las colchas que adornaban la cama.

Capítulo 17

El *día transcurrió con lentitud* mientras Chi luchaba con cada minuto que pasaba. Estaba igual de cansada y dolorida que el día anterior. No pensaba que fuese posible sentirse aún peor.

La joven se encontraba tirada sobre el suelo de la sala de entrenamiento, los brazos extendidos en forma de cruz y ojos cerrados, aprovechando unos momentos de descanso. Rhonda ya se había marchado y ahora le tocaba esperar a Ethan.

A pesar de todo, estaba emocionada por entrenar con el líder del gremio por primera vez.

"Intentaremos encontrar tu estilo para el Torneo" Había dicho el joven. Chi no podía evitar sentir curiosidad ante las posibilidades.

En el sector habían aprendido las técnicas básicas para manejar todo tipo de armas, pero nunca se habían centrado demasiado en ninguna. Ransa siempre había dicho que el trabajo de un alumno de sigilo no era saber cómo blandir una espada, sino como matar a alguien sin darle tiempo a que se diese cuenta de que su vida estaba en peligro.

Chi escuchó las pisadas de Ethan cuando todavía se encontraba al final de la calle. Inspiró aquel último minuto de descanso y silencio antes de abrir los ojos e incorporarse.

Cruzó las piernas mientras la puerta se abría frente a ella, bañándola con la luz del sol.

—Chi —dijo él, saludándola. Cerró la puerta a su espalda, con una sonrisa cordial, mientras hacía girar unas llaves en el dedo índice de su mano derecha—. ¿Cómo te encuentras?

—Mejor que ayer —respondió, sonriendo para esconder la mentira en sus palabras—. Lista para nuestra primera sesión.

El joven dejó escapar una risa.

—Me alegra tu entusiasmo —comentó, mientras se acercaba a una de las paredes de la sala.

Puso una mano sobre la superficie de madera y, con la palma, tiró de ella hacia un lado, haciendo que el panel se deslizase.

Chi se levantó con los ojos abiertos de par en par para poder ver lo que había detrás de, lo que ella había pensado era una pared. Al principio no le pareció más que otra pared, esta vez blanca y de metal. Pero al igual que la primera, esta se abrió después de que Ethan metiese una de sus llaves en la cerradura a la altura de su cadera.

Deslizó el metal un par de metros a la izquierda, dejando al descubierto un arsenal. Chi observó las armas, desde espadas hasta arcos, escudos, lanzas, y dardos que colgaban de la pared. ¿Cómo era posible que todo esto estuviese al alcance de cualquiera de los alumnos? ¿Era Ethan el único con acceso a esa llave?

La joven dejó escapar un suspiro de fascinación mientras sus ojos danzaban por la pared.

—Impresionante, ¿verdad? —dijo Ethan, mientras guardaba las llaves en el bolsillo de su chaqueta—. He tenido algo de tiempo para pensar en qué tipo de pelea te beneficiaría más y lo cierto es que estoy teniendo problemas para llegar a una conclusión.

—¿Por qué?

—Porque no tienes magia. Normalmente es muy fácil determinar si uno debe especializarse en combate cuerpo a cuerpo o a distancia dependiendo de su magia. Pero contigo todo depende de con quien estés peleando... —el joven se recostó contra la pared y le hizo un gesto a Chi para que se sentase frente a él en el suelo, consciente de que debía de estar exhausta—. ¿Qué tipo de armas te han enseñado a utilizar en tu sector?

—Tuvimos lecciones básicas de la mayoría de las armas más comunes; pero solo nos especializan en dagas y en el uso de venenos.

—¿Entonces sabes usar arcos y espadas?

—Sí, pero no tan bien como alguien del Sector de Lucha —respondió ella antes de bajar la mirada al suelo.

—No te preocupes, eso es normal —le aseguró Ethan—. Tenemos tiempo suficiente para entrenarte en lo que sea que escojamos... Veamos —escaneó la pared con la mirada, mientras pensaba—. Debido a tu falta de magia puede que lo más seguro sea que te mantengas alejada de tu oponente, pero entonces estaríamos desperdiciando tu fuerza y velocidad, por no hablar de que serías vulnerable a numerosos otros tipos de magia, como las elementales... Pero por otro lado, en peleas cuerpo a cuerpo te arriesgas a estar a distancia nula de todo tipo de magias también. Creo que lo mejor sería algo que te diese las dos opciones, para que ajustes dependiendo de contra quien pelees... A menos que te sientas más cómoda con un solo estilo de pelea.

—No, creo que puedo hacer ambas cosas —dijo Chi—. Se me dan mejor las peleas cuerpo a cuerpo; pero tengo buena puntería.

—Perfecto, entonces empezaremos practicando con armas que se puedan utilizar de las dos maneras —Ethan se dio vuelta, cogió un par de hachas de mano de la pared. Las dejó caer al suelo, con el filo de lado, mientras caminaba hasta unas jabalinas—. Con suerte encontraremos el arma que te sea más cómoda con rapidez y así podremos comenzar a entrenar en serio... ¿Con qué quieres empezar?

—Las jabalinas —dijo Chi después de unos segundos de deliberación. La joven dio un par de pasos hasta su compañero, que le tendió dos de las armas.

—Lo ideal para este tipo de arma sería que tuvieses más de dos para que pudieses lanzarlas sin miedo de quedarte desarmada. Pero por ahora creo que es suficiente. ¿Por qué no intentas darle al marco de esa ventana? —preguntó y señaló la ventana del otro lado de la habitación.

Chi colocó los pies uno delante del otro, poniendo el cuerpo ligeramente de lado y alzó la jabalina en su mano derecha antes de arrojarla. El arma cortó el aire con un silbido y se clavó a centímetros del cristal, en el marco.

—Vaya —dijo Ethan—. Una parte de mi estaba esperando

que fallases y rompieses el cristal.

—Gracias por la confianza —murmuró Chi mientras Ethan comenzaba a reírse.

—Lo siento, pero lo has hecho sonar como que solo tenías una puntería decente, no una puntería de campeonato —se separó de la pared, caminando hasta el centro de la sala—. Vamos a intentar cuerpo a cuerpo.

Chi asintió y caminó hasta su compañero, que arrancó la jabalina del marco de la ventana, dejando un relieve astillado alrededor del agujero que se había formado. La joven se dio un golpe en la pierna con el palo del arma, mientras intentaba cogerla con ambas manos, antes de ponerse en formación.

—¿Te es difícil de manejar?

—No —se apresuró a decir ella—. ¿Si? No lo sé. No estoy acostumbrada a mover algo de este tamaño, a lo mejor no soy lo suficientemente alta.

—Tienes que girarla sobre tus manos —dijo haciendo una demostración. Hizo que el cuerpo de la jabalina girase alrededor de su mano abierta a la vez que la movía de un lado a otro de su cuerpo—. Es cuestión de práctica y de jugar con la gravedad; pero ten cuidado con la cara.

Chi le imitó y para la sorpresa de ambos, consiguió girar la jabalina hasta el lado izquierdo de su cuerpo sin que se le cayese al suelo.

—En guardia —dijo Ethan después de unos segundos, mientras doblaba las rodillas.

Chi adoptó la misma posición que su compañero y espero a que este iniciase el encuentro.

Él giró la jabalina sobre su brazo al alzarlo antes de dejar que cayese sobre Chi. El arma cortó el aire con un silbido, antes de chasquear contra el suelo donde, segundos antes, ella había estado de pie. Ethan se dio la vuelta, barriendo el suelo con el cuerpo de la jabalina para hacer que su compañera continuase teniendo que alejarse.

Sin embargo, no contó con que Chi tomase la iniciativa.

Chocaron armas con un ruido estruendoso y forcejearon el uno con el otro hasta que Chi dejó de hacer fuerza. Ethan abrió los ojos de par en par, mientras perdía el equilibrio. Chi hizo un giro rápido y golpeó la espalda del chico con el cuerpo de la jabalina, haciéndole trastabillar.

El joven se quedó en silencio durante unos segundos, con el ceño fruncido.

—¿Y me estás diciendo que solo hiciste entrenamiento básico?

Chi sonrió, mientras giraba una jabalina en cada mano, antes de descansarlas sobre el suelo.

—Si, y además lo suspendí —añadió, con una sonrisa.

Continuaron practicando el resto de la hora con hachas arrojadizas, espadas, cuchillas, y arcos con flechas lo suficientemente robustas como para utilizarlas de estaca. Cuando terminaron, lo único en lo que Chi podía pensar era en dejarse caer sobre su cama; por lo que fue directamente a su casa en cuanto Ethan la dejó ir.

En cuanto llegó a su casa subió las escaleras hasta su habitación y se desplomó sobre sus almohadas quedándose dormida antes de que su mente pudiese centrarse en cualquier otra cosa.

Horas después los ojos de la joven se abrieron con brusquedad al escuchar unos nudillos contra la puerta de entrada. Demasiado adormilada como para poder pensar con claridad, se acurrucó sobre las sábanas, ignorando el sonido que había escuchado como si solo hubiese sido su imaginación.

Segundos después, la puerta de entrada se abrió con un chirrido, sobresaltándola. No se lo había imaginado. Escuchó el latido de un corazón ligeramente acelerado, prácticamente ahogado por el sonido del suyo propio... Pero no tardó en oler un perfume familiar, seguido por olor a comida. Chi se relajó sobre la cama y volvió a cerrar los ojos, esperando.

La puerta de su habitación se abrió con delicadeza, mientras la joven asomaba la cabeza.

—¿Chi? —susurró Melibea, mientras entraba en el cuarto. Chi continuó haciéndose la dormida, esforzándose para ocultar una sonrisa. Su compañera se quitó los zapatos antes de sentarse a su lado en la cama—. Chi...

Pasó una mano por su brazo, zarandeándola con tanto cuidado que, si hubiese estado dormida de verdad, jamás lo hubiese notado. Melibea, al ver que no respondía, le apartó el pelo del cuello y bajó la cabeza hasta que sus labios le tocaron la piel.

—Despierta —susurró, respirándole sobre la piel y haciendo que un escalofrío le erizase el cuerpo.

Chi sonrió.

—No quiero.

—¿Por favor? Te he traído la cena —se inclinó para darle un beso en los labios, obligando a Chi a darse la vuelta para mirarla—. Arriba —le dijo antes de enderezarse. Melibea cogió las manos de su compañera y tiró de ella, sentándola. Tenía el pelo enmarañado pues ya llevaba durmiendo un par de horas.

La chica bostezó, antes de pasarse los dedos por el pelo. Sus ojos rodaron hasta la bandeja que Melibea había dejado a los pies de la cama. Había pan, unas patas de cordero y verduras de todos los colores.

Melibea se mordió el labio mientras la miraba. ¿Cómo podía una persona de carne y hueso parecerse tanto a una muñeca? ¿Y cómo había acabado esa muñeca en sus manos?

—Toma —le dijo, poniéndole la bandeja sobre las rodillas—. Ebony me ha dicho que no te ha visto desde la mañana y que no puedes saltarte comidas mientras estés entrenando.

—Lo sé —murmuró Chi bajo su aliento, mientras cogía los cubiertos. Se frotó un ojo con la mano—. Pero me he quedado dormida nada más llegar de entrenar.

—¿Qué tal te ha ido hoy?

—Bien, no me he roto nada —alzó la cabeza al decir aquello, con ojos brillantes, como si fuese un gran logro del que estaba orgullosa. Melibea sonrió, reprimiendo las ganas de saltar sobre ella—. Ethan y yo hemos estado practicando con diferentes tipos de armas.

—Oh, ¿has encontrado algo que te guste?

—Todavía no hemos escogido nada oficial, pero me gustan las dagas.

—Típica estudiante del Sigilo —dijo, con una sonrisa.

La joven se recostó sobre las almohadas y alzó la mano hacia la luz de las velas que descansaban sobre el escritorio. Ladeó su mano, mientras sus dedos se alargaban, cambiando de piel y carne al afilado metal de una cuchilla.

—¿Qué es exactamente tu magia? —preguntó Chi, mientras sus ojos seguían el reflejo de las velas en las dagas que eran los dedos de Melibea.

—Puedo controlar metales y moldearlos a voluntad.

—Y... ¿Tu mano?

—También puedo convertir mi cuerpo en metal —dijo ella—. Es una magia muy... conveniente.

Chi dejó escapar un suspiro, mientras se metía un cacho de pan en la boca.

—Eso parece.

Melibea observó a su compañera mientras masticaba. Sus ojos se anclaron en los colmillos de la joven cuando esta se metía un bocado en la boca. Eran mucho más largos que los de una persona común y parecían estar mucho más afilados de lo que los dientes normales deberían estar. La joven no pudo evitar pensar que muchos de los rasgos de Chi eran más de bestia que de Volkai, como sus ojos felinos, su pelo carmesí, su apetito, sus colmillos... ¿Qué uso tenía alguien que no poseía magia en semejantes características?

—¿Alguna vez te has preguntado por qué tienes los colmillos tan afilados? —Chi ladeó la cabeza para mirarla, alzando las cejas con sorpresa ante la pregunta.

—Sí, todo el tiempo —respondió después de tragar el cacho de cordero que había estado desmenuzando con los dientes—. Pero... no tengo ningún tipo de información sobre quiénes eran mis padres, o cuál es mi linaje; así que no sabría por dónde empezar.

—Es un rasgo muy típico en los Zú —le dijo la joven. Los

Volkai Zú eran aquellos cuya mitad de bestia no era un simple dragón, sino un cruce con algún otro animal. No eran solo capaces de cambiar entre Volkai y dragón, sino que además podían adoptar la forma del animal de su linaje—. Creo que ya le has visto transformado, así que te habrás dado cuenta, pero Kobu es un Zú, un lobo, y tiene una dentadura muy parecida a la tuya... Aunque diría que cuando está en forma Volkai sus colmillos no son tan largos o afilados como los tuyos.

—A lo mejor esa es mi descendencia y por algún motivo nunca desarrolle la habilidad de utilizar magia o transformarme —murmuró Chi, manteniendo las manos sobre la bandeja—. Aunque... ¿Qué animal tiene el pelaje del color de mi pelo? ¿Y mis ojos?

—Quizás algún tipo de felino o reptil, ¿Una serpiente? — Chi se encogió de hombros, mientras su espalda se curvaba hacia delante, delatando el repentino sentimiento de vacío en su pecho. Melibea se dio cuenta de aquello, por lo que se incorporó al lado de la joven, rodeándole la cadera con un brazo—. Lo siento, no he pensado en cómo te haría sentir hablar de estas cosas.

—No es tu culpa —se apresuró a decir Chi, reprimiendo su tristeza para poder girar su cuerpo hacia Melibea con seguridad—. Solo... me cuesta pensar en lo que podría ser, en todo lo que podría hacer si no fuese lo que soy.

—Chi, el hecho de que has llegado hasta donde estás ahora significa que a pesar de no tener magia eres mejor que todos los demás. Eres un milagro.

—No me siento como un milagro.

—Lo sé, pero eso no es culpa tuya —insistió Melibea,

mientras su compañera ponía la bandeja, ahora vacía, sobre una de las mesillas de noche—. Es culpa de la gente que te rodea. Toda tu vida te has visto expuesta a simplones incapaces de ver tu verdadero poder; así que es normal que hayas crecido creyendo que lo que ellos piensan es la norma.

Chi bajó la mirada, sonriendo con timidez.

—Puede que tengas razón.

—Sé que tengo razón, soy la versión atractiva de un sabio borracho.

Las dos se tumbaron en la cama y hablaron durante un rato más, antes de que Melibea se fuese con la bandeja, dejando que Chi pudiese seguir descansando.

Melibea salió de la casa y caminó por la calle en silencio, sin darse cuenta de que estaba sonriendo. Se sentía como si volviese a ser una niña: despreocupada; libre de demonios; deseando poder irse a dormir para despertarse cuanto antes y volver a ver a la persona que le robaba cada pensamiento. ¿Cuánto tiempo hacía que no se sentía tan libre? ¿Tan llena de felicidad?

—Pareces estúpida —Zafrina habló desde el balcón de su habitación, interrumpiendo el silencio de la noche con estridencia. Melibea se detuvo de la sorpresa y alzó la mirada hasta su compañera, mientras esta se sacaba una pipa de la boca y dejaba escapar una bocanada de un humo del mismo rosa que su pelo.

—¿Qué?

—Deberías tener un poco más de vergüenza —le dijo Zafrina. Tenía los codos sobre la barandilla, haciendo que su cuerpo se inclinase ligeramente sobre el vacío. Con mirada baja para poder mirar a su compañera, sus pestañas pintaban sombras largas sobre sus pómulos, dándole un aspecto siniestro, afilado—. Después de todo lo que nos ha pasado, lo que te ha pasado, ¿no crees que le debes un poco más de respeto a tus muertos? ¿De dónde sacas el valor para ir sonriendo por la calle, el valor de ser feliz?

—¿Cómo te atreves...? —Melibea tensó la mandíbula y cerró los puños con fuerza, destiñendo sus nudillos, pero antes de que pudiese expresar la ira que le había inducido las palabras de su compañera, esta continuó hablando.

—No me malinterpretes, todos merecemos ser felices y recuperarnos de lo ocurrido con Samuel... Pero tú, ¿No te sientes un poco culpable? —preguntó antes de darle una calada rápida a su pipa. La malicia en sus palabras estaba enmascarada por una inocencia fingida—. ¿No arrastraste a tu primo hasta la Zona Central porque querías gloria y riquezas? Lo mínimo que puedes hacer es pretender que sientes culpa, aunque sea solo un poquito. En vez de eso vas por ahí distrayéndote con tu nuevo y brillante juguete... Pero esa es solo mi opinión.

Zafrina le dio una última calada a la pipa antes de darle un par de toques a la barandilla para sacar las cenizas y darse vuelta. Su pelo rosa desapareció del otro lado de la puerta corredera, más allá de sus cortinas negras.

Melibea bajó la mirada al suelo, mientras todo el enfado en su estómago se enfriaba, dejándola con una sensación sobrecogedora. Sus hombros se hundieron, como si el peso de un edificio entero, el peso de recuerdos, hubiese caído sobre ella. Reemprendió el camino a casa, peleando por cada bocanada de aire que sus pulmones rechazaban, deseando tener una botella en mano y deseando poder dejar de recordar.

¿Cómo se atrevía a ser feliz cuando había causado tanto dolor?

Capítulo 18

Arvel *descendió del cielo*, aterrizando sobre el suelo de la plaza sin hacer más ruido que el de la corriente de aire que se había formado a su alrededor. Antes de que la tela de su túnica tocase el suelo, sus alas ya habían desaparecido. Caminó hasta la taberna, con el más mínimo susurro de nerviosismo en la cabeza al haber dejado a sus compañeros solos durante los últimos días.

En cuanto abrió la puerta, el olor de pan recién hecho y cerveza le inundó la nariz.

—¡Arvel! —exclamó Ebony, dejando lo que estaba haciendo para saltar la barra y apresurarse hasta su compañero—. ¿Dónde has estado? —preguntó, con obvia preocupación.

El joven recibió el abrazo de su compañera sin queja alguna, al igual que el puñetazo que le dio en el brazo en cuanto se separó de él.

—Lo siento —respondió Arvel sin alzar la voz, a pesar de que sabía que el resto de sus compañeros estaban escuchando, a la espera de una explicación por su desaparición. Zafrina, Rhonda y Alessia se encontraban juntas en una mesa al lado de las ventanas, observando a su compañero con curiosidad. Nahuel estaba sentado en una de las butacas al lado de la entrada, con libro en mano y Mael se encontraba todavía sentado en la barra, allí donde había estado hablando con Ebony—. Tuve una emergencia familiar.

—¿De verdad? —comentó Zafrina, alzando la voz para asegurarse de que todos sus compañeros podían escucharla con claridad. Su sonrisa, fina y alargada, reflejaba la misma picardía que brillaba en sus ojos. Arvel reprimió un suspiro de cansancio, manteniendo sus ojos inexpresivos—. ¿Qué tipo de emergencia familiar requiere que pases días paseándote por el Palacio del Cielo? —el joven entrecerró sus ojos celestes, mientras sus pupilas se afilaban—. ¿Qué? ¿No vas a decir nada más?

—No —respondió él, sabiendo que la mejor forma de apaciguar la sed de Zafrina era ignorándola.

Detrás de él los ojos de Nahuel se clavaron en su espalda con curiosidad. ¿Qué asuntos podía tener su compañero en el Palacio del Cielo...? Como si supiese lo que estaba pensando, Arvel ladeó la cabeza para mirarle y le sostuvo la mirada.

Nahuel dejó escapar un suspiro y puso sus ojos en blanco, captando la amenaza sin mayores problemas.

—Bueno, sea lo que sea, no puedes desaparecer sin más... Estábamos preocupados —Ebony volvió del otro lado de la barra, con Arvel pisándole los talones.

Se sentó al lado de Mael, quien le dedicó una sonrisa de bienvenida.

—¿Todo bien? —le preguntó.

—No —respondió Arvel, cerrando los puños debajo de su túnica, donde nadie podía ver el gesto—. Pero no es nada de lo que tengáis que preocuparos.

—Arvel, sabes que estamos aquí para ti, siempre lo hemos estado —le dijo Mael.

—Si necesitas cualquier cosa... —comenzó Ebony, mientras le servía un vaso de agua con hielo sabiendo que no lo iba a tocar. A pesar de los meses que habían pasado conviviendo, sobreviviendo, la joven jamás había visto algo más aparte de sus ojos.

—Lo sé, Bony —la interrumpió el joven, sonriendo debajo de la tela negra. Quiso poner una mano sobre el hombro de su compañera y darle las gracias, pero mantuvo los brazos pegados a su costado, como siempre—. Pero lo arreglaré por mi cuenta.

—Sé que sea lo que sea vas a poder solucionarlo, siempre puedes —dijo ella, bajando la voz lo suficiente como para que solo ellos tres se sintiesen parte de la conversación, creando una atmósfera de sinceridad—. Pero eso no significa que tenga que ser así.

—Gracias —le dijo, mientras cerraba los ojos con lentitud e inclinaba la cabeza ligeramente, mostrando su gratitud.

—Estábamos hablando de la inundación de civiles en las puertas de la Academia —comentó Mael, reemprendiendo la conversación que había estado teniendo con Ebony antes de que su compañero apareciese.

—¿Los corresponsales? —preguntó él, a lo cual su compañero asintió—. También me he enterado del revuelo, es una de las cosas que está monopolizando la atención de la Administración y la gente del Palacio.

—He escuchado que quieren entrevistarnos a nosotros y a Millien después de... de todo lo que ha pasado —comentó Mael, evitando decir el nombre de Samuel. Alzó los ojos hasta Ebony, pero esta no pareció responder a su tropiezo.

—Probablemente solo quieran averiguar quiénes son las nuevas incorporaciones al Torneo —dijo ella—. Sabiendo cómo funcionan las cosas, debe de haber mucho dinero puesto en ello. Pero lo único en lo que pueden apostar será en cosas como de qué Sector vienen, su tipo de magia y puede que hasta el sexo.

—No me extrañaría —murmuró Arvel—. Si hay algo en lo que se puede contar es en gente apostando dinero en todo lo relacionado con el Torneo.

—Pues con Kenra van a perder muchísimo dinero, porque para empezar ni siquiera tiene la edad típica de la Zona Central, y para seguir ni siquiera tiene magia —dijo Mael—. Nadie se lo va a ver venir.

—Tienes razón —Ebony sonrió, imaginándose el momento en el que caminasen sobre su palco y el mundo entero viese quien era su nuevo miembro. Se le erizaba la piel solo de pensar en la sorpresa que les causaría a los espectadores—. Me pregunto qué tal va a llevar eso de ser observada por el mundo entero...

—¿Ha vuelto ya Leon? —preguntó Arvel, cambiando el tema con brusquedad.

Ebony frunció el ceño, pero sacudió su confusión con rapidez.

—No, todavía está en el continente con su familia —le dijo—. Ayer me llegó una carta suya, tiene planeado quedarse hasta que alguien le obligue a volver para el Torneo.

El trío se quedó en silencio, sin saber cómo sobrepasar la repentina tirantez en el aire.

—Me voy a descansar —dijo después de unos segundos estáticos. Tensó la mandíbula al levantarse, sintiendo una repentina ráfaga de ira calentando su estómago.

—Intenta relajarte —se apresuró a decir Ebony, antes de que el joven se alejase demasiado—. Sea lo que sea lo que te está preocupando, no dejes que te consuma.

—Créeme, no lo haré.

Ninguno de sus otros compañeros se atrevió a decir nada mientras cruzaba la taberna hacia la puerta, ni siquiera Zafrina, que había gastado todo su coraje al desmantelar su pequeña mentira en frente de sus compañeros.

El joven era un misterio para todos sus compañeros a pesar de que se consideraban familia... Un misterio que daba demasiado miedo como para descifrarlo.

Arvel abrió la puerta de la taberna, solo para encontrarse con aquellos ojos rojos que tanto resentía.

—Lo siento —dijo Chi, trastabillando hacia atrás y quitando la mano de la puerta.

Arvel entrecerró los ojos e ignoró la disculpa de la chica. Continuó caminando, rozando su hombro con el de ella al pasar.

Chi se llevó una mano hasta el lugar donde se habían tocado, mientras su cara se fruncía con dolor. Se levantó la manga de la camiseta que llevaba, dejando al descubierto un parche de piel congelada en su hombro.

Dejó escapar un silbido de dolor entre los dientes, mientras se frotaba la escarcha para devolver un poco de temperatura a su hombro.

—¿Qué estás haciendo? —dijo Mael, apareciendo a su lado de pronto. La joven dio un respingo mientras se bajaba la manga, escondiendo la quemadura con discreción.

—Nada, lo siento.

—Llegas en el momento perfecto —le dijo su compañero, mientras le hacía una seña para que entrase a la taberna—. Creo que todavía no has conocido a Alessia.

La joven alzó los ojos al escuchar su nombre siendo llamado. Chi le sostuvo la mirada a la joven, cuyo pelo azul celeste contrastaba con el color rojo de su piel. A su lado, Zafrina les observaba con los ojos entrecerrados, mientras le daba un sorbo a su taza. Mael le hizo una seña a Alessia para que se acercase.

—Alessia, esta es Kenra, nuestra nueva adquisición, Kenra, esta es Alessia.

—Encantada —murmuró Chi, todavía distraída por el aspecto de la joven, pues no sabía que había una salvaje en el gremio.

—Igualmente —contestó ella, con un acento empalagoso—. Espero que estés a gusto en la ciudadela, debe de haber sido un cambio muy brusco el incorporarse a un gremio ya formado —a pesar de sus palabras amigables, su voz sonó hueca, al igual que su expresión indiferente. Iba vestida de calle, con una camisa y vaqueros. Pero alrededor de su cintura descansaba un cinturón repleto de pequeños sacos de piel y... calaveras diminutas.

—Para nada, me habéis recibido con los brazos abiertos... No puedo quejarme.

—Bien —dijo mientras pasaba entre ella y Mael, finalizando la conversación.

—¿Ya te vas? —preguntó él, a lo cual Alessia respondió con un simple asentimiento. Su melena azul desapareció del otro lado de la puerta, mientras Mael dejaba escapar un suspiro—. No te lo tomes muy a pecho, no le gusta mucho hablar... con nadie.

—No pasa nada —murmuró Chi, mientras seguía a su compañero hasta la barra, donde Ebony les esperaba.

—¿Qué tal el entrenamiento?

—Mejor, creo que mi cuerpo está empezando a acostumbrarse, ya no me siento tan machacada.

—¿Tan rápido? —preguntó la joven—. Apenas llevas entrenando... ¿Cuánto? ¿Una semana?

Chi se quedó en silencio, mirando sus manos, contemplando lo mucho que había cambiado desde que había llegado a la ciudadela. Nunca antes había hecho un esfuerzo. Sabía que era más fuerte, más rápida, y que era capaz de curarse como ninguna otra persona que conociese... Pero no sabía cuáles eran sus límites. Nunca había intentado saberlo, ni descubrir hasta dónde podía llegar.

—Buen trabajo, Kenra —dijo Mael, con esa sinceridad que ya se le hacía tan típica de su carácter.

Chi sonrió, pero no dijo nada. Comió en silencio, escuchando las conversaciones de sus compañeros y absorbiendo lo que ellos tenían que ella siempre había añorado; familia. Lo único que la molestó durante el tiempo que pasó allí sentada, fue la mirada inquisidora de Zafrina en su espalda.

Cada vez que ladeaba la cabeza para mirar como el cielo se oscurecía por alguna de las ventanas, notaba a la joven del pelo rosa observándola como si estuviese maldiciéndola con la mirada. Chi estaba muy acostumbrada a ese tipo de miradas. No era como la de Arvel: fría y llena de un odio que no comprendía; sino como la de sus compañeros de sector: una mirada de asco y resentimiento.

Dejó escapar un suspiro callado sin apenas abrir los labios.

—¿Dónde está Melibea? —preguntó, intentando sacudirse aquella repentina sensación de miedo que la sobrecogía—. No la he visto en todo el día.

—Ahora que lo dices, yo tampoco —comentó Ebony, alzando una ceja con sorpresa—. Normalmente pasa aquí todo el día bebiendo... Aunque no tanto últimamente. Pensé que estaba pasando todo su tiempo contigo.

—Hoy no... Fui hasta su casa después del entrenamiento, pero no parecía estar.

—Eso es raro.

—Si —dijo Ebony, coincidiendo con su compañero. Puso un mechón de su pelo castaño detrás de la oreja, mientras fruncía el ceño—. Ha estado mucho mejor desde que has llegado —le aseguró a Chi—. *Mucho* mejor... lo mismo solo la han convocado al Palacio o algo por el estilo.

—Eso espero —murmuró Mael—. Estoy seguro de que no es nada, ya sabéis como es. Hace lo que quiere cuando quiere.

Chi volvió a suspirar. Tal vez no conocía a Melibea tan bien como pensaba, pero no le parecía el tipo de persona que desaparecía sin decir nada; sin decirle nada a ella. No tardó mucho más en despedirse y salir de la taberna, cansada y preocupada.

Zafrina, que había estado en un silencio impropio de ella, hizo lo mismo.

—¿Ya te vas? —preguntó Rhonda, a la cual no le había pasado desapercibido el comportamiento de su compañera.

—Sí, tengo sueño —replicó Zafrina con brusquedad, sin mirarla. Fue una mentira obvia.

Rhonda alzó las cejas, pero no dijo nada. Tenía la sensación de que su compañera no planeaba nada bueno; a pesar de ello se mantuvo callada. No consiguió obligarse a sí misma a que le importase... y sabía que, en el peor de los casos, Chi podía defenderse, los moretones que le cubrían el cuerpo eran muestra de ello.

Zafrina salió a la calle. La luna brillaba alta en el cielo del azul más oscuro. Divisó a su presa a un par de bloques de distancia. Caminaba rápido, pero no le costó cerrar la distancia entre ellas. Cogió un atajo por los callejones y salió en frente de ella y prácticamente se chocaron.

Chi retrocedió con sorpresa y murmuró una disculpa. Zafrina vio recelo en la postura de la chica. Puede que no fuese tan estúpida después de todo.

—Mira por donde andas, engendro.

—¿Qué? —Chi había escuchado perfectamente lo que la había llamado.

Engendro.

Lo que la llevaban llamando toda la vida, pero no podía creérselo. ¿Cuánto tiempo había pasado desde que había dejado el sector, poco más de una semana? ¿Cómo podía haberse desacostumbrado a ser insultada en tan poco tiempo?

—He dicho que mires por donde andas, engendro —dio énfasis a la palabra, levantando su labio superior igual que lo haría un animal y dejando a la vista una ristra de dientes blancos y rectos—. ¿Acaso eres sorda encima de no tener magia? Todavía no puedo creerme que Ethan pensase en ningún momento que esto era una buena idea.

Chi inspiró con fuerza antes de apartarse y continuar caminando. Lo mejor que podía hacer era ignorarla, como llevaba haciendo toda su vida.

—¿A dónde te crees que vas? —antes de que pudiese avanzar un paso más, todo se volvió oscuro—. Algo como tú no puede permitirse ser insolente.

Chi se detuvo en la negrura. ¿Todavía seguía en la calle? Alzó una mano hacia delante, pero sus dedos no tocaron nada. Ni el tacto ni el silbido de la brisa. Nada. Se dio la vuelta y allí seguía Zafrina.

Su pelo brillaba en aquella sombra espesa, como si no hubiese nada aparte de ella. La joven sonrió de oreja a oreja, como una serpiente con cara, y caminó hacia su compañera.

—Había rumores de una niña que no poseía magia, ni la habilidad de transformarse. Pero siempre pensé que era mentira. Pensé que solo se trataba de una niña avergonzada de una magia inútil, pero me equivocaba... no solo eso, sino que ahora estás aquí, ocupando el espacio de alguien con poder, alguien capaz de ayudarnos a llegar a la cima —Zafrina se detuvo, con la barbilla bien alzada, haciendo que Chi se sintiese más y más pequeña bajo su mirada. Tenía las manos entrelazadas en su espalda, dándole un aspecto infantil a su forma de caminar a pesar de que era ostensible más alta que Chi—. Mirarte me enferma —siseó—. Y tengo que mirarte todos los días —hizo que cada palabra cayese con el peso de un edificio, como si pronunciarlas le costase esfuerzo.

—¿Y qué quieres que haga? —respondió Chi, escondiendo el miedo detrás de una fachada de seguridad—. No es como si yo escogiese estar aquí.

—Pues desaparece —Chi se sobresaltó, pues las palabras fueron susurradas en su oreja por una voz familiar, una voz que no pertenecía a Zafrina. La joven cayó hacia atrás, mirando a Mara, que inclinaba el cuerpo hacia delante para mirarla sobre el suelo. Tenía la misma expresión que Zafrina, una de asco y condescendencia.

—¿Qué está pasando...?

—Ni siquiera tus padres te querían —dijo una segunda voz, la voz de Landom. Chi gateó hacia atrás, apartándose del chico que se había materializado a su lado—. No eres nada.

Todos sus compañeros de Sector aparecieron alrededor de Zafrina, todos mirándola, con desprecio, con sonrisas siniestras.

"Engendro" Reían.

"Desaparece" Susurraban.

Mientras todas sus voces se apilaban unas encima de otras, como una orquesta desafinada, una última persona apareció de entre la masa de gente, deteniéndose al lado de Zafrina. Melibea bajó la mirada al suelo, a Chi, y en cuanto los demás se callaron, susurro.

—Haznos un favor a todos —dijo con la misma voz con la que le hacía susurrado palabras dulces, con los mismos labios que había besado, con el mismo cuerpo que la había tocado—. Matate.

Chi cerró los ojos, sintiendo como su corazón le palpitaba en la garganta. Se llevó las manos a los oídos, mientras sus compañeros se reían, encogiéndose sobre sí misma, reprimiendo las lágrimas, hasta que lo único que escuchó fue la risa de Zafrina desvaneciéndose en el aire, como el eco en una montaña nevada.

Cuando abrió los ojos volvía a encontrarse en mitad de la calle, entre edificios de ventanas huecas, en el suelo. Zafrina no estaba allí, ni Mara, ni Landom... ni Melibea.

Mientras su corazón todavía galopaba en su pecho, se puso en pie, con piernas temblorosas y ojos enrojecidos.

Sin decir ni hacer nada más, se marchó corriendo.

Capítulo 19

—¿Estás bien? —preguntó Kobu intentando disfrazar su preocupación con un tono arisco. Chi se detuvo al lado del joven, quien se encontraba con las piernas cruzadas sobre el bordillo de la fuente de la plaza. Había dejado de molestarse en correr con ella; ahora se limitaba a cronometrar y gritarle para que fuese más rápido—. Estás más callada de lo normal.

—Siempre estoy callada —respondió Chi haciendo que Kobu entrecerrase los ojos, irritado.

—Bien, déjame ponértelo de otra forma; estás siendo muchísimo menos exasperante de lo normal.

—Estoy bien —replicó. Siempre se esforzaba para sonar agradable, pero aquel día no encontraba las fuerzas. Pasó su muñeca por su frente, limpiándose el sudor que goteaba sobre sus pestañas.

—Si estás bien, entonces seguro que no te importa correr un par de vueltas extra antes de terminar —Kobu sonrió y esperó a que Chi rectificase, a que se disculpase por no aceptar su rara muestra de preocupación. Pero ella se limitó a enderezarse y reemprender la marcha, desapareciendo entre los edificios.

El ceño del Lobo se marcó aún más en su frente. Quiso ponerse en pie minutos después, en cuanto la escuchó acercarse por la calle principal después de darle una vuelta a la ciudadela. Quiso detenerla y exigir que le contase lo que la tenía así de molesta... Pero Chi pasó frente a él como un huracán siendo guiado por las corrientes del océano y él no se levantó.

Tampoco lo hizo la siguiente vez que pasó por delante suyo; ni la siguiente.

—Kenra, para —dijo Kobu, después de la cuarta vuelta—. No tienes que seguir corriendo.

Chi se detuvo, le dedicó una mirada vacía y limpió el sudor de su cara. Una vez más, el Lobo quiso insistir, pero no supo como. Después de unos segundos en silencio, mientras Chi descansaba las manos sobre sus rodillas para recuperar el aliento, la chica se irguió y comenzó a caminar calle abajo, hacia su casa, todo sin decir una palabra.

Después de ducharse y ponerse ropa limpia, Chi fue hasta la biblioteca con la esperanza de encontrar a Nahuel, a pesar de que no se habían visto desde que le dio aquella pila de libros y le dijo que todo aquello no era más que una formalidad.

Fue recibida por una ola de hadas que le iluminaron el camino a medida que avanzaba entre las estanterías.

Contra todo pronóstico, Nahuel estaba allí, sentado en la

misma mesa en la que se habían encontrado las últimas dos veces, leyendo en un silencio absoluto. En el lomo de su libro se leía *"El mito de los Calcetines Parlanchines"*.

La joven frunció el ceño durante un instante, antes de inspirar y salir de entre las estanterías. Nahuel no notó a Chi hasta que esta se sentó frente a él en la mesa, observándole con sus ojos de reptil. El chico le sostuvo la mirada durante unos segundos, antes de hablar.

—No esperaba verte de vuelta por aquí —dijo, mientras cerraba su libro—. ¿Has terminado de leer todo lo que te di? —ella negó con la cabeza—. ¿Entonces?

—¿Crees que podrías enseñarme sobre las magias de los alumnos en la Zona Central? —preguntó—. Ethan me ha estado enseñando como utilizar armas tanto cuerpo a cuerpo como a distancia. Pero creo que sería mejor si no entrase en la arena completamente ciega —nada de lo que había dicho era mentira. Saber las magias de sus oponentes era una información valiosa, pero también necesitaba saber cuáles eran las magias de sus compañeros, la de Zafrina.

Necesitaba saber cuánto de lo que vio anoche fue real.

—Eso no es una mala idea —dijo Nahuel, mientras se recostaba sobre su silla—. Se me olvida que no eres la mayor fanática del Torneo. A estas alturas todos los Volkai del mundo saben cuáles son las magias de todos los alumnos de la Zona Central... Pero si me das un par de días puedo hacerme con una lista, algunas grabaciones de peleas y enseñarte.

Chi asintió con lentitud.

—¿Qué hay de las magias de nuestros compañeros? — Nahuel frunció el ceño, notando por primera vez la inquietud en su compañera. Su pierna temblaba debajo de la mesa y sus dedos no paraban de arañar la mesa de madera—. No necesito ningún tipo de video para saber que magia va con qué cara.

—¿Qué ha pasado? —preguntó el joven. Chi bajó la mirada, sin responder—. Kenra, ¿Quién ha sido? ¿Arvel?

—¿Qué? No, nadie me ha hecho nada.

Nahuel soltó un suspiro exasperado.

—Si no me lo dices lo averiguaré de todas formas —dijo poniendo los codos sobre los reposabrazos de la silla. La joven parecía confundida.

—¿A qué te refieres?

—¿De verdad no sabes cuál es mi magia? —Chi negó con la cabeza—. Puedo acceder a tus memorias. Puedo alterarlas o borrarlas, o incluso crear unas nuevas... Así que dime que es lo que ha pasado o utilizaré métodos más invasivos para enterarme.

—Zafrina —dijo Chi, bajo su aliento.

—¿Qué?

—Zafrina —repitió, más alto—. Necesito saber cuál es la magia de Zafrina.

—Ah, debería habérmelo imaginado —Nahuel pasó una mano por su pelo, sacando un par de mechones dorados de su coleta baja—. La magia de Zafrina es una muy única entre los tipos oscuros... le llaman la magia de las "pesadillas".

Chi ya sabía lo que eran las magias oscuras... Aquellas que no comenzaron a existir gracias al deseo de ayudar a otros, magias que solo se pueden usar para una cosa, dañar. Pero nunca había escuchado hablar de esa en concreto.

—¿Qué significa eso? —preguntó en cuanto vio que no

iba a seguir hablando.

—Significa que puede meterse en tu cabeza y hacerte ver cosas que no están ahí, puede oler tus miedos y recrearlos, hacerlos parecer y sentir reales.

Chi se quedó mirando a las hadas que se habían quedado flotando a su alrededor como motas de polvo en una habitación sin brisa. ¿Era eso lo que había pasado? ¿Zafrina estaba intentando asustarla?

"Supongo que ha funcionado." Pensó, formando puños con las manos en cuanto notó las marcas que sus uñas habían dejado en la mesa. Chi no terminaba de comprender por qué estaba tan afectada. Siempre había tenido miedo, ¿Por qué era diferente ahora?

—Solo... Ten en cuenta que nada de lo que te pueda hacer es real, son ilusiones, por mucho miedo que den —dijo Nahuel, dejando que su voz sonase compasiva—. Zafrina es diferente al resto de nosotros. Quiero decir, ella es parte de nuestra familia, de nuestro gremio, pero a veces le cuesta... —el joven dejó la frase en el aire, sin saber cómo escoger sus palabras.

—¿Ser buena persona? —preguntó Chi.

—Sí, supongo que sí —ambos se quedaron en silencio durante unos instantes en los cuales lo único que se podía escuchar era la pierna de Chi moviéndose debajo de la mesa. Nahuel inspiró—. Puedo contarle a Ethan lo que ha pasado, o hablarlo con Zafrina, o con los dos...

—No, no —interrumpió ella—. Por favor, no digas nada. No necesito darle más razones para que me odie solo... Solo me mantendré fuera de su camino.

—Kenra, es ella la que debería de mantenerse fuera de tu

camino —Chi se levantó arrastrando la silla sobre el suelo de piedra. Se quedó allí de pie, con las palmas de ambas manos sobre la mesa, durante unos segundos.

—Chi —dijo, mientras alzaba la mirada para mirarle. Parecía confuso. Ella sonrió—. Llámame Chi.

La tarde pasó con lentitud. Después de hablar con Nahuel, Chi consiguió calmarse. Todavía no podía sacarse de la cabeza la risa de Zafrina, o las expresiones de Mara y Landom... Pero al menos sabía que nada de eso era real.

Todavía tenía al resto de sus compañeros y todavía tenía a Melibea, solo tenía que encontrarla.

En cuanto terminó de entrenar con Ethan, la joven se fue corriendo hasta la casa de su compañera. Llamó a la puerta igual que el día anterior, pero esta vez, cuando no recibió respuesta, entró.

—¿Melibea? —susurró al pasillo con timidez en la voz. Tal vez... tal vez no debería estar entrando después de todo, tal vez de verdad no estaba allí.

El salón estaba vacío, al igual que la cocina y el baño que había en el primer piso. Subió las escaleras que daban directamente a la única habitación del segundo piso, la habitación de Melibea. El techo estaba inclinado por ambos lados, con la forma del tejado. Todas las ventanas estaban cerradas, al igual que las contraventanas, privando el lugar de luz y haciendo que el aire se sintiese espeso, mugriento.

Aquella no parecía la habitación de alguien que llevaba viviendo allí meses. No había nada aparte de un armario de madera; ni un escritorio, ni una butaca, ni siquiera una silla o cortinas en las ventanas. Los ojos de Chi recorrieron la ropa que acolchaba el suelo, hasta llegar a la cama, rodeada por más de dos docenas de botellas de alcohol vacías.

La joven terminó de subir las escaleras, con el corazón en un puño. Melibea estaba tumbada, boca abajo, en la cama que se encontraba en medio del cuarto.

—Melibea —Chi se arrodilló al lado de la cama y puso una mano sobre la espalda de su compañera, vestida únicamente por una camisa grande y ropa interior—. ¿Estás bien? Despierta —la joven gruñó, mientras cambiaba de posición sobre la almohada—. ¿Melibea?

—¿Chi? ¿Qué estás haciendo aquí? —se levantó como pudo, pero en cuanto Chi le tocó el brazo para ayudarla, Melibea la apartó de un empujón. Soltó un gemido de dolor, mientras se llevaba ambas manos a la cabeza y se inclinaba hacia delante, esperando a que el pitido en su cabeza cesase.

—Melibea, ¿Qué te ha pasado? —susurró Chi, volviendo a acercarse a su compañera. Esta vez, su tacto no fue rechazado. Subió a la cama y se alzó sobre sus rodillas, abrazando a Melibea—. Pensé que estabas mejor.

—Yo también —susurró, como si hubiese alguien más en la habitación aparte de ellas, alguien que no podía saber lo que estaba pasando—. Yo también —su voz se rompió, haciendo que Chi la apretase aún más contra su pecho.

Inspiró con fuerza, tragándose las lágrimas y disfrutando del olor de su compañera.

Alzó la cabeza y besó los labios de Chi con brusquedad, abriendo la boca contra la suya y entrelazando sus lenguas. Melibea la empujó sobre la cama, montándose sobre ella, sin separarse ni un instante.

—Melibea, creo que no... —comenzó, en cuanto se apartó para respirar. Antes de que pudiese terminar la frase, Melibea volvió a besarla. Chi sintió las manos de la joven cerrándose sobre sus muñecas, con la fuerza de unos grilletes de metal, y su cuerpo entero presionando sobre el de ella—. Espera, no —dijo, a duras penas, con sus labios todavía pegados a los de Melibea. Una de las rodillas de su compañera le empujó la pierna, subiendo contra su muslo—. ¡Para! —exclamó, por fin, apartando a Melibea de un empujón.

Gateó hacia atrás, alejándose, y se incorporó contra la cabecera de la cama, como un animalillo acorralado. Sus ojos se encontraron con los de Melibea, que carecían de vida.

—¿Qué te ocurre? —susurró Chi, sin poder esconder los matices de miedo en su voz—. No estás siendo tú misma, esto no es lo que necesitas ahora mismo.

Los labios de Melibea se alargaron hasta formar una sonrisa... una sonrisa cargada de amargura.

—¿No estoy siendo yo misma? —preguntó, manteniendo su voz baja—. No me hagas reír. No me conoces, no sabes cuando estoy siendo yo misma... ¿Y cómo se supone que alguien como tú sepa lo que yo necesito?

—¿Alguien como yo?

—¿Sabes qué? Pensé que si me forzaba a estar contigo tal vez me sentiría mejor. Pero me equivocaba. No puedo seguir mintiéndome a mí misma de esta manera —Melibea tropezó con una botella vacía al levantarse. Caminó hasta una de las ventanas y sacó una petaca de debajo de un montón de ropa. Chi se quedó quieta como una estatua, sobre las almohadas, mientras su compañera abría el frasco y le daba un trago largo—. Me gustas, Chi. Pero... no lo suficiente. No lo suficiente como para que merezca la pena, como para hacerme olvidar de todas las cosas que quiero olvidar. No mereces la pena.

Melibea se recostó contra la pared al lado de la ventana, con una postura despreocupada. Tenía más de la mitad de los botones de su camisa desabrochados, dejando descubierta su piel desde las clavículas hasta el estómago. Le dio un segundo sorbo a la petaca, sin separar sus ojos de Chi, esperando a que la chica reaccionase.

—¿Qué... qué estás diciendo? —preguntó, con una voz diminuta.

—Que no eres suficiente —respondió Melibea, alzando la voz con brusquedad. Chi se encogió aún más sobre las almohadas, bajo la mirada lacerante de su compañera—. No quiero seguir haciendo esto, estoy cansada. Cansada de ti —añadió, asegurándose de que Chi captaba el mensaje.

Melibea no esperó que su compañera continuase la conversación, pues la conocía lo suficiente como para asumir que solo se marcharía sin decir nada, humillada, dolida Y aterrada por el hecho de que acababa de perder a la persona con la que más intimidad había compartido en su vida... Y, sin embargo, Melibea se equivocaba.

—Pero todo estaba bien cuanto te fuiste el otro día —dijo ella, con voz temblorosa—. ¿Es algo que he hecho? ¿Algo que he dicho? Sea lo que sea estoy segura de que puedo arreglarlo si me...

—¡No es nada que puedas arreglar! —exclamó, interrumpiéndola. Las cejas de Melibea temblaron, pues no había previsto que Chi se resistiese tanto a sus palabras. Había

subestimado lo mucho que la joven se había apegado a ella—
. Solo márchate de mi casa.

—Pero...

—¡VETE! —gritó desesperada. Le temblaban las manos,
la voz. Rezó para que aquello fuese suficiente, porque no se
creía capaz de volver a alzar la voz sin que lágrimas le
llenasen los ojos.

Chi se puso en pie de un saltó y en menos de un instante
ya había desaparecido por las escaleras. La puerta de entrada
da un portazo, dejando a Melibea sola. La joven se mordió el
labio, mientras luchaba por mantener la compostura y su
respiración tranquila. Colocó una mano en su cabeza, allí
donde la resaca estaba haciendo el mayor daño. Llevó la
petaca a sus labios y bebió de aquel líquido que le quemaba la
garganta, el líquido que, a pesar de mantener su mente entu-
mecida, no fue capaz de detener la única lágrima que se
deslizó por su mejilla.

Inspiró con fuerza después de unos largos minutos y
caminó hasta su cama, dejándose caer sobre las sábanas. Se
tumbó bocabajo, inspirando el escaso aroma de Chi que había
conseguido filtrarse en su almohada, y cerró los ojos.

Capítulo 20

C hi corrió hasta encontrarse sentada en el tejado de su edificio, observando el muro que la mantenía confinada en aquella ciudad vacía, con los ojos nublados por las lágrimas. Su cuerpo temblaba tanto que dolía, no por frío, sino por impotencia, por tristeza, por malestar. Lloró en silencio, con miedo de que cualquiera pudiese escucharla. Las lágrimas le empapaban las mejillas, el cuello, y la camisa. ¿Por qué no podía parar? ¿Por qué estaba tan desconsolada? ¿En qué momento había caído tan bajo en la trampa de Melibea?

Después de unos minutos, la joven se dio cuenta de la falta de guardias patrullando el muro. Inspiró con fuerza por la nariz, sorbió sus mocos, y se restregó las manos por la cara, secándola una vez más. Se mantuvo allí quieta durante unos minutos más, observando, hasta que se dio cuenta de que ninguna silueta iba a aparecer caminando de la nada.

Fue entonces cuando se levantó y, sin pensar demasiado,

se dirigió al muro, añorando el cobijo de los árboles. Saltó de tejado en tejado, demasiado ocupada manteniendo sus aterrizajes silenciosos como para que sus ojos tuviesen tiempo de seguir llorando. Dio el último salto con mucha menos fuerza que la última vez, asegurando que esta vez, al caer en la cima del muro, no se resbalaría. Cayó con cuidado, doblando las piernas para acolchar la fuerza del impacto contra el suelo.

Una vez allí, mientras su corazón palpitaba con fuerza tintándole las orejas y la nariz de un rojo brillante, se sentó sobre sus rodillas.

Por mucho que quisiese no podía bajar como la última vez... Pues sin la ayuda de Kilyan no habría sido capaz de volver a subir el muro. Lo último que necesitaba era quedarse atrapada fuera de la ciudadela hasta que los guardias la encontrasen.

Ahora que volvía a estar quieta y en silencio, su mente volvió a caer en un monótono círculo de repetición, haciendo revivir una y otra vez la ilusión de Zafrina y las palabras de Melibea. Su nariz comenzó a escocer al tragarse las lágrimas que una vez más, querían crear riachuelos por sus mejillas.

Se acercó hasta el bordillo, dejando que sus piernas colgasen del vacío, y tumbándose hacia atrás, descansando la cabeza sobre el suelo de piedra. Observó las pocas estrellas que asomaban entre las nubes negras de la noche, hasta que le fue imposible detener las lágrimas.

Lloró en silencio, inspirando por la nariz cada pocos segundos.

A veces se preguntaba si había hecho algo malo en su vida anterior, algo tan terrible que la hubiese condenado a una vida de miseria al reencarnarse. Una vida sin familia, sin poderes, y sin la habilidad de conectar con la gente que la rodeaba más allá de una amistad cordial. Condenada a una existencia de soledad, tristeza y autocompasión.

Autocompasión.

Estaba tan cansada de sentir pena por lo miserable que era su vida, tan cansada de ser víctima de sus circunstancias y de la gente que la rodeaba... Pero a la vez demasiado débil para convencerse a sí misma de que no le importaba.

Quería compartir su vida con otras personas, quería que su existencia fuese validada bajo la mirada de sus compañeros, de Melibea... Por eso estaba allí tumbada, llorando tanto que le resultaba imposible calmarse y descansar.

Chi cerró los ojos, soltando exhalaciones largas y temblorosas. Intentó centrarse en la brisa, en el sonido de las hojas siendo mecidas por el viento, desesperada por hacer que todo parase. Mantuvo los ojos cerrados, inspirando la fresca humedad de la noche. La brisa se convirtió en una pequeña ráfaga de viento, moviendo un par de mechones de pelo sobre sus hombros.

—¿Estás bien? —la voz de Kilyan rompió el silencio. Chi se incorporó de golpe, tan sobresaltada que a punto estuvo de caerse del muro. Miró al joven durante unos segundos, con una mano sobre el corazón, antes de darse cuenta del aspecto que debía de tener. Se dio la vuelta, ocultando el rostro y comenzó a secarse las lágrimas con las mangas de la camisa—. Lo siento, no pretendía asustarte...

—¿Qué estás haciendo aquí? —murmuró Chi con la voz ronca.

—Yo también me alegro de verte.

Chi dejó escapar un suspiro derrotado mientras ter-

213

minaba de secarse la cara. Se puso el pelo detrás de las orejas, antes de voltearse, con los ojos fijos en sus manos.

—Lo siento —se disculpó, avergonzada. Inspiró con fuerza e irguió la espalda, intentando recuperar la compostura.

—¿Estás bien? —repitió, al ver que la chica no tenía pensado responder.

—Sí.

—¿Qué ha pasado?

—Nada —dijo mientras sacudía la cabeza—. Soy una estúpida, eso es lo que pasa.

—Creo que te conozco lo suficiente como para saber que eso no es cierto.

—No me conoces —soltó Chi, mirándole con el ceño fruncido.

Kilyan se encogió de hombros.

—Pues llámalo instinto —replicó él, mientras encorvaba la espalda como si se estuviese poniendo cómodo. Tenía el pelo despeinado y los dos primeros botones de la camisa desabrochados a pesar de tener una chaqueta puesta por el frío. Sus manos, como siempre, tapadas por guantes de cuero negro—. Aunque si me cuentas lo que ha pasado, estoy seguro de que podré darte un veredicto más preciso.

—No quiero quejarme de tonterías contigo.

—¿*Conmigo*? —dijo él, imitando el tono que Chi había utilizado. La chica apartó los ojos, avergonzada.

—Ya sabes —insistió ella—. No-no somos amigos, no tengo derecho a desahogar mis penas contigo. Además... Ni siquiera deberíamos estar hablando, eres miembro de Millien y según mis compañeros eso no es bueno.

—Supongo que tienes algo de razón... Pero, ¿Qué importa lo que piensen tus compañeros? Es culpa suya que estés llorando aquí arriba en mitad de la noche, ¿no? —Kilyan dio una palmada, sobresaltando a la chica, antes de erguirse y extender una de sus manos enguantadas hasta ella. Chi dudó durante unos instantes antes de extender la suya, sin saber qué hacer. El joven le cogió la mano y se la llevó a los labios como si fuese a darle un beso, pero antes de que sus labios tocasen la piel de Chi, Kilyan puso su mano libre entremedia, besando el cuero de su guante como si fuese la mano de la joven—. Ahí tienes, somos oficialmente amigos.

—¿Eso se lo haces a todos tus amigos? —preguntó ella después de unos segundos, intentando reprimir las ganas de sonreír.

—No, pero estoy pensando en hacerlo costumbre —los dos se quedaron en silencio durante unos instantes, mientras Chi jugueteaba con los dedos sobre su regazo de forma inquieta. ¿De verdad quería que le contase lo que le había ocurrido?—. No pasa nada si no quieres contármelo, no quiero imponerme. Pero creo que te haría sentir mejor.

—No te estás imponiendo —susurró ella, dejando escapar un suspiro derrotado.

Estaba tan... cansada, tan sola.

Chi decidió contárselo todo, el comportamiento hostil de Arvel, las amenazas de Zafrina, su miedo de no ser suficientemente buena para su gremio... y todo lo que había ocurrido con Melibea. Por algún motivo, mientras hablaba, los ojos violetas de Kilyan la hicieron sentir lo suficientemente segura como para no dejar escapar ningún detalle, ni lo mucho que quería a Melibea, ni como estar con ella la hacía sentir completa... ni lo mucho que le habían dolido sus palabras, como si alguien le hubiese enseñado su razón para levantarse todas las mañanas solo para poder arrancársela de las manos.

No pudo evitar pensar que tal vez estaba cometiendo el mismo error que había cometido con Melibea al confiarle a Kilyan sus pensamientos... Pero estaba desesperada. Necesitaba saber que no estaba sola, incluso si eso significaba mentirse a sí misma con un chico que apenas conocía.

—Vaya, y yo que pensaba que toda la gente de tu gremio eran un puñado de angelitos —Kilyan dejó escapar un silbido. Sus ojos se detuvieron sobre ella, cuyos ojos escarlatas se encontraban perdidos en el bosque—. Lo de Zafrina no me sorprende, siempre he pensado que era material perfecto para mi gremio, ¿pero Arvel? —sacudió la cabeza y alzó las cejas—. Jamás le habría imaginado comportándose así.

—¿No?

—No. Sé que su túnica negra y su silencio pueden resultar intimidantes, y sé que es sin duda el más poderoso del gremio entero, pero... siempre ha sido el miembro ideal de Bershat; un hombre de principios que haría cualquier cosa por sus compañeros. Como una copia misteriosa de Samuel.

—Pensé que eso era así en todos los gremios —dijo ella, provocando que Kilyan dejase escapar una carcajada—. ¿Qué?

—Ninguno de los otros gremios es así. La mayoría estamos más centrados en el Torneo que en mantener nuestras morales intactas... No se puede ganar en un sitio como este sin sacrificar algo a cambio.

—¿Tú no harías cualquier cosa por tus compañeros?

—No, por supuesto que no —respondió con rapidez. Miró a la joven de reojo y su pecho se encogió al ver sus ojos de cordero sobre él. Tal vez debería pretender ser mejor persona alrededor de ella... lo último que Kilyan quería era espantarla—. No dejaría que ninguno de ellos muriese sin más, eso solo pondría en peligro nuestras posibilidades de ganar el Torneo... Pero jamás arriesgaría mi vida. Ninguno de ellos merece la pena.

Chi bajó la mirada a su regazo. Quizás sí que había tenido suerte terminando en el gremio en el que lo hizo. No tenía ni idea de lo que habría sido de ella de haber terminado en un gremio lleno de gente como la que había dejado atrás.

—Y en lo que a Melibea se refiere... yo no le daría demasiada importancia. Está dañada... mucho más que el resto de nosotros —dijo—. Es imposible saber el razonamiento detrás de sus acciones. No quiero sonar insensible, pero tienes suerte de que terminase rompiendo la relación ahora en vez de más adelante.

—Melibea no es una mala persona.

—No estoy diciendo que lo sea, estoy diciendo que es mala para ti.

Se quedaron en silencio, Chi reviviendo los eventos del dia y Kilyan deseando poder hacerla sentir mejor. Quería verla sonreír, verla brillar.

—¿Dónde están los guardias? —preguntó entonces, rompiendo el silencio.

—No estoy segura... —Chi escaneó el muro y entonces recordó la conversación que había tenido con Jack y Rax—. Conozco a dos guardias del Palacio, me llevan cuidando desde que soy pequeña... les dije que me gustaría poder caminar por el bosque sin tener que escabullirme.

—Menudas conexiones tienes —comentó Kilyan, alzando las cejas.

Chi sonrió. Tenía mucha suerte de tener los amigos que tenía, de eso no había ninguna duda.

—No te lo tomes a mal... pero, ¿qué estás haciendo aquí? —preguntó ella, después de unos segundos de silencio. Se sostuvieron la mirada el uno al otro.

—No estoy seguro —admitió él, alzando la barbilla al cielo. La luna estaba oculta tras las nubes, haciendo que la noche se tornase peligrosamente oscura—. Mi gremio no es como el tuyo... no somos amigos, *familia*. Por eso pasó tanto tiempo en el bosque, pero a veces es muy solitario. Y que quieres que te diga —añadió, mientras se encogía de hombros—. Resulta que eres muy buena compañía.

A Chi se le escapó una sonrisa

—Tú también.

Había cerrado tanto las contraventanas como las cortinas de su habitación, por lo que no se dio cuenta del cielo aclarándose a medida que el sol se alzaba.

No fue hasta que escucho un puño aporreando su puerta principal que volvió a ser consciente del pasar del tiempo.

Dejó escapar un gemido, casi un lloriqueo, de cansancio mientras se bajaba de la cama, arrastrando los pies escaleras abajo hasta la entrada. Los golpes no cesaron hasta que la joven abrió la puerta, revelando a un Kobu enfurecido.

—¿Qué te piensas que es esto? —ladró, haciendo que Chi

se encogiese ligeramente ante su voz. Le palpitaba la cabeza—. ¿Un campamento al que puedes decidir no ir? —la indignación del joven se había estado cocinando todo el camino desde la plaza, listo para despotricar por la ausencia de su compañera en cuanto la encontrase, pero a pesar de haber preparado las palabras, su mente se quedó en blanco.

Chi tenía un aspecto terrible.

Tenía riachuelos de sangre en el blanco de sus ojos, enmarcados por ojeras como sombras de mediodía y una piel tan pálida que poseía una tonalidad amarillenta, enfermiza. Kobu la miró durante unos segundos, con la boca ligeramente abierta, mientras pensaba en una forma de salvar el encuentro.

—¿Estás bien? —terminó preguntando. Toda su ira se había evaporado, reemplazada por preocupación.

—Lo siento —susurró. Su cuerpo entero estaba encorvado, como si pesase demasiado como para mantenerlo recto. Chi inspiró con fuerza y comenzó a hablar con rapidez, sin alzar la voz por encima de un murmullo—. No he dormido muy bien y no me había dado cuenta de la hora, si me das un par de minutos puedo ir a cambiarme y salir...

—Kenra, Kenra, para, no importa —interrumpió poniéndole una mano en el hombro para que no pudiese darse la vuelta y subir las escaleras—. ¿Estás bien?

—Si —susurró. Alzó las manos para frotarse los ojos, como si aquello fuese a hacer que dejasen de arder.

Kobu dejó escapar un suspiro frustrado, el cual Chi confundió por irritación.

—Lo siento.

—Cállate —dijo con más brusquedad de la que quiso, por

lo que se apresuró a añadir—. Deja de disculparte —Chi se quedó allí de pie con los ojos clavados en sus pies descalzos sobre el suelo de madera, como una niña a la que acababan de regañar. Kobu frunció el ceño mientras se llevaba una mano al puente de la nariz, frotándoselo—. ¿Por qué no vuelves a meterte en la cama? Puedes tomarte el día libre, no va a pasar nada... Le diré a Melibea que te traiga el desayuno.

—¡No! —exclamó Chi de pronto sobresaltando al Lobo. Los dos se quedaron en silencio. El corazón de la joven le latía en la garganta—. No tienes que decirle nada a Melibea —murmuró, volviendo a empequeñecer la voz.

Kobu la observó durante unos segundos, intentando exprimir información de su expresión. ¿Era eso lo que estaba ocurriendo? ¿Algo con Melibea?

—Bien, te traeré yo el desayuno.

—No tienes...

—¿Te gusta el *beicon*? —interrumpió, ignorándola—. Que estupidez, por supuesto que te gusta, ¿A quién no? Métete en la cama —le ordenó—. Volveré en un rato.

Capítulo 21

P asaron un par de días antes de que Chi viese a Melibea de nuevo. Fue por la tarde, después de su entrenamiento, cuando fue a comer a la taberna y se encontró a su compañera sentada en la barra. Al verla, Melibea cogió su vaso y fue a sentarse en la mesa más alejada de la barra de forma que Chi pudo sentarse frente a Ebony sin que tuviesen que compartir el mismo espacio.

Todo el mundo había notado la repentina falta de palabras entre las dos chicas. Pero el resto del gremio sabía que era mejor no indagar donde nadie les llamaba. Era obvio, por la forma en la que no se mencionaban la una a la otra, ni se miraban, que fuese lo que fuese lo que había ocurrido, era algo grave.

Por eso, ella y sus compañeros habían pasado casi todas sus tardes juntos. Jugando a las cartas con Mael y Naeko, charlando con Ebony y Ethan, o intentando ganarse la amistad de Kobu, a pesar de que, sin saberlo, ya la había conseguido hacía tiempo.

Por las noches, subía al muro y se sentaba con el Anacreón, hablando de las cosas más triviales; como el chico había crecido viajando por las grandes ciudades de Sulbade antes de ser admitido en la Academia, o como le gustaba dejar que los guardias de su muro le viesen marcharse porque sabía lo mucho que les molestaba no poder encontrarle. Hablaban durante tanto tiempo, que hasta había terminado por revelarle su nombre.

Para Chi, esas horas que pasaban admirando la noche eran horas preciadas, ya que Kilyan era la única persona que conseguía hacerla dejar de pensar en Melibea.

En ningún otro momento del día conseguía librarse de aquellos pensamientos que la atosigaban cada minuto desde que se despertaba y a veces, hasta en sus sueños. No importaba si Kobu la estaba haciendo correr hasta desmayarse o si Rhonda la había golpeado hasta romperle los huesos... La voz de Melibea estaba allí, susurrándole que no era suficiente, susurrándole que no la quería y que jamás lo había hecho.

Chi se arrodilló al lado de la fuente de la plaza, jadeando, y se inclinó para poder meter las manos en el agua. Se mojó la cara, el cuello y los brazos, intentando bajar la temperatura de su cuerpo, que ardía bajo el sol como si hubiese hierro líquido en sus venas. Aquella mañana, Kobu le había dicho que tenía que mejorar sus tiempos.

Los alumnos de la Zona Central eran la élite de la Academia entera, tanto en intelecto como en habilidad física, por eso, una vuelta al perímetro de la ciudadela les llevaría alrededor de 20 minutos a cualquiera de ellos. A Kobu le llevaba un poco más de quince minutos y a ella le llevaba solo 7, pero al Lobo no le pareció lo suficiente.

—Eso han sido siete vueltas de seis minutos y medio... no está mal —dijo Kobu, regalándole un halago tan vago como disimulado—. ¿Por qué no haces una más?

—¿Que por qué no hago una...? —comenzó Chi, con voz desconcertada, antes de callarse. No tenía sentido intentar razonar con su compañero. La única manera de que le entrase en la cabeza que no podía correr una vuelta más era si se desmayaba en mitad de la calle.

La joven dejó escapar un suspiro agonizante, mientras reunía las pocas fuerzas que le quedaban para volver a ponerse en pie. No podía ni imaginarse el infierno que le esperaba con Rhonda después de todo aquello.

—¿Kobu? —Ethan apareció por una de las calles principales, del otro lado de la fuente, con el ceño fruncido—. ¿Qué estáis haciendo? —Chi observó al líder del gremio con confusión—. Te dije ayer que no tenías que entrenar con Kenra, que yo ya tenía una actividad preparada.

—¿Qué? —exclamó ella, volviéndose para mirar a Kobu. El Lobo sonrió de oreja a oreja, mostrando sus colmillos—. No solo no teníamos que entrenar hoy, ¿Sino que me has hecho mejorar mis tiempos?

Su sonrisa se ensanchó aún más. En algún momento, Chi le había cogido suficiente confianza al Lobo como para demandar y reprocharle cosas de vez en cuando.

—¿La has hecho hacer *qué*? —inquirió Ethan, que ya se encontraba de pie a su lado. Le tendió una mano a Chi y la ayudó a levantarse. Tuvo que tirar de ella para poder levantarla, como si fuese un peso muerto—. ¿Sabes qué? Da igual, puedo posponer el entrenamiento hasta otro día...

—Ethan, deja de tratarla como a una niña pequeña —gruñó Kobu—. Es más que capaz de continuar con cualquier actividad que hayas organizado.

—Creo que me sobrestimas —las palabras de la joven fueron recibidas por un gruñido de advertencia por parte del Lobo. Chi frunció los labios, lista para quedarse callada durante el resto de la conversación.

Ethan dejó escapar un suspiro que bailaba en la línea entre la irritación y el cansancio.

—Supongo que no pasa nada, no vamos a empezar hasta dentro de dos horas más... Kenra, vuelve a tu casa, descansa lo que puedas, Kobu irá a buscarte cuando sea la hora de empezar.

Ella asintió y comenzó a caminar, ignorando el hecho de que las piernas le flaqueaban.

Chi caminó hasta su casa lo más rápido que pudo, que no era mucho, anticipando el momento en el que pudiese dejarse caer sobre su cama. Cuando por fin llegó a su casa y terminó de sufrir por las escaleras, descorrió las cortinas de su habitación, abrió las ventanas y contraventanas, antes de desplomarse bocabajo sobre las almohadas.

Cerró los ojos, mientras sentía la brisa acariciándole la piel.

Maldijo a Kobu en silencio y se preguntó qué tipo de actividad había organizado Ethan... y si Melibea estaría también allí. Pero antes de que su imaginación volase de posibilidad en posibilidad, se quedó dormida.

Kobu guio a la joven por la ciudadela hasta una casa dividida a la mitad por el muro. Entraron por la puerta principal y avanzaron por el pasillo. Como en todas las otras casas, no había nada colgado de las paredes, ni muebles más allá de alguna que otra estantería de madera vacía y solitaria. Pasaron por una segunda puerta que les introdujo a una especie de túnel. El suelo y las paredes curvas eran de la misma piedra que el muro. Chi observó con perplejidad, pues nunca se le habría ocurrido que pasadizos como aquel existían. El Lobo no dijo nada en ningún momento, como si no sintiese la necesidad de explicarle quién había cavado aquel agujero y con qué fin. ¿Habría túneles en todas las casas que se fundían contra el muro? ¿O solo aquella?

—No utilices esta puerta sin permiso —dijo después de abrir una última puerta y hacerle un gesto a Chi para que pasase.

Estaban del otro lado del muro, de pie en la explanada antes del bosque. Chi alzó la mirada, preguntándose si aquella puerta servía la misma función que la trampilla que Kilyan utilizaba para volver a su ciudadela.

—¿Podemos estar aquí?

—Claro que sí, si no, no te habría traído —respondió el Lobo, con sorna. Chi le dedicó una mirada molesta—. Ethan ha conseguido permiso del Capitán para pasar el día entrenando en el bosque —aclaró, sabiendo que era eso lo que la chica quería saber.

—¿Quién?

—El Capitán —repitió Kobu, como si eso fuese a significar algo para Chi—. ¿Capitán de la Guardia? —insistió, a lo cual ella negó con la cabeza. El Lobo suspiró—. Es el jefe de seguridad de las ciudadelas, el que lo coordina todo.

—¿Solo de las ciudadelas?

—Sí, la seguridad del Palacio y el Estadio está en manos

del Superior Vigía, y el de los Sectores...

—Del Superior Centinela —dijo Chi, interrumpiéndole—
. Ese último me lo sé —Kobu comenzó a caminar hacia el
bosque—. Pero no sabía que estaba permitido utilizar los
bosques entre las ciudadelas.

—Antes lo hacíamos todo el tiempo, a Samuel le gustaba
que entrenásemos en grupo y no hay ningún sitio en la ciudadela lo suficientemente grande para todos a menos que
utilicemos la ciudadela en sí —Chi no lo notó, pero la voz del
Lobo titubeó al decir el nombre de su compañero—. Aunque
me habría gustado utilizar cualquiera de los otros bosques —
gruñó bajo su aliento, sin darse cuenta de que la chica todavía
podía escucharle.

Chi optó por no contestar, pues sabía que ese comentario
no iba dirigido a ella.

Se adentraron en el bosque, en silencio, y avanzaron
hasta un árbol tan ancho que parecía casi centenario. Kobu
olfateó el aire con el ceño fruncido y se recostó contra el
tronco, farfullando quejas ininteligibles.

Poco tiempo después, Chi escuchó un par de pisadas acercándose por donde habían venido. Se quedó allí de pie, en
silencio, esperando a que Kobu escuchase lo mismo que ella,
para saber si debería inquietarse o no.

Al cabo de medio minuto, el Lobo se incorporó con
brusquedad.

—Ya era hora —masculló. Chi se relajó.

Ethan apareció de entre los arbustos, con Alessia pisándole los talones. El pelo celeste de la joven estaba recogido en
un moño, sujeto por lo que Chi identificó como huesos de animal. La salvaje le sostuvo la mirada a su compañera.

—¿Lleváis mucho tiempo esperando?

—Sí.

—No —dijo Chi, a la vez que Kobu. Él la fulminó con la mirada.

—Sí —insistió él—. Llegas tarde.

—Lo siento —Ethan sonrió, ignorando las malas pulgas de su compañero—. El resto del gremio ya está esparciéndose por el bosque, nosotros somos los últimos.

Alessia dio un paso al frente, alzando uno de los sacos que colgaban de su cintura. Susurró unas palabras ininteligibles.

—Empecemos —ordenó Ethan volviéndose a su compañera.

Alessia hundió un dedo en la bolsita, cubriéndose la yema de una sustancia negra. Alzó la mano y pintó un círculo en la mejilla del líder de gremio y luego un círculo en su mano izquierda. La tinta desapareció, absorbida por los poros de su piel y después de unos instantes, volvió a aparecer, dibujando un cero en su mejilla. Chi bajó los ojos hasta su mano, donde había un "11" pintado.

Antes de que pudiese preguntar, Alessia ya había cerrado la distancia que las separaba y había puesto un dedo contra su mejilla y luego su mano. Tenía las uñas afiladas. Chi observó, estupefacta, como la tinta de su mano desaparecía y volvía a emerger, con el mismo 11 que ahora tenían todos.

—Alessia y yo nos vamos —dijo Ethan, ajustándose la chaqueta—. Kobu te lo puede explicar todo. Ya sabes qué hacer —le dijo al Lobo, antes de pasarles de largo—. ¡Buena suerte!

El líder del gremio desapareció entre los árboles. La salvaje cerró el saco de pintura y se la colgó del cinturón antes de marcharse en dirección contraria, sin decir una palabra.

—¿Qué es esto? —preguntó Chi, frotándose la mano para ver si la tinta se quitaba, sin éxito.

—Es el número de participantes que todavía quedan en el juego —respondió dándole un golpe en el brazo para que dejase de intentar borrarse el número de la mano—. Este es tu número de puntos —dijo, señalándose el cero en la mejilla.

—¿Qué puntos?

El Lobo suspiró, exasperado.

—Si te callas y dejas de hacer preguntas, lo mismo puedo explicarte lo que estamos haciendo —Chi frunció los labios, pero no dijo nada más—. Este entrenamiento está pensado para imitar el estilo del Torneo. El bosque es la arena, el objetivo es dejar inconsciente a toda la gente que puedas antes de que alguien te deje inconsciente a ti. Ganará el que más puntos tenga y ganas un punto por KO. Si el número de tu mano llega a cero es que eres la única que queda en pie... En cuyo caso solo tienes que volver al gremio por donde te he traído, los demás volverán a medida que se vayan despertando; y cuando estemos todos se hará un recuento y evaluación.

—Entonces, ¿solo tengo que dejar a nuestros compañeros inconscientes?

—Sí, pero no te pases demasiado, no queremos tener que enviar a nadie al hospital.

—Tú... ¿También te tienes que ir? —preguntó ella.

Kobu sintió el miedo en la voz de la chica como una puñalada en el estómago.

—Sí. Esto tienes que hacerlo sola —contestó.

Chi bajó los ojos al suelo mientras se mordía el labio inferior. Su corazón galopaba contra sus costillas. De pronto, todo se había hecho muy real. Tenía que pelearse contra miembros de la Zona Central... sola.

Tenía miedo. Miedo de no estar a la altura, miedo de no tener a nadie en quien pudiese depender aparte de sí misma... Nadie que la guiase o la sacase de una situación que la sobrepasaba.

Como si pudiese ver todo lo que estaba pasando por la cabeza de la joven, Kobu dio un par de pasos hasta ella y le puso una mano en la cabeza.

—No te preocupes, seguimos siendo compañeros. Nadie te va a hacer nada más allá de darte un golpe para dejarte inconsciente —Chi inspiró con fuerza, intentando calmarse—. Demuéstrales de lo que eres capaz.

Capítulo 22

—*Tengo que irme* —dijo el Lobo, alejándose de la joven un par de pasos. Chi se sintió estúpida por querer alargar la mano hasta él y rogarle que no la dejase sola—. Cuando oigas mi señal, comienza a cazar —Kobu le sostuvo la mirada durante unos segundos más, a duras penas aguantándose las ganas de quedarse con ella. Se dio la vuelta con brusquedad, soltando un gruñido bajo de resignación. Cuando llegase la hora de pelear en el Torneo, no podría ayudarla, aunque quisiera—. Mantente alejada de Arvel y de Alessia, son peligrosos.

Entonces, sin decir más, se marchó. Su silueta se fue diluyendo poco a poco entre el follaje, hasta que no hubo más que las sombras de las hojas.

Chi se quedó sola a los pies de aquel árbol gigantesco, intentando calmar su ansiedad. Con un suspiro tembloroso cerró los ojos y comenzó a contar los segundos. Era una de las tácticas que Ransa les había enseñado para calmar los nervios durante misiones.

Ciento treinta y seis segundos después, Chi abrió los ojos. Todavía sentía como su corazón le palpitaba en la garganta. Pero no podía esperar más.

—Cálmate —susurró para sí misma—. Cálmate.

Abrió y cerró los puños, notando que, por fin, su pulso comenzaba a tranquilizarse. Sus compañeros esperaban más de ella que una crisis nerviosa. Llevaba entrenando más de dos semanas, estaba preparada.

Se dio la vuelta y comenzó a trepar el árbol, hincando las uñas en la corteza, hasta llegar a la primera rama, que utilizó como soporte para saltar a una más alta y luego a otra, hasta llegar a la copa del árbol. Se sentó, rodeando una rama con las piernas, y dejó que el viento corriese los dedos por su pelo.

Minutos después, un aullido resonó entre los árboles, haciendo que docenas de pájaros abandonasen el bosque, espantados. Chi asumió que aquella era la señal que Kobu había mencionado.

Chi inspiró hondo y cerró los ojos. El palpitar de su corazón se atenuó, como si estuviese en el fondo de un lago, mientras que los sonidos que la rodeaban se acentuaban. Escuchó los cientos de hojas siendo mecidas por el viento, escuchó las alas de los pájaros cortando el aire y las ardillas saltando de rama en rama mientras huían.

Ahogó todo el ruido, todo lo que no necesitaba escuchar, hasta que lo único que quedó era el sonido de corazones palpitando por el bosque, el sonido de su sangre al ser bombeada por venas y arterias.

Once corazones.

Chi se deslizó unas cuantas ramas hacia abajo y luego

saltó al siguiente árbol, y luego al siguiente y al siguiente.

"Demuéstrales de lo que eres capaz" Eso era lo que le había dicho Kobu, y estaba dispuesta a hacerlo. Sabía cómo dejar a alguien inconsciente con facilidad, era una de las cosas más básicas que se aprendían en el sector...

Después de un minuto, encontró al dueño del más cercano corazón. Chi puso una mano sobre el tronco del árbol en el que se encontraba, sintiendo la corteza áspera contra su piel.

Melibea se encontraba a un par de metros de distancia, sentada con la espalda contra un árbol. Tenía los hombros hundidos y una petaca en mano. Alzó la cabeza para darle un trago al frasco, antes de tirarlo sobre la hierba. Tenía bolsas bajo los ojos, como sombras durante el atardecer y una expresión que hizo que el estómago de Chi se revolviese.

La joven se dio un cabezazo contra el árbol en el que reposaba y luego otro más, con demasiada fuerza, mientras sus ojos observaban el cielo a través del follaje. Estuvo así durante unos segundos, agonizante, antes de inclinarse para sacarse una segunda petaca de su bota de cuero. Pasó una mano por su frente, limpiándose un sudor inexistente, antes de abrir el recipiente y comenzar a beber.

Chi mordió su labio inferior, aguantándose las ganas de bajar del árbol y acercarse para preguntarle qué le ocurría, para suplicarle que volviese a envolverla con sus brazos. ¿Y si fuese todo más simple? ¿Y si pudiese solo ir con ella, sin necesidad de hablar o explicar lo que había ocurrido? La joven inspiró con fuerza, callando aquellos pensamientos.

Se dio vuelta y se marchó por donde había venido.

Siguió el sonido de un segundo corazón, cuyo palpitar

resonaba con más y más fuerza a medida que Chi cerraba la distancia que les separaba. Se detuvo en cuento atisbó una silueta entre los árboles. Saltó una última rama y una melena rosa destelló entre el verde de las hojas.

Dejó escapar un suspiro cansado. ¿Por qué estaba teniendo tan mala suerte? ¿Por qué no podía cruzarse con Ethan o Mael?

Chi se deslizó por el tronco hasta el suelo, sin hacer ningún ruido aparte del leve sonido de las hojas rompiéndose bajo sus pies. Dobló las piernas, haciéndose pequeña, y zigzagueó entre los árboles hasta que no hubo más que un par de metros entre las dos jóvenes.

Zafrina estaba caminando con lentitud, maldiciendo entre dientes cuando sus tacones se quedaban atascados por una raíz, o cada vez que sentía alguna parte de la vegetación tocándole la piel. Tenía la expresión más asqueada que Chi jamás había visto en alguien cuyo rostro solía ser atractivo.

Salió de entre los árboles y comenzó a correr hacia Zafrina, quien le había dado la espalda durante unos instantes. A pesar de su velocidad, la joven del pelo rosa tuvo tiempo de escucharla. Comenzó a girarse cuando Chi ya estaba prácticamente sobre ella; y en cuanto la vio, el mundo de Chi se tornó negro.

Cayó de bruces contra el suelo, rodando, sin sentir las hojas ni las raíces a pesar de que hacía un instante había estado en mitad de un bosque. El suelo era invisible, frío y liso.

A la vez, Zafrina, que se encontraba en el suelo con su compañera encima, se quitó a la chica de encima con brusquedad, empujándole la cara.

—Maldito engendro —siseó.

Se levantó, sacudiéndose la tierra que ahora manchaba su falda de colores vivos. Con ira quemándola por dentro, se dio vuelta hacia Chi, que yacía sobre el suelo con los ojos perdidos. Le dio una patada en el estómago y luego otra más, asegurándose de que eso si lo sintiese, antes de agacharse para susurrarle en el oído.

—¿Cuántas veces tenemos que hacer este baile?

Chi se alejó de la voz de Zafrina con brusquedad, todavía sujetándose el estómago, sobresaltada por su cercanía. Se levantó titubeante, esperando a que algo volviese a atacarla en medio de la oscuridad.

—Ya hemos hablado de esto, ¿por qué sigues aquí? —susurró Zafrina, cuya voz pareció dividirse, hablándole desde diferentes direcciones—. ¿Acaso no entendiste lo que quería decir cuando dije que desaparecieses? Quiero... —comenzó, con cuidado de mantener su voz lenta y condescendiente—, que nos hagas un favor a todos y...

—¡Zafrina! —Nahuel apareció de entre los árboles con sus ojos marinos clavados en su compañera. La joven se levantó, irguiendo la espalda mientras su corazón se aceleraba. Sabía lo que la expresión de su amigo significaba—. Creo que ya has causado suficiente daño.

—No, espera —su hechizo se rompió, dejando que Chi volviese a la realidad. Zafrina alzó las manos hacia el joven, como si eso fuese a detenerle, suplicante—. Espera, puedo explicar... —antes de que pudiese terminar la frase, Nahuel barrió el aire frente a él con una mano y el rostro de Zafrina quedó en blanco.

Chi observó la escena, levantándose del suelo con cuidado y sin quitarle los ojos de encima a Zafrina, que se volvió hacia ella con brusquedad.

—¡Kenra! —exclamó ella, con un tono que a ella le resultó desconocido. La joven se arrodilló al lado de Chi y la abrazó—. ¡Por los espíritus, lo siento muchísimo no sé qué estaba pensando! —Chi se dejó abrazar, estupefacta. Zafrina se apartó de ella para poder ponerle las manos contra las sienes, apartándole el pelo de la cara—. ¿Estás bien?

—¿Qué está pasando? —susurró Chi apenas encontrando su voz.

Antes de que Zafrina pudiese hacer nada más, Nahuel le dio un fuerte golpe en la cabeza, dejándola inconsciente. Chi sujetó a la joven cuando esta se desplomó contra ella.

Al ver la expresión aterrada de Chi, el joven sonrió.

—Piensa que eres su hermana pequeña —dijo él, mientras comenzaba a rehacerse la coleta. Chi había notado que su compañero hacía aquello de forma compulsiva, como una forma de mantener sus manos ocupadas mientras conversaba—. No te preocupes, le quitaré las memorias nuevas antes de que se despierte.

—Pero... era como una persona completamente diferente,

—¿Qué quieres que te diga? Al parecer incluso Zafrina es capaz de cogerle cariño a otros —Nahuel suspiró, mientras ayudaba a quitar a su compañera de encima de Chi—. Cuando terminemos el entrenamiento me aseguraré de que Ethan se entere de lo ocurrido para poder tomar medidas al respecto.

—No tienes que...

—Chi, esto ya no es decisión tuya. No sabía que Zafrina había cruzado la línea contigo de semejante manera, deberías habérmelo contado el otro día —Chi bajó la mirada al

235

suelo—. Espero que no haya una próxima vez. Pero si la hay, recuerda que nada de lo que pueda hacerte es real. Ahora si me disculpas, iré a continuar el entrenamiento —el joven comenzó a alejarse por donde había venido, mientras ella se levantaba del suelo y pasaba a Zafrina, que continuaba inconsciente en el suelo—. Espero que después de ayudarte me hagas el favor de dejar que me marche —Nahuel le sonrió—. Soy consciente de que tengo pocas posibilidades en una pelea contra ti.

El joven dio un par de pasos más, pero antes de que Chi pudiese terminar de procesar todo lo que estaba pasando, una silueta cayó de las ramas, sobre su compañero.

Naeko rodó sobre el suelo, con Nahuel, sin dejar que este se zafase de sus brazos, que le rodeaban el cuello. Después de unos largos momentos de forcejeo, el chico se quedó sin aire por fin, cayendo inconsciente. La joven se levantó del suelo, entre jadeos, y miró a Chi antes de sonreír.

—¿Naeko?

—Lo siento —le dijo—. Pero en ningún futuro ibas a dejarle ir... y en cuanto te calmases ibas a venir a por mí así que lo mínimo que podía hacer era conseguir el punto.

—Ni siquiera había decidido si le iba a atacarle o no —respondió Chi.

—Kenra, no hace falta ser clarividente para saber que tienes algo que demostrar.

—¿Y qué hay de ti? —preguntó ella, dando un paso hacia su compañera. Miró el número pintado en su mano, que ya había bajado a siete. Naeko tenía razón, tenía algo que demostrar y no podía permitirse perder más puntos.

—Podría transformarme, me alcanzarías y te subirías a

mi lomo antes de alzar vuelo... Pero no tienes ninguna forma de dejar inconsciente a un Volkai transformado sin hacer un daño substancial con tus cuchillos —dijo ella—. Kobu nos vería y conseguiría un punto por cada una de nosotras, así que prefiero dejar que mi punto te lo lleves tú.

Chi se quedó en silencio, reflexionando, antes de comenzar a correr hacia su compañera. La dejó inconsciente en cuestión de segundos, de un golpe certero en el cuello. La dejó con cuidado sobre el suelo, y mientras se levantaba, Kobu sobrevoló las copas de los árboles sobre su cabeza, sin percibir su presencia.

Sacudió su ropa, ahora manchada de tierra, y comenzó a dirigirse hacia el siguiente corazón.

Mael dejó escapar un suspiro pesado. Odiaba aquel tipo de combates y entrenamientos en los que no sabía si debía buscar a sus enemigos o esconderse hasta que le encontrasen. ¿Debería transformarse a pesar de que eso revelaría su posición? ¿O se suponía que tenía que esperar a que alguien le emboscase?

Dio una patada al suelo, levantando un pedazo de tierra y hierba.

Mientras caminaba en una línea recta, entre los árboles y arbustos, esperando a que algo ocurriese, escuchó las hojas sobre su cabeza sacudirse con más fuerza de la que una ardilla podía infringir. Alzó la cabeza y vio a Kenra, cuyos ojos escarlatas estaban fijos en él como los de un gato en su presa.

Antes de que la joven pudiese caer sobre él, Mael saltó

hacia delante, rodando sobre el suelo y esquivando a su compañera por los pelos. Se dio la vuelta, todavía en el suelo, alzando una mano hacia ella y en cuanto comenzó a absorber su energía, su cuerpo se vio electrificado.

Su magia era una muy preciada en multitud de campos, una magia que podía tanto absorber como dar energía, vida. En combates, más que pelear, Mael prefería evitar contacto con su oponente hasta que este se sintiese demasiado fatigado como para seguir moviéndose... Era una estrategia aburrida para muchos, aunque indiscutiblemente eficiente.

Pero el joven jamás había sentido algo como aquello, un torrente de poder fluyendo desde la punta de sus dedos hasta las raíces de su pelo. Alzó sus ojos hasta Kenra, tan maravillado como asustado. ¿Estaba absorbiendo más energía de la normal? ¿O era la energía de Kenra la que le estaba abrumando? ¿Y... cómo era que la chica seguía en pie?

El joven seguía en el suelo, con una mano alzada hacia ella y una expresión que haría que cualquiera se preocupase. Pero Chi no se permitió titubear. En un suspiro, se arrodilló sobre él. Le rodeó el cuello con los brazos y apretó ligeramente, con cuidado, hasta que sintió como su compañero dejaba de resistirse, quedando inconsciente.

El número que adornaba su mano había bajado a dos.

Capítulo 23

El aire había comenzado a aligerarse a medida que el dominio del sol menguaba sobre el cielo. Las sombras se hacían más empinadas y con ellas el silencio, pues cada vez había menos animales pululando por el bosque.

Chi nunca se había parado a apreciar la inmensidad de aquellos ríos de árboles que separaban las ciudadelas. Después de dejar atrás a Mael, había tenido que recorrer casi todo el terreno entre el muro de Bershat y el de Millien para poder encontrar a alguien.

La joven se detuvo, descansando sobre una rama mientras recuperaba el aliento, en cuanto consiguió identificar el aroma familiar que impregnaba aquella área.

Rhonda salió de detrás de unos arbustos, moviéndose con brusquedad entre la vegetación. En cuanto consiguió librarse de las ramas, adoptó un aire depredador, moviéndose en silencio, agazapada. Chi observó, aguantando la respiración con nerviosismo, como su compañera miraba en dirección

239

contraria a ella, escuchando los sonidos de la naturaleza.

Chi no se atrevió a moverse, ni siquiera a respirar, y, aun así, cuando Rhonda comenzó a mirar de vuelta al frente, su cabeza se ladeó en dirección a la joven y sus ojos se encontraron.

Antes de que pudiese reaccionar, una de las escamas invisibles de Rhonda la golpeó con fuerza en las costillas, propulsándola contra un árbol a un par de metros de distancia. Chi cayó de bruces sobre el suelo, tosiendo de forma frenética al intentar volver a llenarse los pulmones de aire.

—Qué mala suerte has tenido —dijo Rhonda mientras se acercaba—. He estado a punto de no verte.

Chi se levantó del suelo, poniéndose en guardia. Había perdido la ventaja, pero eso no significaba que fuese a darse por vencida. Antes de que pudiese hacer nada para defenderse, la joven sintió como un par de escamas le rodeaban el cuerpo, inmovilizándola.

—Podrías al menos darme una oportunidad —gruñó Chi, mientras forcejeaba contra aquellos brazos de hierro.

—En el Torneo nadie va a darte una oportunidad —respondió.

Chi bajó la cabeza y hundió los dientes en una de las escamas que la estaban manteniendo presa. Rhonda hizo una mueca.

—Yo que tú, no haría eso —advirtió—. Se romperá tu mandíbula antes de que puedas romper mi piel.

Los ojos de Chi sostuvieron a los de Rhonda, mientras continuaba mordiendo. Sintió como su mandíbula se desencajaba después de unos segundos, a medida que hacía más y más fuerza.

—Kenra, lo digo en serio, ten cuidado... —la voz de Rhonda se apagó al notar los dientes de Chi hundiéndose en su carne. La escama se hizo visible por culpa del dolor, mientras su agarre sobre la joven se aflojaba.

Ahora libre y aprovechando que su compañera había cerrado la distancia que las separaba, Chi se abalanzó sobre ella. Sabiendo que Rhonda podría alejarla en cualquier momento con sus escamas, la joven entró en pánico y golpeó la cabeza de su compañera con fuerza contra el suelo, dejándola inconsciente.

Se quedó quieta durante unos instantes, su corazón pareciera estar a punto de salírsele del pecho, antes de agachar la cabeza hasta la boca de Rhonda. Como una estatua, espero a sentir la respiración de la chica contra su oreja.

Estaba viva.

Chi se arrastró hasta quitarse de encima de su compañera y escupió la sangre que había quedado en su boca gracias al mordisco. Fue entonces cuando notó un filo extraño contra su lengua. Alzó un dedo hasta el diente, palpándolo, antes de mirar al suelo allí donde había escupido la sangre.

Se le había roto un diente.

—Por el amor de Shomei... —susurró para sí misma. Terminó de limpiarse la sangre que le manchaba la cara con una mano antes de darse vuelta. Iba a encontrar a la última persona en pie, iba a ganar.

Kobu se sacudió la arena del pelo por milésima vez.

—¿Puedes parar de hacer eso? —pidió Ethan—. Estás dejando la taberna entera llena de arena.

—¿Y de quién te crees que es la culpa? —gruñó el Lobo, fijando sus ojos en los de su líder de gremio—. Tal vez deberías controlarte un poco y así no tendría arena hasta en mi ropa interior.

—Tal vez —comenzó Ebony, interrumpiendo la conversación, mientras barría alrededor de Kobu—. Deberías haberte sacudido antes de entrar.

—¡Lo he hecho!

—¡Pues haberte ido a dar una ducha! —replicó ella.

Los dos chicos dejaron escapar un suspiro sonoro, a la vez que la puerta de la taberna se abría. Afuera el sol ya había perdido su lugar en el cielo. Rhonda arrastró los pies mientras bajaba las escaleras, frotándose la cabeza con expresión de pocos amigos.

—¿Dónde estabas? —preguntó Kobu, sin molestarse en ocultar su irritación—. Llevamos horas esperando.

La joven no contestó, se limitó a mirar a su compañero, con semejante furia, que el chico decidió reprimir sus quejas. Rhonda se sentó entre el resto de sus compañeros, que habían formado una especie de círculo alrededor de un par de mesas, frente a una pizarra donde estaban haciendo el recuento de puntos.

Melibea, que también sufría de severos dolores de cabeza, le pasó una botella de vino a Rhonda.

—Gracias —murmuró ella, dando un trago largo.

—Veo que tienes dos puntos —dijo Ethan—. ¿Kobu y quien más?

—Melibea —respondió después de unos segundos. Le dio otro trago rápido a la botella, mientras los ojos de su compañera se ensanchaban.

—¿Qué? ¿Fuiste tú? —inquirió la joven, alzando la voz una octava—. ¿Sabes qué? Vete a la mierda, devuélveme mi botella.

Rhonda sonrió de oreja a oreja, mientras dejaba que su compañera le arrancase el vino de las manos, mascullando todo tipo de improperios. Tal vez la había atacado con más fuerza de lo debido.

—¿Dónde están todos los demás? —preguntó Rhonda mientras escaneaba la habitación. Falta más de la mitad del gremio.

—Te he dicho que llevábamos esperándote horas, se ha ido todo el mundo a dormir.

—¿Entonces? ¿Quién ha ganado?

—Arvel y tú habéis empatado, creo...

—¿De qué estáis hablando? —respondió Melibea, ligeramente irritada al ver que nadie más se había dado cuenta—. Falta Kenra.

—¿Kenra? ¿Estás segura...? —Ethan escaneó la pizarra dándose cuenta de que Chi era la única que todavía no había vuelto del bosque—. Rhonda, ¿Quién se ha llevado tu punto?

—Kenra.

Ethan puso una marca al lado del nombre de Chi en la pizarra, antes de llevarse una mano a la barbilla.

—Eso significa que Kenra ha ganado el entrenamiento.

—¿Y por qué no está aquí todavía? —preguntó Kobu.

—Porque ella no fue la última en pie, fue Arvel —respondió el líder de gremio.

—¿Entonces?

Todos los presentes se quedaron en silencio durante unos

segundos largos, hasta que Kobu rompió el silencio.

—¿Dónde está ese miserable de mierda? —ladró, mientras se levantaba con brusquedad—. Le voy a arrancar los brazos a mordiscos...

—Kobu, Kobu, espera —empezó Ethan, apresurándose para ponerse frente a él, evitando a que saliese por la puerta—. Vamos a no saltar a conclusiones, todavía no sabemos lo que ha pasado. Lo más probable es que a Kenra se le haya olvidado que tenía que volver para el recuento.

—Kenra no es estúpida y lo sabes.

—Tienes razón, no lo es —interrumpió Mael, que estaba comenzando a ponerse nervioso—. Pero estaba bastante cansada, ¿no? Lo mismo se ha quedado dormida en algún sitio.

—Eso suena como algo que Kenra haría —concurrió Ethan.

Melibea negó con la cabeza desde su silla, pero no dijo nada. Rhonda al igual que su compañera, se mantuvo callada.

—¡No! —Kobu empujó a Ethan, apartándole de su camino con facilidad—. Todos sabemos que más de una persona en este gremio tiene problemas con la presencia de Kenra, y una de esas personas es Arvel.

—Si estás insinuando que Arvel le ha hecho algo a propósito...

—No lo estoy insinuando, lo estoy diciendo.

—Ethan, Kobu tiene razón —dijo Nahuel, hablando por primera vez—. Me temo que la hostilidad hacia Kenra ha sido mucho peor de lo que pensábamos... No me extrañaría que otra persona haya cruzado la línea.

—¿Otra persona? —murmuró Melibea bajo su aliento, alzando los ojos hasta su compañero.

—Voy a ir a buscarla al bosque —dijo Ebony, ocultando su preocupación bajo una fachada de seguridad.

—Yo también voy.

—No —dijo Ethan, volviendo a poner una mano sobre el hombro de su compañero—. Creo que lo que tú necesitas es una ducha fría y un poco de descanso.

—Y una mierda...

—Creo que sería buena idea si Kobu me acompaña —intervino Ebony, pasando a los dos jóvenes de largo—. Así podremos rastrearla con facilidad.

Melibea se mordió el labio inferior, su pierna temblaba con fuerza; pero no se movió, no ofreció acompañarles. Ethan se apartó de Kobu, dejando que el joven siguiese a Ebony.

—No dejéis que los guardias os vean —advirtió—. Todavía no sabemos lo que ha ocurrido... no necesitamos que la situación empeore antes de tiempo.

Ebony asintió antes de salir por la puerta de la taberna con Kobu pisándole los talones, y la luna brillando con fuerza sobre sus cabezas.

Chi se sacudió sobre el suelo de forma violenta, cerrando las manos en puños al intentar dejar de temblar. Jadeó al abrir los ojos, notando sus músculos agarrotados por culpa del frío. Movió un brazo, escuchando el crujido al despegarse del suelo. Poco a poco, fue liberándose hasta conseguir levantarse sobre sus rodillas.

Sus ojos recorrieron la silueta de escarcha que su cuerpo había dejado sobre el suelo. Haciendo uso de las pocas fuerzas que le quedaban, gateó, prácticamente arrastrándose, hasta el árbol más cercano, y se sentó contra el. Entre jadeos, alzó una de sus manos frente a ella, observando su piel azulada y sus uñas moradas. Se encogió sobre sí misma, llevándose las rodillas al pecho y apoyando la cabeza contra la corteza rugosa del árbol, en un intento desesperado por atrapar el poco calor que quedaba en ella. Poco a poco, sus párpados se volvieron pesados una vez más, hasta que tuvo que luchar con todas sus fuerzas para poder abrirlos. Nunca había sentido frío antes... Aquella sensación de agujas perforándole cada poro de la piel, hasta los huesos. Le dolía el cuerpo de tanto temblar. Pero no lo suficiente como para mantenerla despierta.

Cuando volvió a abrir los ojos, la noche se había cerrado sobre el bosque, hundiéndola en tinieblas. El chasquido de una rama interrumpiendo el rugido del viento entre los árboles le llamó la atención. Apenas siendo capaz de mantener los ojos entreabiertos, vio una silueta dibujándose oscura sobre las sombras, caminando en su dirección.

Ebony tensó la mandíbula mientras se tropezaba con cada una de las raíces que serpenteaban por el suelo. Kobu la cogió del codo para estabilizarla, antes de pasarla de largo. Llevaban un tiempo siguiendo el rastro de Chi, pero por desgracia la joven había parecido desplazarse en varias direcciones a lo largo del entrenamiento.

Ebony alzó su mano derecha, haciendo aparecer llamas de su palma.

—¿No podrías haber hecho eso antes? —preguntó el Lobo, irritado.

—Antes no era de noche, y no aprecio tu hostilidad —respondió Ebony, sin molestarse en mirarle—. ¿Estás seguro de que todavía tienes su rastro? Estamos andando en círculos... —Kobu la interrumpió con un gruñido gutural.

—No estamos andando en círculos y si, todavía tengo su rastro.

Kobu volvió a olisquear el aire. El aroma de Kenra era cada vez más prominente, como si se hubiese quedado atrapado en la humedad de la tierra. El joven se detuvo en cuanto el perfume dulce de la joven se vio tintado por uno muy diferente, uno ácido.

—¿Kobu?

—El Anacreón —alcanzó a susurrar, mientras doblaba las rodillas para agacharse—. El Anacreón está aquí.

Ebony dudó durante un instante antes de avanzar delante del joven, extendiendo un brazo para mantenerle a su espalda, y cerrando su puño sobre la llama, ahogándola.

Avanzaron en un silencio muerto, hasta que el chasquido de una rama al romperse les llamó la atención.

Kobu ladeó la cabeza, en dirección al sonido. Por fin, vieron algo aparte de árboles y sombras.

—Chi —dijo el joven, con pánico en la voz. Ebony vislumbró, bajo la tenue luz de la luna, como Kilyan levantaba a Kenra del suelo, prácticamente arrancándola de la escarcha que se había formado alrededor de su cuerpo—. Chi —repitió, cada vez más alarmado—. ¡Despierta!

La alzó en brazos, sintiendo como el cuerpo de la chica, ligero como una bolsa de hojas secas, se sacudía con brusquedad. La apretó con fuerza contra su pecho, intentando darle algún tipo de calor mientras pensaba.

Ebony, que ya se había tragado todo su miedo para poder saltarle encima, no se movió. La joven recorrió los pequeños patrones de escarcha que reptaban por el suelo, como dibujos, rodeando los pies de Kilyan como si estuviesen intentando llegar hasta Kenra. Era imposible no reconocer aquello como el trabajo de Arvel.

El pecho de su compañera de gremio, aun en los brazos del Anacreón, subía y bajaba con dificultad, luchando por cada gota de oxígeno.

Kilyan comenzó a correr, sorprendiendo a ambos alumnos, que enseguida se apresuraron a seguirle. En pocos segundos, Ebony ya se había quedado atrás y Kobu comenzaba a cerrar la distancia con el Anacreón de forma peligrosa, pero antes de que pudiese alcanzarle, se vio obligado a detenerse cuando llegó al final del bosque

Kilyan había dejado de correr, y avanzaba con sigilo sobre el prado hacia el muro de su ciudadela.

Kobu, cansado de esperar, dio un paso al frente. Justo antes de que revelase su presencia, Ebony consiguió alcanzarle. Detuvo al Lobo y le hincó las uñas en el brazo para mantenerle quieto. Sus ojos se encontraron, los de Ebony brillaron amenazantes.

—¿Qué estás haciendo? —siseó Kobu, tan bajo que tuvo que inclinarse hacia su compañera para que pudiese oírle—. ¡Se está llevando a Kenra!

Los corazones de ambos palpitaban con fuerza, manteniendo la gravedad de la situación vívida. Ebony miró más allá de su compañero, viendo como Kilyan abría una trampilla en el suelo. Tensó la mandíbula con fuerza, pero se le había acabado el tiempo para pensar. Kobu dio un último tirón, intentando zafarse para poder perseguir a Kilyan, pero este ya había desaparecido con Kenra.

—¡¿Cuál es tu problema!? —gruñó el joven, tirando para soltarse del agarre de su compañera con tanta fuerza, que Ebony perdió el equilibrio.

Ebony le miró, intentando mantenerse calmada. Se llevó un dedo a los labios, antes de señalar a lo alto del muro, donde dos guardias hacían sus patrullas.

—No le va a pasar nada.

—¿Y eso cómo lo sabes? —Ebony quiso decir que había visto como Kilyan estaba mirando a su compañera, pero adivinó que eso solo haría que Kobu se alterara incluso más—. Se la ha llevado Kilyan. ¡Es un monstruo!

—Kobu, él no le va a hacer nada a Kenra —repitió con un poco menos de paciencia—. Necesito que te des cuenta de la situación —dijo en un susurro—. Has visto como Kilyan ha encontrado a Kenra: congelada.

—Yo ya había dicho que había sido Arvel...

—Exacto, si le hubiésemos confrontado es posible que nos hubiese reportado, no podemos perder a Arvel y eso tú lo sabes.

—Pero él también estaba en el bosque y sin autorización, dudo mucho que se hubiese delatado a sí mismo solo para reportarnos a nosotros.

—El Consejo no puede permitirse perder a un estudiante con tanto poder y dinero sobre sus hombros... Eres muy ingenuo si piensas que el Anacreón no puede hacer lo que le plazca —Ebony dejó escapar un suspiro cansado mientras se levantaba, sacudiéndose la tierra de los pantalones—. Si viene al bosque sin autorización es porque sabe que si le encuentran lo máximo que recibirá será una advertencia... Pero llevarse a un miembro de otro gremio dentro de su ciudadela, eso es algo que por mucho poder que tenga la iglesia o por mucho dinero que se gane gracias a él, es motivo de expulsión.

Kobu dejó escapar un gruñido gutural, como una exhalación, mientras seguía a Ebony dentro del bosque, protegidos de los ojos de los guardias que patrullaban el muro.

—Entonces, ¿qué hacemos?

—Esperar a que la traiga de vuelta al bosque... y asegurarnos de que es consciente de lo que ocurrirá si abre la boca sobre Arvel.

Capítulo 24

Antes de siquiera despertarse, Chi dejó escapar un suspiro de alivio en cuanto su cuerpo dejó de temblar, descansando por fin. El frío comenzó a escurrirse de sus poros, dejando que su piel volviese a desprender aquella agradable sensación de calidez que siempre la arropaba.

Abrió los ojos, pestañeando con pesadez, mientras se daba cuenta de que no reconocía la habitación en la que se encontraba. Fue entonces cuando recordó la figura en el bosque y la bruma de sueño que le empantanaba la mente se disipó.

Su corazón se aceleró y recorrió el lugar con los ojos. La pintura del techo estaba desgastada por los puntos donde la lluvia había creado goteras y el papel de las paredes estaba a medio arrancar. Se encontraba al lado de una chimenea, cargada hasta arriba de leña, cuyas llamas chisporroteaban con fuerza.

Después de aquellos primeros segundos de conciencia, olió un perfume familiar, y escucho el latir de un corazón detrás de ella. Se dio vuelta, y una sonrisa se pintó en su rostro.

—Kilyan.

El joven le devolvió una sonrisa débil, pues no podía obligarse a aclarar la tormenta en su cabeza.

—¿Cómo te encuentras? —le preguntó.

Kilyan se alzó de la cama donde había estado tumbado, reflexionando sobre su vida y todas las decisiones que le habían llevado a tener a Chi tumbada frente a la chimenea de su habitación. Alargó una mano hasta una de las dos tazas de latón que reposaban sobre su mesilla de noche y caminó hacia la chica que ya había terminado de incorporarse.

—Mejor... me encuentro mejor —balbuceó mientras Kilyan le tendía la taza. Chi la cogió con manos temblorosas y en cuanto sus dedos rozaron el calor de la taza, se estremeció de placer. Dio un pequeño sorbo, era té—. Sabes... ¿Sabes lo que me ha pasado? Estábamos entrenando todos en el bosque y de repente era de noche. No podía moverme y tenía tanto... *frío.*

—No estoy seguro, pero solo hay una persona en tu gremio capaz de hacer algo así.

—Arvel —susurró Chi, comenzando a entender lo ocurrido—. Pero... ¿Y el resto de mis compañeros?

—No lo sé, puede que no se hayan dado cuenta de tu ausencia —aquellas palabras hicieron que el corazón de la joven se hundiese, como si alguien lo estuviese estrujando contra el suelo—. Pero a estas alturas estoy seguro de que han debido de enviar a alguien para buscarte.

El chico tenía razón, era imposible que no se hubiesen dado cuenta de su ausencia, e incluso deducido por qué no había vuelto. Si no la encontraban podría ocurrir cualquier cosa, podrían avisar al Capitán de la Guardia... o incluso peor, al Superior Centinela.

—Entonces... debería irme —murmuró, mientras empezaba a levantarse. Kilyan se apresuró a agarrarla de la muñeca con sus manos enguantadas, deteniéndola

—Chi, no hay prisa... descansa.

—Pero si alguien se entera de que me has traído hasta aquí... —Chi no terminó la frase, no hizo falta.

Los dos sabían las implicaciones de ser descubiertos y a pesar de ello, Kilyan había escogido ayudarla.

Se quedaron en silencio durante unos segundos largos, que pronto se tornaron en minutos. El fuego continuó alumbrándoles y subiendo la temperatura de la habitación poco a poco, hasta que Chi apartó la manta que le había estado cubriendo las piernas, pues ya no la necesitaba.

—No lo entiendo —dijo ella, rompiendo el silencio por fin—. ¿Por qué hacer algo así? ¿Tanto les repugna mi presencia? ¿O ha sido un accidente?

—No lo sé, Arvel no comete errores, pero... tampoco es así —Kilyan dejó escapar un suspiro, pues al igual que ella, no sabía cómo darle sentido a la situación—. Arvel nunca ha sido especialmente agresivo, ni de los que mata por matar, ni nada por el estilo. Aunque es cierto que nadie sabe nada sobre él, ni sobre su familia, estatus, ni de dónde viene... Aun así se pasea por la Zona Central como si estuviese por encima de todo el mundo; así que obviamente hay algo fuera de lo normal.

—¿Eso no es porque está por encima en el Torneo? ¿Cómo tú?

—No —respondió—. Ni siquiera yo puedo hacer ese tipo

de cosas sin represalias por parte de la guardia, como tú bien sabes, y no solo soy el número uno, sino que tengo el estatus para respaldarme... Pero atacar a alguien así, a alguien de su propio gremio, no lo entiendo. Chi, no creo que solo estuviese intentando asustarte... podrías haber muerto si no te hubiese encontrado.

Chi cerró los ojos y pasó las manos por su pelo, intentando calmar la repentina ola de ansiedad que le había tensado el cuerpo. "¿Por qué?" Se preguntó a sí misma, "¿Qué había podido hacer para provocarle de semejante manera?".

Kilyan frunció el ceño mientras observaba como los hombros de su amiga comenzaban a temblar. Sin pensarlo demasiado, le rodeó los hombros con el brazo. Sin alzar la cabeza, Chi se giró sobre sus rodillas, y le abrazó. Se apretó con fuerza contra su torso, escuchando el latir acelerado de su corazón contra la oreja.

El joven sintió el más leve de los sollozos contra su pecho y fue como si su propio estómago se encogiese de dolor. Puso los brazos sobre ella, devolviéndole el abrazo, y hundió una de sus manos enguantadas en la cascada escarlata que era su pelo.

—¿Estás seguro de que quieres hacer esto? —Chi dio un paso más en la oscuridad, antes de detenerse para mirar a Kilyan. Podía sentir la humedad del bosque sobre su piel, y la brisa dejando que pequeños destellos de luz lunar se colaran entre las hojas de los árboles—. No tienes que venir conmigo, sé que estás arriesgando...

—Nunca hay guardias en vuestro muro por la noche —la interrumpió—. Y no voy a dejarte sola en el estado en el que estas.

—Estoy bien, no... —sus ojos se encontraron con los de él, la observaban con severidad, por lo que no se molestó en terminar la frase. Sabía que no iba a poder convencerle por mucho que lo intentase.

Chi ladeó la cabeza, notando por primera vez los latidos de dos corazones alzándose por encima de los sonidos de la noche. Se detuvo de inmediato, alertando a Kilyan, pero no tardó en darse cuenta de quienes eran.

Ebony y Kobu salieron de entre los arbustos, con rostros sombríos. Chi quiso acercárseles, abrazarles; pero Kilyan la agarró de la muñeca. A diferencia de ella, él no confiaba en ellos.

—Suéltala —gruñó Kobu, cuyo tono amenazante solo hizo que las comisuras de los labios de Kilyan se alzasen ligeramente.

—No —su respuesta fue simple, burlona incluso; como el silencio que siguió mientras esperaba por una reacción.

El joven dejó escapar un gruñido gutural, digno del animal que era, y dio un par de pasos hacia ellos, como si estuviese dispuesto a arrancarle a Chi de las manos... Pero Ebony se apresuró a detenerle.

Le tenían miedo, y Kilyan lo sabía.

—No queremos problemas —dijo con toda la seguridad que podía reunir frente al Anacreón—. Kenra, ¿Estás bien? —continuó. Miró a su compañera a los ojos, pero esta le esquivó la mirada.

Chi dio un pequeño paso hacia atrás, hasta que su cuerpo estuvo reposado contra el de Kilyan. Su presencia la mantenía calmada, segura, y, aun así, no pudo obligarse a sí misma a decir lo que pensaba.

—Sí —susurró, su estómago encogido.

¿Qué iba a hacer ahora? ¿Cómo iba a explicarles que estaba con Kilyan? El corazón de Chi comenzó a palpitar con fuerza, pero a diferencia de ella, él ya había pensado en un plan.

Kobu, al ver la confianza con la que su compañera se movía alrededor del Anacreón, como se mantenía pegada a él, sintió toda su ira disipándose, dejándole un vacío en el estómago.

—Espero que no estéis pensando en mencionarle esto a nadie —dijo Kilyan, mientras levantaba su mano enguantada, entrelazada con la de Chi.

—Siempre y cuando tú tampoco —respondió Ebony, irguiéndose.

—¿Sobre cómo Arvel ha intentado matar a un miembro de su propio gremio? —Kilyan sonrió.

—Todavía no sabemos exactamente lo que ha pasado, no saltes a conclusiones...

—Seguro —interrumpió—. Porque Arvel, el miembro más poderoso de tu gremio, no es capaz de controlar una descarga de magia tan simple. Todos sabemos lo que ha ocurrido aquí, pero preferís barrerlo debajo de la alfombra con tal de no perder a la única persona de vuestro gremio que podría ganarme en una pelea.

—Kilyan —susurró Chi, apretándole la mano—. No pasa nada, lo entiendo.

El joven ladeó la cabeza para mirarla y se dio cuenta de que, en la cabeza de Chi, ella entendía y aceptaba el razonamiento de sus compañeros. No le iban a hacer nada a Arvel por sus acciones; ya lo había asumido.

Dejó ir la mano de Kilyan y se acercó hasta Ebony, que no tardó en empezar a examinarla de arriba abajo, pasándole las manos por el pelo y la cara con gesto preocupado.

—Como me alegro de que estés bien —le susurró, antes de abrazarla con fuerza, acentuando sus palabras. Ebony la cogió de la muñeca y retrocedió con ella hasta Kobu, quien se limitó a mirarla aliviado.

Chi se dio la vuelta, mientras sus compañeros la guiaban de vuelta a su ciudadela, y sus ojos se encontraron con los de Kilyan, de pie, ahora solo, entre las sombras de los árboles. El joven le dio un pequeño asentimiento antes de que su silueta fuese tragada por la oscuridad del follaje.

—¿Chi? —llamó Kobu, en cuanto Ebony se les adelantó lo suficiente como para no poder escucharle—. ¿Estás bien? Si Kilyan te ha hecho algo...

—Kilyan es el que me ha encontrado y me ha ayudado, no tú, ni Ebony, ni ninguna otra persona del gremio.

—Pensamos que habías sido de los primeros en llegar o que te habías olvidado de venir a la taberna para el recuento.

—Lo sé, lo sé —Chi dejó escapar un suspiro cansado. Le pesaban los hombros casi tanto como el pecho, lleno de un mar de malestar. Se mordió el labio, aguantándose las ganas de quejarse, las ganas de llorar y de revelarse... Era culpa suya por bajar la guardia, por creer que ya no tenía que distanciarse de la gente que la rodeaba como lo había hecho con la gente de su sector. Seguía en la Academia, seguía en un mundo poblado por gente que jamás la aceptaría... por Volkai—. Lo siento, sé que no me habéis dejado en el bosque apropósito...

"Pero duele" Quiso añadir, pero mantuvo el silencio. Solo

quería llegar de vuelta a su casa, y dormir... Quería olvidarse de todo lo que había ocurrido.

Cuando llegaron hasta el muro, Kobu cogió a Chi en brazos y voló con ella hasta la calle principal de la ciudadela.

—Puedes volver directamente a tu casa, debes de estar muy cansada... Kobu y yo vamos a volver a la taberna para avisar a los demás de que estás bien. En cuanto haya terminado te traeré algo de comer.

—Gracias, pero no hace falta —Chi se apartó de Kobu, con los hombros caídos y una sonrisa forzada—. No tengo hambre... solo quiero dormir.

—¿Estás segura?

Asintió, y sin querer prolongar la conversación por más tiempo, empezó a caminar de regreso. Sus dos compañeros no tardaron en marcharse y en cuanto lo hicieron, Melibea salió de entre las sombras de un callejón, donde había estado esperando pacientemente.

Se apresuró a seguir a Chi, pero para cuando consiguió ver la puerta de entrada a su edificio, la joven ya había desaparecido dentro. Con las botas de cuero arrastrando con cada paso, Melibea caminó hasta la entrada y puso su puño sobre la madera.

Quería llamar, quería estar con Chi... Pero no tuvo la fuerza de voluntad o las agallas para hacerlo.

Se dio vuelta y se marchó, justo cuando una sombra, más oscura que el cielo de la noche, descendió sobre la casa de Chi...

Las alas de Kilyan desaparecieron en una oleada de humo, creando una alfombra a su alrededor. Caminó hasta la ventana del ático y esperó durante un par de segundos, hasta que el rostro de Chi, iluminado por la luz de la luna, apareció del otro lado del cristal.

La joven abrió la ventana, alzándola sobre su cabeza, y se hizo a un lado para que Kilyan pudiese entrar, con sus movimientos rápidos y elegantes.

—¿Has llegado bien? —preguntó ella, a pesar de que podía adivinar la respuesta por la postura relajada del joven.

—Si... ¿Y tú? ¿Ha pasado algo más con tus compañeros?

—No, nada —respondió mientras negaba con la cabeza.

La joven guio a Kilyan hasta las escaleras, iluminadas por velas en cada uno de los escalones. Bajaron hasta la habitación de Chi, mucho más limpia y mucha más llena que la de él.

Ambos mantuvieron el silencio, pues ninguno sabía exactamente qué decir. Chi se sentó a los pies de su cama, derrotada por el día que había sufrido. En cuanto estuvo quieta durante más de medio minuto, sus ojos comenzaron a amenazarla con cerrarse.

—Chi, necesitas dormir.

—Lo sé, lo sé... tú también —respondió ella, dándose cuenta por primera vez de que apenas tenía muebles en la casa, mucho menos una segunda cama en la que Kilyan pudiese quedarse.

—Puedo dormir aquí, no te preocupes —dijo él, mientras se desplomaba sobre el sillón que reposaba al lado de la ventana.

—¿Qué? No, no puedes dormir sentado después de todo lo que has hecho por mí, coge tú la cama...

—No, eres tú la que casi se ha muerto hoy, no yo.

—No ha sido para tanto —Kilyan alzó una ceja, mientras cruzaba las piernas. Chi dejó escapar un suspiro exasperado, preguntándose si alguna vez conseguiría ganarle una discusión—. Vale, tienes razón. Pero no voy a dejar que duermas en un sillón.

—¿Y qué propones?

Chi se quedó en silencio durante unos segundos, mientras se quitaba los zapatos. El joven la observó con persistencia, deleitándose con el rubor que cubrió sus mejillas al pensar.

—Siempre podemos... compartir —susurró, tan bajo que por un instante temió que Kilyan no la hubiese escuchado. Alzó la mirada, encontrándose con su mirada amatista.

—¿Eso te haría sentir mejor?

—Sí.

—Bien. Pero voy a dormir fuera de las sabanas.

—Por supuesto —dijo ella, mientras asentía con nerviosismo.

A pesar de haber llegado a aquel acuerdo, ninguno de los dos se movió un centímetro. Chi bajó la mirada al suelo, intentando calmar el doloroso palpitar de su corazón... El cual no parecía ser el único que latía con rapidez. Una vez más, volvió a mirarle, inspeccionando su cara. Si no pudiese escuchar cómo su corazón galopaba, jamás se habría dado cuenta de cómo sus orejas se habían sonrojado.

—Voy a cambiarme —murmuró, mientras se levantaba de la cama con rapidez.

Cogió una camisa de debajo de su almohada y prácticamente huyó hasta su baño, donde se lavó la cara con agua fría y se sostuvo la mirada en el espejo. Tenía peor aspecto de lo normal: bolsas negras bajo sus ojos enrojecidos, la piel translúcida, tirante, haciendo que se pudiese seguir el trazado azulado de sus venas como líneas de acuarela.

Se secó la cara, se cambió y salió del baño, caminando por el pasillo prácticamente de puntillas, asustada de hacer cualquier ruido que alertase al mundo de lo que estaba ocurriendo en su habitación... de *quien* estaba ocurriendo.

La idea de ser descubiertos le parpadeó en la mente, pero se apresuró de enterrarla. Si alguien se enteraba, ser expulsada de la Zona Central no la afectaría a ella, sino a él.

Entró en la habitación, cuyas penumbras solo peleaban con la luz de una vela solitaria. Kilyan ya estaba tumbado, sobre su costado, en el lado más alejado de la cama, dándole la espalda.

Su corazón parecía haberse calmado, pero no demasiado. Su pelo, al igual que su ropa, parecía mucho más negro sobre las sábanas blancas.

Se había quitado los zapatos, pero no los calcetines, y mientras Chi se subía a la cama, consiguió atisbar una de sus manos, todavía enguantada. Quiso preguntarle por qué, pero se limitó a acurrucarse contra las almohadas, respirando con cuidado, para no perturbar el silencio.

A pesar de los secretos que ambos ocultaban y de la tensión que palpitaba en el aire, la presencia del joven la calmaba. La hacía sentir segura. Cerró los ojos y antes de que pudiese pensar en nada más, su respiración se relajó y su mente se perdió en la neblina del sueño.

Kobu abrió las puertas de la taberna, haciendo que los pomos golpeasen las paredes. Antes de que nadie pudiese reaccionar, bajó las escaleras hasta Arvel y con el codo contra su cuello, le empotró contra la pared.

—¡Kobu! —Ebony entró corriendo por las puertas, mientras el resto de los presentes se levantaban, alarmados.

—¿Qué ocurre? —preguntó Ethan.

—¿Dónde está Kenra? —continuó Nahuel, temiendo lo peor.

—Kenra está bien, la hemos dejado en su casa... —comenzó Ebony.

—¡No, Kenra no está bien! —rugió Kobu, presionando a su compañero con aún más fuerza—. ¡Has intentado matarla!

—Kobu, por favor...

—¡Estaba medio muerta cuando la hemos encontrado! —el Lobo ladeó la cabeza, con fuego quemando en sus ojos color miel, para mirar a su líder de gremio—. ¡Congelada! —Arvel continuó guardando silencio, pero sus ojos sostenían los de Kobu, desafiantes—. ¡DI ALGO!

—No tengo nada que decir —susurro, a través de la tela negra que ocultaba su rostro.

Kobu tensó la mandíbula y frunció los labios, dejando al descubierto sus colmillos. Agarró la túnica de Arvel y tiró de él con todas sus fuerzas, empujándole hacia atrás, pero este, en vez de caer al suelo, se limitó a trastabillar.

—Kobu, necesito que te calmes —Ethan se detuvo entre sus dos compañeros y alzó ambas manos, manteniendo el espacio que les separaba.

—¿De verdad vas a defenderle? —preguntó Kobu—. ¿A pesar de lo que ha hecho? —tanto Ethan, como Ebony,

Nahuel, Mael y Rhonda, se quedaron en silencio, evitando que el Lobo les atrapase con la mirada—. Esperaba algo mejor del gremio que se rige por un código moral, los que presumen de tener ideales... Preferís mantener la boca callada a perder a un psicópata.

—Kobu...

—¡SILENCIO! —rugió. El joven empujó su pecho contra la mano de su líder de gremio—. Sabes que Samuel jamás estaría de acuerdo con lo que estás haciendo ahora mismo —siseó—. Sois una vergüenza, todos vosotros, deshonráis su nombre, su gremio.

Kobu apartó la mano de Ethan de un golpe y se dio vuelta. Pasó al lado de Ebony que se había dado la vuelta para ocultar un par de lágrimas. Salió de la taberna como una tormenta en pleno apogeo.

Capítulo 25

A Kilyan no se le hizo extraño su entorno; no cuando sus ojos se fijaron en las raíces negras que constituían el suelo o cuando estas comenzaron a moverse, reptando como cientos de serpientes entrelazadas. Tampoco le pareció extraño que eso era lo único que sus ojos podían alcanzar a ver en la oscuridad, aquel suelo de intestinos y serpientes. No había viento, ni luz, ni ningún tipo de sonido aparte del rozar constante, mojado y viscoso, de las raíces. El joven dejó escapar un suspiro antes de darse vuelta.

Allí, sentada sobre el suelo, se encontraba Chi. A pesar de que solo podía verle la espalda, el joven no dudo de su identidad, pues su pelo carmesí bajaba en cascadas sobre sus hombros, haciéndola inconfundible.

—¿Chi?

Al escuchar su voz, la joven se volvió. Tenía los ojos enrojecidos, casi tanto como sus pupilas, pues estaba llorando en silencio. Kilyan se acercó y se arrodilló a su lado, alzando una de sus *manos hasta su mejilla para limpiarle las lágrimas. Fue entonces cuando el chico notó la cálida piel de Chi contra las yemas de sus dedos.*

Aquel instante se congeló, arrastrándose, mientras sus ojos violetas bajaban hasta su mano. No llevaba guantes. Antes de que pudiese apartarse, un grito emanó de la garganta de Chi, un aullido de dolor y miedo que solo había escuchado una vez en su vida. Un sonido tan siniestro y aterrorizado que su cuerpo entero se erizó.

Chi cayó de espaldas, llevándose ambas manos a la cara, allí donde Kilyan la había tocado.

El joven intentó acercarse a ella, con el corazón palpitándole con tal fuerza que sentía como si sus costillas estuviesen a punto de ceder. Sus manos temblaban con brusquedad.

—¡No me toques! —chilló ella, llorando de forma desconsolada, mientras se arrastraba hacia atrás. Los dedos de la joven comenzaron a tirar de su piel, como si estuviese intentando arrancársela. No dejó de gritar en ningún momento—. ¡Monstruo!

Había miedo y asco en su voz, enronquecida por culpa de los gritos.

Fue entonces cuando Kilyan vio que la piel de su mejilla, poco a poco, allí donde la había acariciado, comenzaba a descomponerse... derretirse.

Chi continuó arrancándose la piel, a medida que la corrosión se propagaba hasta su ojo y la comisura de sus labios, en un intento desesperado por hacer que aquel dolor cesase. En aquella orquesta de gritos y terror, Kilyan notó una raíz desprendiéndose del suelo. Esta trepó por la pierna de la joven, enrollándose hasta sus muslos.

Unas cuantas raíces más se unieron a la primera y antes de que Kilyan pudiese hacer nada, estas habían comenzado a tirar de Chi hacia abajo.

Kilyan la cogió de las muñecas, revigorizando los gritos de la joven, desesperado por evitar que el suelo se la tragase. Las manos de la joven, al igual que sus brazos, comenzaron a tornarse negros como el azufre.

—¡Suéltame! —gritó la chica, entre gemidos y lloros—. ¡POR FAVOR!

El joven obedeció, sabiendo que su ayuda solo le causaría más y más dolor. Kilyan cayó hacia atrás, desplomándose sobre el suelo. Cuando terminó de incorporarse, lo único que quedaba de Chi eran sus dedos, que poco más tardaron en desaparecer dentro del suelo.

En un silencio repentino, Kilyan se llevó las manos a la cara, consumido por un oscuro y pesado sentimiento de desesperación. Su corazón todavía palpitaba a gran velocidad, ahogando sus pensamientos.

Kilyan abrió los ojos. Tardó un par de segundos en reconocer la habitación en la que se encontraba, pero no tardó en notar a Chi, durmiendo en la cama frente a él. Se llevó una mano a la cara, limpiándose una lágrima negra. Dejó escapar un suspiro.

Se levantó de la butaca en la que había dormido, estirándose para destensar los músculos. Todavía era de noche, pero Kilyan sabía que el sol no tardaría en alzarse.

Era hora de marcharse.

Caminó a los pies de la cama y se detuvo durante un instante, queriendo despertar a Chi para despedirse. En su cabeza todavía estaba el eco de sus gritos... Sonaban tan reales.

Se mordió el labio y salió de la habitación, cerrando la puerta a su espalda.

Chi dejó escapar un gruñido de agonía en cuanto se despertó. Su cuerpo todavía dolía como si docenas de caballos la hubiesen planchado contra el suelo. Se volvió y cuando vio el vacío en su cama recordó los eventos de la noche anterior.

Se incorporó en silencio, cubriéndose los hombros con su sábana.

No había señales de Kilyan en la habitación; ni en el resto de su casa a juzgar por el silencio. Dejó caer los brazos sobre su regazo y miró sus manos, mientras intentaba pensar en lo que iba a hacer. ¿Cómo podía salir de su casa y mirar a sus compañeros a la cara como si no hubiese ocurrido nada? ¿Cómo iba a ser capaz de estar en la misma habitación que Arvel? ¿Debería pretender que ya se le había olvidado, que no estaba molesta, dolida?

Arvel había intentado matarla.

Chi se levantó de la cama, arrastrando los pies por el pasillo hasta llegar al baño. Se miró al espejo y no se sorprendió al encontrarse con un reflejo horrible. No recordaba la última vez que había tenido tan mal aspecto. La joven dejó al descubierto los dientes, pasando la lengua por el diente que se le había roto durante su encuentro con Rhonda. Tenía una textura aserrada como un cuchillo que había sido utilizado para cortar rocas.

No pudo evitar preguntarse si Rhonda estaba bien, mientras recordaba la fuerza con la que le había golpeado la cabeza contra el suelo.

La joven se vistió e hizo la cama en silencio, como si estuviese en un trance. Tenía tantas cosas en las que pensar, tantas cosas que sentir, que solo quería que tu mente volviese a dormir. Quería olvidar todo lo que había ocurrido en los últimos días... Quería olvidarse de Zafrina, de Melibea, del entrenamiento en el bosque y por encima de todo... quería olvidarse de Arvel.

Pero no quería olvidarse de Kilyan.

Mientras terminaba de abrir las cortinas para que algo de luz entrase en su cuarto, alguien llamó a la puerta principal.

Chi bajó los escalones, despacio, pues realmente no había nadie del gremio a quien quisiese ver en aquel momento.

Cuando abrió la puerta se encontró con Naeko. La joven le dio una pequeña sonrisa, antes de hablar.

—¿Cómo te encuentras?

—He estado mejor —respondió la joven, sin mirar a su compañera a los ojos.

—Siento mucho lo de ayer... Siento que mi magia no fuese más útil.

—No es culpa tuya —Chi dejó escapar un suspiro cansado—. No fuiste tú la que me atacó.

—Lo sé... pero —Naeko se calló con brusquedad, sabiendo que intentar disculparse por no ser un dios omnipresente no tenía fin. Puede que su magia le permitiese ver el futuro, pero eso no significaba que fuese capaz de cambiarlo—. Tienes razón. Venía a decirte que tienes visita.

—¿Hikami ha venido a verme? —preguntó Chi, que por

primera vez en los últimos días, sintió alivio inundándole el estómago.

—No, unos compañeros de tu sector.

Los hombros de Chi se hundieron, pero no dijo nada más. Naeko la escoltó hasta la plaza principal, donde Ethan esperaba, sentado sobre el borde de la fuente, con los brazos cruzados. A su lado, Chi reconoció el pelo lacio y castaño de la que una vez había sido su compañera de sector y su única amiga... A su lado estaba Landom.

Sus ojos de reptil se afilaron al encontrarse con los del joven. ¿Qué estaba haciendo allí? ¿Había venido a atormentarla una vez más? Sintió una chispa de rabia en su corazón, que pronto se vio ahogada en un mar de cansancio.

Mara se dio vuelta al notar que los dos jóvenes con los que estaba habían fijado la mirada en algo detrás de ella.

—¡Kenra! —exclamó la joven, mientras cerraba el espacio entre ellas para darle un abrazo—. Te he echado de menos.

—Y yo a ti —dijo Chi, forzándose a sonar jovial. Todavía le estaba sosteniendo la mirada a Landom, que por algún motivo no la estaba quemando con los ojos. Tenía un aspecto casi... avergonzado—. ¿Cómo te encuentras?

—Mejor, hace una semana o así que me dieron el alta del hospital —la joven sonrió de oreja a oreja—. Deberías haberlo visto, Kenra, conseguí tumbar a 5 de nuestros compañeros antes de que pudiesen dejarme inconsciente... —la joven dejó la frase en el aire mientras su sonrisa se ensanchaba. Tenía chispas en los ojos—. Nunca me he sentido tan viva.

Chi sonrió con su compañera, pero no pudo evitar sentir

un poco de miedo en el bajo de su estómago. Mara daba miedo. A pesar de ser mucho más bondadosa que el resto de sus compañeros de sector, la joven todavía poseía aquella naturaleza violenta que era tan característica de los Volkai.

—Gracias —dijo—. Si no fuese por ti, no sé si habría conseguido sobrevivir aquella tarde.

—Tonterías, no te das suficiente crédito —Mara le rodeó los hombros con un brazo, haciendo evidente la diferencia de altura entre ellas—. Si hubiésemos peleado juntas estoy segura de que habríamos aguantado hasta que llegasen los profesores.

—Kenra —dijo Ethan después de unos momentos de duda. No había tardó en notar la tensión en los hombros de Chi y la forma en la que miraba al joven que había venido a visitarla como si se tratase de un animal voraz, listo para atacarla. Ethan no pudo evitar preguntarse si había cometido un error accediendo a aquella visita—. Siento no haberte avisado, pero pensé que sería una buena sorpresa dejar que tus compañeros te visitasen. Mara hizo todo el papeleo para solicitar una visita cuando la dieron de alta del hospital, y no lo aprobaron hasta ayer... Pero teníamos un entrenamiento planeado así que tuve que aplazarlo.

—En retrospectiva puede que hubiese sido mejor dejar que visitasen ayer —murmuró Chi, que falló a la hora de esconder la acidez en su voz.

Ethan intercambió una mirada angustiada con Naeko. Su estómago lleno de culpa.

—Vamos a dejaros en paz —dijo Naeko, haciéndole un gesto a Ethan para que la siguiese dentro de la taberna—. Tenéis todo el día para hacer lo que queráis en la ciudadela, unos guardias vendrán a escoltaros de vuelta a vuestro sector cuando lo necesitéis.

Los miembros del gremio desaparecieron del otro lado de las puertas de la taberna, dejando a sus estudiantes menores solos en la plaza. Chi sintió como su corazón se aceleraba con nervios, ahogando el sonido del agua salpicando en la fuente.

No pudo evitar sentir una punzada de rencor hacia sus compañeros por dejarla sola.

—Creo que sé lo que estás pensando... —comenzó Mara, que lucía una sonrisa incómoda. El corazón de Chi saltó.

—¿Qué estás haciendo aquí? —dijo ella, ignorando a Mara, con la mirada fija en Landom.

Los ojos de Chi estaban tan afilados que apenas parecían rendijas.

—He venido a disculparme —Landom frunció los labios, como si le doliese tener que decir aquellas palabras. Mara, que se había acercado al lado de su compañero, le dio un codazo. Landom, suspiró—. Lo siento —a Chi le molestó escuchar sinceridad en su voz, pues le había pillado por sorpresa—. Siento haberte atormentado durante años y siento haber hecho que el resto de nuestra clase hiciese lo mismo... No sabía que eras tan fuerte.

—Oh —dijo, con sarcasmo pintado una sonrisa repentina—. Así que... si sí hubiese sido tan inútil como creías que era durante todos estos años, ¿no te sentirías mal por todo lo que me has hecho?

Por primera vez desde que empezó a hablar, Landom alzó la cabeza, mirándola a los ojos. Tenía el ceño profundamente fruncido.

—Quiero decir que no... Porque sé que esa es la respuesta

correcta, pero no quiero mentirte —dijo honestamente—. Desde que somos pequeños nos han enseñado que no hay lugar para los débiles, no solo en la Academia, sino en el mundo. Somos una raza de predadores, toda nuestra existencia está basada en eso, la ley del más fuerte... Y tú no solo aparentabas ser débil, sino que ni siquiera tienes magia.

—Landom creo que te estás yendo por las ramas...

—No —dijo Chi, cuando Mara intentó interrumpir—. No es eso lo que nos enseñan en la Academia, eso es lo que tú has escogido creer.

Landom sacudió la cabeza.

—Por eso he venido hasta aquí, para disculparme. Estoy intentando cambiar... Pensé que esta sería una buena forma de empezar.

Chi le sostuvo la mirada, evaluando sus palabras. Quería decirle que se guardase sus disculpas, quería decirle que jamás le perdonaría y que se iba a aferrar a aquel dolor que sentía hasta que la pudriese por dentro... Pero podía escuchar la sinceridad en el latir de su corazón.

—No creo que pueda perdonarte y olvidarme de todo lo que has hecho. Pero aprecio la disculpa.

Mara y Landom suspiraron al unísono. La joven volvió a acercarse a Chi y le dio un abrazo. Los brazos de su excompañera la apretaron con fuerza, haciendo que los músculos de Chi se relajasen.

La joven había sufrido mucho durante los últimos años, durante los últimos días, pero se sentía mejor, como si la mano que le había estado oprimiendo los pulmones se hubiese relajado.

Podía respirar.

Los tres alumnos decidieron pasear por la ciudadela. Chi les enseñó la biblioteca, la sala de entrenamiento, su edificio, y el muro que les separaba del bosque. Durante aquel tiempo, hablaron de todo tipo de cosas gracias a Mara, quien se rehusaba a dejar que la conversación muriese.

La joven había notado el estado de Chi, la tristeza en sus ojos cada vez que su mirada se perdía por las esquinas. No sabía qué hacer o qué decir para hacerla sentir mejor... Probablemente nada, pero estaba dispuesta a enseñarle que cuando volviese al sector y a su clase, después de que el torneo llegase a un final, las cosas serán diferentes.

No iba a volver a la misma vida miserable que había vivido hasta ahora. Iba a volver a una vida diferente.

Los ojos de Mara se encontraron con los de Landom y ella sonrió. Se habían conocido desde pequeños, pues habían estado en la misma clase desde que fueron admitidos a la Academia. Habían sido rivales desde el momento en el que desarrollaron su magia y su sentido de superioridad.

Mara siempre le había considerado un amigo, a pesar de que no le gustaba su naturaleza cruel... Verle cambiar para mejor hacía que algo en estómago la llenase de calidez.

No sabía cómo, ni cuándo, pero estaba segura de que Landom había visto en Chi lo misma que ella vio durante aquel examen que pasaron juntas.

El aura de la joven había cautivado a Mara, la había deslumbrado incluso, y todo lo que hizo fue mirarla a los ojos y hablarle. Algo en Kenra era diferente, único, y al parecer había sido suficiente para que Landom reconsiderarse su forma de verla; no solo eso, sino su forma de ver el mundo.

Había un brillo en la expresión del joven que Mara entendía a la perfección, pero no podía explicar... Era algo parecido a la admiración, o a la adoración, como si Kenra fuese un ser completamente diferente a ellos.

—¿Qué? —Chi alzó la mirada al escuchar las palabras de Landom. El sol había comenzado a esconderse detrás de los edificios a medida que los tres caminaban de vuelta hacia la plaza central de la ciudadela—. ¿Isis es el reemplazo para Millien?

—Sí —dijo el joven—. Nitocris, la chica que te atacó en el sector es su hermana mayor, y se la llevó de vuelta con ella a su ciudadela.

—Creo que no era su decisión escoger un nuevo reemplazo, ya que ella no es la líder del gremio —comenzó Mara, que se encontraba entre sus otros dos compañeros—. Pero como se la llevó a la ciudadela sin permiso y como Bershat te escogió a ti, creo que eso puso a la administración en una posición difícil.

—La única razón por la que aprobaron a Isis es porque tuvieron que aprobarte a ti y supongo que no podían dejar que Millien escogiese a un alumno de último año para tener una ventaja. Mala publicidad.

Chi dejó escapar un suspiro. Realmente había deseado no tener que ver a Isis durante mucho, mucho tiempo, pero... ¿Desde cuándo el universo la había tratado bien?

—Nuestros profesores han estado insoportable desde que todo esto ocurrió, actuando como si el resto de nosotros no fuésemos suficientemente buenos porque dos de nuestra clase fueron elegidos para el Torneo.

—Ya —dijo Mara, concordando con Landom—. Como si vosotras dos siendo escogidas no fuese algo completamente fuera de lo normal... Aunque supongo que necesitan cualquier excusa para meterle caña a la clase. Son todos unos vagos; o estúpidos —la joven le dio una mirada a Landom, mientras sonreía.

—¿Qué estás insinuando? —el joven fue a darle un codazo, pero Mara se apartó, haciendo que Landom trastabillase—. Lo que sea. No sabíamos si te habías enterado de las noticias, eso es todo.

—Gracias por decírmelo —Chi bajó la mirada al suelo. No le habría gustado tener que enterarse de que Isis era parte del gremio de Kilyan durante el torneo... Pero no podía evitar preguntarse por qué el joven no se lo había mencionado en ningún momento—. Y gracias por venir, supongo que lo necesitaba más de lo que creía.

—Por supuesto, ojalá pudiese haber venido antes. La forma en la que te fuiste fue tan abrupta que nunca tuve la oportunidad de despedirme —Mara se detuvo. Podía ver a los dos guardias que habían venido a escoltarles de vuelta al sector, de pie en frente de la fuente, esperándoles. La joven se acercó a Kenra, abrazándola—. Creo que no voy a poder volver a visitarte, no es normal que dejen a alumnos normales venir hasta una de las ciudadelas... ni siquiera sé cómo es que aprobaron mi petición para venir esta vez.

—Yo tampoco lo sé, pero me alegro de que hayas venido —Chi respondió al abrazo, antes de separarse—. No sé cuándo volveré a verte, probablemente no será hasta que termine el Torneo... Te voy a echar de menos.

—Y yo a ti.

Los alumnos terminaron de despedirse y Chi se quedó allí de pie, en medio de la calle de piedra, hasta que les vio alzar vuelo con los guardias. La calle estaba desierta, pero podía escuchar todas las voces de sus compañeros dentro de la taberna. Chi dejó escapar un suspiro, antes de darse la vuelta y empezar a caminar, lejos de todo el mundo.

Capítulo 26

Chi se encontraba sentada en el tejado de su edificio, con las rodillas contra el pecho y sus brazos arropándole las piernas. Llevaba allí un par de horas, contemplando el cielo a medida que este se oscurecía.

Había pasado el día escondida en lo que ahora llamaba su casa, aquel edificio cubierto de enredaderas y piedra agrietada, pensando y recapacitando. Con suerte nadie más vino a visitarla aquel día, pues necesitaba el silencio, la tranquilidad.

Y ahora necesitaba a Kilyan.

Alzó la vista al cielo, cuyas nubes escondían cualquier rastro de estrellas. Había decidido continuar como siempre lo había hecho, encerrando todas las memorias como las del día anterior en un baúl que no debía de ser abierto. No era la primera vez que uno de sus compañeros había cruzado aquella línea, no era la primera vez que se había escondido en su casa y había llorado, preguntándose cómo iba a dar la cara ante un grupo de gente que había intentado apagar su llama.

Se dijo a sí misma que lo que pasó ayer ni siquiera era lo peor que le había ocurrido nunca. Ahora no tenía que preocuparse de un grupo de gente, solo tenía que preocuparse de una persona: Arvel.

Su vida nunca había sido tan buena como lo era en aquel momento, jamás había tenido a tantos compañeros a los que considerase amigos. Aunque algunos pensasen como muchos otros lo habían hecho en el pasado, aunque algunos hubiesen jugado con su corazón antes de romperlo, todavía tenía a todos los demás. Todavía tenía a Ethan y a Ebony, que la cuidaban como a una hermana, todavía tenía a Mael, Naeko, y Nahuel, que le hacían compañía, y todavía tenía a Rhonda y a Kobu, que a pesar de todo se preocupaban lo suficiente como para entrenarla sin descanso.

Todavía tenía a Kilyan...

Fue entonces cuando escuchó el sonido distante de unas alas cortando la brisa nocturna. Chi escudriño la oscuridad, pero ni siquiera con su vista aguda fue capaz de distinguir la sombra que era Kilyan.

Descendió de las nubes, con sus alas de humo disipándose a medida que caía. Sus zapatos tocaron el suelo con gracia y sin perder un segundo en el aterrizaje, comenzó a caminar hacia ella, con sus ojos violetas brillando como si tuviesen luz propia.

—¿Cómo estás? —preguntó el joven.

—Mejor —respondió ella, con sinceridad. Kilyan se sentó a su lado en el tejado, reposando sobre sus codos—. ¿Puedo preguntarte algo?

—Lo que quieras.

—¿Por qué no me habías mencionado que Isis era el

reemplazo para tu gremio?

—¿La hermana de Nitocris? —preguntó él, a lo cual Chi respondió con un asentimiento—. No estaba seguro de cuál era tu relación con ella y tu último encuentro con Nitocris no fue demasiado agradable así que pensé que no sería uno de los mejores temas de conversación.

Chi bajo los ojos al suelo. No estaba segura de que tipo de respuesta estaba esperando de Kilyan, pero desde luego no una tan simple, tan... considerada. Estaba demasiado acostumbrada a esperar lo peor de aquellos que la rodeaban. Debería tener más fe en él.

—Unos compañeros de mi sector vinieron a visitarme hoy, fueron ellos los que me contaron que habías reclutado a Isis.

—Ya, *reclutado* —dijo Kilyan, con una sonrisa forzada—. Digamos que no tuve demasiado decir en la decisión.

Chi asintió en silencio, recordando lo que Mara y Landom le habían contado.

—¿Estás segura de que estás bien? —preguntó Kilyan, después de unos momentos en silencio.

Chi mantuvo la mirada fija en el suelo.

—Sí... Pero estoy cansada de ser una víctima, solo quiero pasar los días que faltan para el Torneo en paz —Chi hizo una mueca, pensando en lo poco que quería tener que ver a sus compañeros de gremio y sentir sus miradas sobre ella, viendo el incidente del bosque y nada más—. Pero no sé cómo hacerlo.

—Yo tampoco lo sé y ojalá lo hiciese, pero pase lo que pase siempre voy a estar aquí cuando me necesites —la joven observó cómo la mandíbula de Kilyan se tensaba y su ceño se fruncía con algo parecido a la rabia. Era tan extraño ver emoción en el rostro del joven, que a pesar de la naturaleza de su expresión, Chi la disfruto—. Si pudiese hacer desaparecer todos tus problemas, lo haría en un instante.

—A veces desearía haber terminado en tu gremio —murmuró—. Así no tendríamos que hacer esto, no tendríamos que vernos a escondidas en la noche.

—Es difícil no pensar así, en lo fácil que sería vernos todos los días y pasear por la ciudadela juntos... Pero agradezco que terminases en Bershat y que Ethan no me dejase traerte a mi gremio. Lo cierto es que a pesar de Arvel y a pesar de todo lo demás, al menos aquí tienes amigos y gente que se preocupa por ti... En Millien no habrías conseguido nada de lo que has conseguido aquí. En Millien estarías sola.

—No estaría sola... Te tendría a ti —susurró ella. Pero sabía que Kilyan tenía razón.

Había escuchado las historias sobre Millien y no eran buenas... eso sin mencionar que toda la razón por la que estaba allí en aquel momento era por culpa de uno de los miembros de su gremio.

Entraron dentro del edificio poco después y se sentaron sobre el baúl al pie de la cama de Chi. Kilyan había traído arroz de azafrán con pollo, suficiente para los dos. Hablaron de todo y a la vez, de nada, cualquier cosa que él pudiese pensar para hacerla sonreír. Se fueron a dormir igual que el día anterior, ella bajo las sábanas y Kilyan sobre ellas... Esperando hasta que la Chi se durmiese para ir a dormir en la butaca.

Su pesadilla de la noche anterior todavía estaba fresca en su mente, asaltándole cada vez que se quedaba en silencio. "Pesadilla" Pensó para sí mismo "Como si no fuese mi realidad". Se hundió aún más en esa butaca mientras sus párpados empezaban a cobrar peso. Observó el pelo de Chi, todavía de un rojo saturado a pesar de la oscuridad, y se preguntó a sí mismo si la joven pensaría tan bien de él si le conociese mejor... Si supiese lo que su piel era capaz de hacer.

A la mañana siguiente, la joven se despertó para ver que, al igual que el día anterior, Kilyan ya se había marchado.

Le costó mucho levantarse y tuvo que repetirse a sí misma que aquel era un día como cualquier otro y que no tenía nada de lo que preocuparse. Se vistió y salió de su edificio tan rápido como pudo.

Se apresuró para llegar hasta la plaza... Pero Kobu no estaba allí. Por supuesto que no estaba allí, hacía días desde la última vez que entrenaron.

Chi frunció el ceño, sintiendo como su fachada comenzaba a desmoronarse. "No" pensó, "Todavía no". La joven inspiró con fuerza, suprimiendo los susurros de lágrimas en sus ojos, antes de encaminarse hasta el hostal. Entró en el edificio y subió las escaleras con ferocidad. Voló por los pasillos hasta llegar a la puerta de Kobu.

Alzó la mano y la mantuvo a un par de centímetros de la puerta, titubeando. ¿De verdad era capaz de pretender que no había pasado nada? ¿De verdad era capaz de encerrar la abrumadora cantidad de cosas que sentía? Antes de que pudiese convencerse a sí misma de tener las respuestas a aquellas preguntas, la puerta se abrió frente a ella.

—¿Kenra? —preguntó el Lobo, sorprendido. Había escuchado a alguien subiendo por el pasillo hasta su puerta con decisión, pero había esperado ver a cualquiera de sus otros compañeros antes que a ella—. ¿Qué estás haciendo aquí?

—Llegas tarde al entrenamiento —dijo ella, fingiendo un tono amigable. Kobu la observó, perplejo—. ¿Qué? —preguntó ella, con un pequeño temblor en la voz.

—Nada —se apresuró a contestar Kobu.

El joven no era muy agudo en lo que a leer gente se trataba. No era él quien solía notar cambios en comportamiento o actitud... Pero se le hizo obvio el estado de Chi. Su compañera se estaba escondiendo detrás de una máscara peligrosamente fina, una máscara de normalidad... lo único que parecía mantenerla derecha frente a él.

Los dos bajaron las escaleras y salieron del hostal en silencio.

Kobu hizo todo lo que pudo para actuar como si aquel fuese un día como cualquier otro. Mantuvo a Chi ocupada como si su vida dependiese de ello; la hizo correr alrededor de la ciudadela sin descanso, hasta que la joven se desplomó sobre la fuente, hundiendo sus brazos en el agua fría.

—Has mejorado mucho desde que empezamos a entrenar juntos —dijo el Lobo, mientras la chica se echaba agua en la cara de forma compulsiva—. Desde el principio tu nivel ha sido tan alto como el del alumno promedio del Torneo y ahora estás muy por encima de cualquiera. Deberías estar orgullosa.

—Ya, pero eso no quita que todos los demás tengan magia.

—Es cierto, estás en una gran desventaja, pero eso no quiere decir que no tengas tus dones. Tienes que darte más crédito.

Chi dejó escapar el más pequeño de los suspiros, mientras observaba las gotas que caían de su barbilla chocando contra el agua en la fuente.

—Gracias.

La joven no tardó en despedirse y encaminarse hacia la biblioteca. Dudaba que Nahuel fuese a estar esperándola para sus clases, pero a pesar de eso, el joven pasaba gran parte de su tiempo perdido en los laberintos y montañas de libros en la biblioteca.

Chi abrió las pesadas puertas del edificio e inmediatamente se vio rodeada de hadas, que la mantuvieron iluminada incluso después de cerrar las puertas, dejando atrás la luz del sol.

La biblioteca no tenía demasiadas ventanas, probablemente debido a la cantidad de tomos y libros con papel centenario. A Chi le reconfortaba el olor mohoso de aquel lugar, el olor a tinta vieja y madera. Las bibliotecas de los Sectores no eran como aquella, estaban llenas de luz y libros recién transcritos.

Chi siguió el lento latir de un corazón solitario hasta encontrarse a Nahuel, encogido sobre un libro del tamaño de su torso. El joven tenía mechones de pelo rubio escapando de su coleta y cayéndole sobre los ojos... Pero parecía demasiado absorbido en su lectura como para notarlo.

—¿Nahuel?

El joven dio un pequeño respingo, mientras alzaba la mirada hasta su compañera. Chi, hizo una mueca, pues no pretendía asustarle.

—No te estaba esperando —dijo el joven con rapidez, obviamente sorprendido por la presencia de su compañera. Cerró el libro que había estado leyendo y se apresuró a rehacerse la coleta—. ¿Necesitas algo?

—Venía a nuestra clase —respondió en voz baja.

—Por supuesto —dijo Nahuel, después de unos segundos de silencio. Al igual que Kobu, no tardó en notar el aspecto desecho de la joven—. Lo siento... no tengo nada preparado ahora mismo, no esperaba que fueses a volver.

—No necesito una lección completa, solo necesito distraerme.

Nahuel hizo una seña hacia la silla delante de la suya y con una pequeña sonrisa, Chi tomó asiento.

—No es demasiado educativo... Estaba leyendo sobre los espíritus y las magias originales —el joven deslizó un par de los libros que había frente a él hasta su compañera, que los ojeó con curiosidad—. ¿Alguna vez has escuchado hablar de ellos?

—Si —respondió Chi mientras su sonrisa se ensanchaba—. No vivo debajo de una piedra.

Nahuel sonrió de vuelta.

—¿Qué sabes de ello?

—Solo que los dos espíritus de la creación le dieron vida a las cuatro magias originales: fuego, hielo, sangre, y viento. Y de ellas nacieron todas las otras magias que existen en nuestro mundo.

—Esa es una versión muy simplificada de la leyenda —comentó Nahuel.

—Es solo eso, una leyenda.

—Lo sé, lo sé... Pero todas las leyendas están basadas en algún tipo de verdad. ¿Te gustaría saber la historia del nacimiento de nuestro mundo?

Chi asintió. Nahuel abrió el libro que había estado

leyendo por las primeras páginas y comenzó a narrar en voz alta;

Al principio de los tiempos, antes de la era de los Volkai y las Magias que definen nuestro mundo, mucho antes de que hubiese testigos de nuestra historia, solo existían dos entidades: Shomei, el espíritu de la luz, y Ankoku, el espíritu de la oscuridad.

Por mucho tiempo, ambos espíritus vivieron separados por una fina línea. Donde acababa la luz empezaba la oscuridad y donde la oscuridad terminaba, comenzaba la luz.

En este mundo había una sola norma manteniendo el balance: los espíritus jamás debían de encontrarse. Shomei recorrería las tierras cubiertas por su luz y Ankoku merodearía allí donde la oscuridad rondase.

Así fue... Hasta que un día, ambos espíritus hallaron el borde de sus tierras y por primera vez se encontraron.

Los espíritus, fascinados por aquello que nunca habían visto, rompieron la única norma, la más sagrada... y se tocaron. Desde aquel momento Shomei y Ankoku dejaron de ser entidades puras, y comenzaron a corromperse el uno al otro.

Dentro de la luz hubo un pequeño retazo de oscuridad y dentro de la oscuridad había un pequeño destello de luz.

Los espíritus, horrorizados por aquello que jamás habían sentido, se separaron, y volvieron a recorrer las tierras en soledad... Pero aquello no devolvió el equilibrio que habían roto. Poco a poco los espíritus se vieron más y más corrompidos por las energías opuestas que crecían en su interior.

Shomei y Ankoku volvieron a encontrarse en la frontera y no tardaron en hallar una solución. Cada cierto periodo de tiempo, la oscuridad se arrancaría un pedazo de luz y la luz se arrancaría un pedazo de oscuridad.

De estos desechos nacieron las cuatro magias originales: Hielo, fuego, sangre y viento. Cada vez que Shomei y Ankoku tuviesen que purificarse, arrancando la materia opuesta, las magias originales se reencarnarían en un nuevo cuerpo y una nueva vida. Dos de ellas nacerán de la luz dentro de Ankoku y dos de ellas nacerán de la oscuridad en Shomei; dictando sus naturalezas... Pero cuál nacería de cuál siempre sería fortuito.

Poco a poco, más magias nacieron de las originales y pronto, nuestro mundo se vio abastecido de abundancia y diversidad.

Las magias originales continuaron sus reencarnaciones a través de los milenios, manteniendo el equilibrio en el mundo gracias a sus acciones, tanto buenas como malas...

Nahuel dejó la frase en el aire, antes de alzar la mirada del libro a Chi. Los ojos de la joven le observaban con curiosidad, esperando a que continuarse narrando la historia.

—Perdóname, no pretendía leer tanto.

—No me importa —se apresuró a decir ella, con una expresión expectante.

—Me alegro de que te haya interesado la leyenda de nuestros inicios, pero lo cierto es que quería hablarte de otra cosa —cerró el libro—. Solo me estaba asegurando de que tuvieses una buena base de información.

—¿De... qué querías hablar? —preguntó Chi, ligeramente confusa.

—¿Te acuerdas de cuando tuvimos la clase sobre las Guerras Territoriales? —ella asintió—. La pregunta del millón siempre es: ¿Cómo es posible que los Salvajes no solo soportasen la guerra contra las fuerzas continentales, sino que tuviesen semejante ventaja como para abandonar su tierra de origen e invadir la nuestra? Eran solo tribus de Volkai que vivían en paz, esparcidos por su continente, ni siquiera se les podía considerar una milicia, y aun así ganaron la guerra contra nuestro ejército.

Chi se encogió de hombros. Esas preguntas se le habían pasado por la cabeza mientras estudiaba el tema, pero no sabía lo suficiente sobre la guerra como para decir nada en voz alta.

—Normalmente las respuestas son excusas —dijo Nahuel—. Fue pura suerte o quizás estaban más afinados a sus instintos salvajes y por eso resultaban más letales en batalla. Lo cierto es que ninguna de esas respuestas me ha satisfecho nunca. Prácticamente todos los miembros de nuestro ejército fueron estudiantes de esta academia, la escuela más prestigiosa de las tres naciones, donde solo los mejores de los mejores son aceptados. ¿Y se supone que esas tropas perdieron la guerra contra salvajes? —Nahuel negó con la cabeza.

—¿Y entonces? —preguntó Chi. Las plantas de sus pies picaban con curiosidad mientras tamborileaba los zapatos contra el suelo—. ¿Cuál es la respuesta?

—No la sé —admitió, haciendo que su compañera frunciese el ceño—. Pero tengo una teoría. ¿Sabes cuál es la otra pregunta sin respuesta? Cuál era la magia del líder de los Salvajes. He leído informes de soldados que decían que el líder de los salvajes podía mover gente con la mente, he leído que podía hacer caer al más fuerte de los soldados de rodillas sin ni siquiera moverse... ¿Qué tipo de magia es esa, Chi?

—No estoy segura...

—Ni tú ni nadie —interrumpió él—. ¿Pero sabes qué magia es descrita de esa forma en los libros de historia? La única magia que no existe en la naturaleza, la magia de sangre.

—¿Una de las magias originales?

—Sí, la única de ellas que nunca ha sido presenciada.

Chi frunció el ceño, observando la pila de libros al lado de su compañero. Todos ellos hablaban de las Guerras Territoriales o de las Magias Originales... Pero no había ninguno hablando de lo que Nahuel le estaba contando.

—¿Cómo estás seguro de que no es cualquier otra magia? —preguntó ella, con escepticismo—. Los Salvajes son famosos por practicar brujería en vez de magia.

—Pero la brujería requiere rituales, cantos y diagramas. El hombre que lideró a los Salvajes durante la guerra no hacía ninguna de esas... Créeme, he leído muchísimos informes.

—Pero si eso fuese cierto, lo sabríamos. Una magia como esa no pasaría desapercibida, especialmente durante una guerra.

—Lo sé —Nahuel se encogió de hombros, y dejó escapar un suspiro—. Llevo mucho tiempo intentando encontrar las piezas que le faltan al rompecabezas de la guerra y el hecho de que todas estas cosas no estén en los libros de historia me preocupa.

—Nahuel... ¿Cuánto tiempo llevas aquí dentro?

—Este tipo de trabajo me calma —dijo el joven—. Y... la ciudadela ha estado muy tensa estos últimos días.

Chi dio un pequeño asentimiento, deseando tener algo como lo que tenía su compañero... algo capaz de calmarla y ayudarla a desconectar del mundo real.

—Creo que me gustaría volver a nuestra rutina... yo también necesito la distracción.

—Por supuesto. Solo quedan dos semanas hasta que se reanude el torneo. Pero hasta entonces, seguiremos estudiando todos los días. Mañana tendré algo preparado... Así no tendrás que escuchar mis teorías.

—Gracias.

Ambos se quedaron en silencio, el aire pesado a su alrededor. Las hadas flotaban como motas de polvo, con lentos zarandeos. Había muchas cosas que Nahuel quería decirle a su compañera... y había muchas cosas que Chi no quería escuchar.

Era difícil actuar con normalidad cuando ambos eran conscientes de lo que Arvel había intentado... y que el gremio había decidido no reportarlo para no perder a su miembro más poderoso.

—No quiero imponerme, ni meter la nariz donde no me llaman... Pero si necesitas hablar de cualquier cosa, siempre voy a estar aquí, Chi. Sé que ahora mismo no lo parece, pero estamos todos de tu lado y las cosas mejorarán poco a poco.

—Lo sé —dijo ella mientras se levantaba de su silla—. Lo sé —repitió una vez más...

Ambos sabían que estaba mintiendo.

Capítulo 27

C *hi pasó la siguiente semana* y media volcando toda su atención en su entrenamiento, tan intenso que al final de los días se desplomaba sobre su cama, dolorida y cansada. Pero lo apreciaba.

Sabía que Kobu, Ethan y Rhonda estaban haciendo su parte, tanto para prepararla como para distraerla. Distraerla del hecho de que Arvel no había vuelto a dar la cara desde que la había atacado en el bosque y que nadie sabía dónde estaba; distraerla del hecho de que el Torneo comenzaba en menos de cuatro días.

Pero si conseguía poner su miedo y sus dudas a un lado, se sentía preparada. A veces, cuando el silencio la engullía, le gustaba pensar en su vida antes de la Zona Central. Había cambiado mucho en aquel mes, había alcanzado un nivel físico que nunca antes había siquiera atisbado... era increíble lo que se podía conseguir con un poco de esfuerzo.

Nahuel, dándole la espalda, continuó anotando cosas en la pizarra móvil que había montado al final de la mesa donde se sentaban todos los días. Habían dejado de lado las clases para que Chi pudiese aprender las magias de los alumnos más notorios del Torneo.

Había cinco columnas diferentes; cinco gremios que, al igual que Bershat, todavía peleaban en el Torneo.

Millien, Ziyoú, Chestána, Ikory y Amirata.

Debajo de cada gremio había una lista de nombres, y debajo de casi todos ellos, había pequeñas descripciones de sus magias.

Chi y Nahuel habían pasado los últimos días estudiando cada nombre, pero a la joven se le hacía imposible memorizar quien estaba en que gremio y cuáles eran sus magias... Los estudios nunca habían sido su fuerte, y mucho menos cuando se basaban en memorizar.

Su compañero dejó escapar un profundo suspiro.

—A veces se me olvida que no todo el mundo puede recordar cosas como yo.

—Lo siento.

—No te disculpes —dijo Nahuel mientras se sentaba del otro lado de la mesa. No había dejado de jugar con la tiza que sujetaba en la mano, manchando sus dedos de blanco. Estaba obviamente tan nervioso como ella—. Creo que lo importante es centrarse en aquellos que suponen un mayor peligro para ti... —el joven ojeó la pizarra una vez más y volvió a suspirar—. Es difícil pensar en quien *no* es una amenaza para ti. Creo que en principio quieres mantenerte alejada de Millien, especialmente de Lorelei, Judas y el Anacreón.

—¿Kilyan? —preguntó la joven, antes de poder detener su lengua. Su compañero la miró de reojo.

—Sé que os conocisteis aquella vez en el Sector del Sigilo

y sé que técnicamente te salvó la vida... Pero a uno no se le nombra en honor a uno de los Dioses de la Miseria por nada —Chi ladeó la cabeza, intentando disimular una mueca—. Aparte de poder controlar veneno como si de un elemento se tratase, la razón por la que lleva guantes y se cubre de arriba abajo incluso en pleno verano es porque no puede controlar el veneno que emana de su piel. Es como ácido, capaz de corroer todo lo que toca.

—¿En serio? —preguntó la joven. No podía pensar en ni un solo momento en el que Kilyan se hubiese quitado los guantes en su presencia. ¿Era esa la razón por la que Chi notaba al joven deslizarse de su cama todas las noches para dormir en la butaca? ¿Era... esa la razón por la que sus dedos nunca se habían rozado?

Nahuel asintió.

—Puedo contar con una sola mano los alumnos capaces de vencerlo en combate, por eso él es el primero en mi lista de gente con la que no quieres tener que pelear —el joven se inclinó hacia delante, sobre la mesa, cerrando el espacio entre ellos—. Lo digo en serio, Chi, y sé que Ethan te diría exactamente lo mismo, si alguna vez tienes que enfrentarte a él en una pelea, quiero que te rindas de inmediato —Chi le sostuvo la mirada, y sus brazos se erizaron bajó la intensidad de sus ojos azules—. No son muchos los que han muerto a manos del Anacreón... Pero todos fueron accidentes.

Ambos se quedaron en silencio durante unos segundos. Chi continuó observando a su compañero que parecía morar en sus memorias. No podía imaginarse lo que sería de ella si se viese obligada a recordar todas las experiencias traumáticas que había sufrido y presenciado... y ni siquiera había presenciado una muerte en su vida.

—Hay magias que son demasiado destructivas para su propio bien. No puede ser fácil tener el poder de apagar una vida en cuestión de segundos... —Nahuel ojeó la pizarra una vez más—. Hablando de apagar vidas en segundos, Lorelei posee una magia similar a la del Anacreón. Su tacto es letal, pero a diferencia de su compañero, Lorelei puede controlarlo a voluntad. No recomiendo pelear cuerpo a cuerpo con ella.

—Qué magia tan específica —murmuro Chi.

—Sí, es realmente extraño, ¿verdad? —Nahuel sacudió la cabeza—. Quién sabe lo que tiene que pasar a nivel genético para generar un poder así.

La joven tragó saliva, nerviosa. Nahuel había dicho que por encima de todo, había tres alumnos de los que debía mantenerse alejada... No se imaginaba quién podía estar en esa lista, no solo con Kilyan, sino con alguien capaz de matar al tacto.

—¿Quién... es la última persona?

—Judas —respondió Nahuel, girándose sobre su silla para mirar la pizarra. Chi siguió su mirada hasta la columna de Millien. Kilyan era el primero, "Veneno" estaba escrito debajo de su nombre. Lorelei era la siguiente y debajo de ella, Judas. "Explosiones" ponía en la pizarra, con la letra cursiva y elegante de su compañero—. Si no fuese por el Anacreón te diría que él es de quien tienes que preocuparte más. Su magia crea explosiones, convulsiones espontáneas del aire... Desde petardos hasta explosiones capaz de demoler edificios enteros.

—¿De verdad hay alguien así en el Torneo?

—Sí, pero lo peor de Judas no es su magia. A diferencia de Kilyan, que no parece querer matar, y a diferencia de Lorelei,

293

que solo mata cuando le conviene; Judas lo hace por deporte —el rostro de Nahuel se contrajo con una mueca lúgubre—. Hay otros como él, especialmente en Millien... Judas es el más notorio.

—¿Por qué hay tantos alumnos así en ese gremio?

—Esa es una muy buena pregunta... ¿Por qué es nuestro gremio el que está lleno de idealistas? El gremio de la virtud —Nahuel sacudió la cabeza—. Creo que es parte del espectáculo. Bershat y Millien siempre han sido los gremios rivales, bien y mal, luz y oscuridad... algo que ver con los espíritus de la creación. Pero al final del día es todo para mantener al público entretenido y con las carteras abiertas.

Los tacones de Hikami resonaron apresurados sobre el suelo de mármol, como truenos chillones. La pared a su derecha no era más que cristal, separándola de nubes y bandadas de pájaros. La mujer llevaba tanto tiempo viviendo en el Palacio del Cielo que ya no se paraba a mirar más allá del cristal y admirar el hecho de que se encontraban flotando a millas del suelo.

A veces, en los días nublados, ni siquiera se podía ver un atisbo de la Academia.

Los rayos de sol que inundaban los pasillos del palacio creaban reflejos rojos y dorados en el suelo cuando brillaban sobre las paredes talladas con dibujos de dragones dorados y fuego carmesí.

El ceño de la magistrada se frunció cuando el silencio absoluto del pasillo se vio interrumpido, no solo por el rítmico ruido de sus pasos, sino por el sonido de una voz alta, grave y enfadada.

Pocos segundos después, la voz se aclaró lo suficiente como para que Hikami la reconociese.

—¡NO, no me importa! —grito la voz del joven.

Una segunda voz respondió, demasiado calmado y bajo como para que la mujer pudiese escuchar la respuesta.

—¡Es mi gremio, mi familia! —unos segundos de silencio siguieron los gritos—. ¡Teníamos un acuerdo y más te vale respetarlo!

La puerta al final del pasillo se abrió de golpe haciendo que la madera chascase contra la pared. Arvel salió de la oficina, sus ojos celestes afilados como dagas.

La magistrada mantuvo su mirada fija en la figura oscura del muchacho mientras este se acercaba a ella por el pasillo, como un huracán de tela negra. Se miraron el uno al otro, con una mezcla de desconfianza y hostilidad.

El aire se enfrió varios grados cuando Hikami y Arvel pasaron de largo. La mujer continuó caminando, con su ceño fruncido profundizándose aún más.

—¿Y a él que le pasa? —preguntó la Magistrada. Se dio vuelta y extendió los brazos, cogiendo una manilla con cada mano y cerrando las puertas de la oficina.

Yule dejó escapar un suspiro molesto.

Hikami le miró de reojo, mientras se sentaba en uno de los dos sofás que se encontraban en medio de la sala, sobre una gruesa alfombra repleta de garzas, tigres y cerezos en plena flor. Su corazón dio un pequeño vuelco de nostalgia, recordando cuando vio por primera vez aquella alfombra, adornando el salón en el que había pasado su niñez y representando la belleza de Yamagora.

Dejó los documentos que había estado cargando sobre la

mesa de café frente a ella y se recostó sobre el sofá.

El Director, que había estado observando la vista detrás de él, más allá de sus paredes de cristal, hizo girar su silla para darle la cara a su nueva visitante. Parecía cansado, desgastado.

—Sabes exactamente lo que le pasa.

La mujer sonrió.

—¿Y qué vas a hacer al respecto?

—¿Qué puedo hacer al respecto? —contraataco Yule, entornando los ojos hacia la Magistrada—. No puedo hacer lo que él quiere, no puedo hacer lo que tú quieres y desde luego no puedo hacer lo que yo quiero. Tengo las manos atadas y lo sabes.

—Lo que tú digas Yarak —la voz de Hikami se tornó agria—. Pero los dos hemos invertido demasiado tiempo y dolor para que este plan tuyo fracase porque no quieres crecer un par y poner tu carrera en la línea.

—Sin mi carrera no tendríamos el poder de hacer lo que estamos haciendo.

—¿Y qué es exactamente lo que estamos haciendo? —respondió, alzando la voz más de lo que pretendía—. ¿Estar aquí sentados? ¿Esperando a qué exactamente?

El Director se levantó de su asiento con brusquedad, y golpeó su escritorio de cerezo macizo con la mano abierta.

—Puedes seguir ahí sentada, culpándome de circunstancias fuera de mi control o puedes ir a visitar a tu *hija* y asegurarte de que está bien —antes de que pudiese detener su lengua, unas palabras ácidas se le escaparon—. ¿Cuándo fue la última vez que fuiste a verla?

296

Ambos se sostuvieron la mirada, Hikami quería seguir discutiendo y echándole en cara toda aquella situación en la que se encontraban... Pero tal vez era solo porque en el fondo se culpaba a sí misma.

—Voy a bajar a darle su uniforme mañana.

—Bien —respondió el hombre, mientras volvía a sentarse—. Gracias por traerme los papeles.

—De nada —masculló ella, entre dientes, antes de salir de la oficina.

Dio un portazo mientras bajaba por el pasillo, de la misma manera que Arvel había hecho hacía unos minutos.

Chi se despidió de Nahuel y cuando salió de la biblioteca, el cielo era una mezcla de azul oscuro y rojo carmesí, advirtiendo el final del día. La joven dejó escapar un suspiro lleno de alivio y a la vez, ansiedad. Un día más había pasado en el que había conseguido mantenerse distraída; un día menos que la separaba del Torneo.

Pasó la taberna de largo mientras caminaba de vuelta hasta su casa. Quiso entrar y saludar a sus compañeros, quizás jugar cartas con Mael o hablar con Ebony... Cualquier cosa para mantener aquel falso sentimiento de normalidad que tanto añoraba.

Pero estaba demasiado cansada.

Prácticamente arrastró los pies hasta su edificio. Subió las escaleras con lentitud y abrió la puerta de su habitación, que dio un pequeño chirrido. Como la mayoría de los días anteriores, lo único que consiguió quitarse fueron los zapatos antes de desplomarse sobre la cama. Cerró los ojos y pensó para sí misma que dormiría un poco mientras el cielo terminaba de oscurecerse, antes de que Kilyan viniese a visitarla.

Se acurrucó sobre las sábanas, haciéndolas un burruño entre sus brazos. La joven tardó segundos en caer inconsciente, a pesar de las últimas luces del atardecer derramándose sobre su cama.

Chi abrió los ojos. Se encontraba sentada sobre un suelo de piedra blanca en una habitación fría y vacía. Miró a su alrededor, a los techos altos y las paredes de cristal. Se sentía fuera de lugar y a la vez, algo familiar se sentaba en su estómago.

Bajó la mirada hasta sus manos, que reposaban en el regazo. Llevaba un vestido blanco y aireado, suave como nada que hubiese tocado nunca. Volvió a mirarse las manos una vez más, mientras acariciaba la tela de seda. ¿Por qué eran sus manos tan pequeñas y rechonchas? ¿Como las de un niño pequeño? ¿Y por qué era la habitación en la que se encontraba tan grande?

Antes de que pudiese pensar en nada más, sintió algo cálido sobre sus labios, en su boca, antes de que un puntiagudo sabor metálico le atacase las papilas. Una gota de sangre cayó sobre su vestido, seguido de otra gota y otra más.

Se llevó una de sus pequeñas manos a la boca y al apartarla, vio sus dedos cubiertos de rojo. Gritó y el sonido se vio ahogado, como si estuviese bajo agua, hasta que volvió a abrir los ojos.

Sus pupilas se afilaron hasta casi desaparecer cuando vio una figura negra sobre ella. La mano de la silueta estaba sobre su boca. La joven intentó chillar, horrorizada, al notar el sabor de sangre en su boca.

Utilizó toda la fuerza que pudo reunir en aquel momento de pánico para quitarse a aquella persona de encima. La figura salió volando, hasta chocar contra una de las paredes de la habitación, agrietando los ladrillos. Un sonido metálico llenó la habitación. Polvo de yeso se derramó sobre el suelo de madera cuando la figura se desplomó, resollando por la fuerza del golpe, seguido de un tintineo metálico.

Chi giró sobre sí misma, cayéndose sobre sus manos y rodillas. Abrió la boca y comenzó a toser, derramando toda la sangre que había en su boca sobre el suelo.

¿Qué estaba pasando? ¿Era esa la sangre de su atacante? ¿Estaba intentando que la tragase?

Se levantó con rapidez, sus ojos rojos brillando con una mezcla de miedo y adrenalina.

Dio un paso hacia su atacante, el cual se levantó con agilidad, listo para pelear, pero en aquel instante, Chi comenzó a toser. Una sensación de ardor la inundó por dentro. Se llevó las manos a la garganta, mientras su expresión se contorsionaba con dolor.

Se tambaleó.

La figura dio un paso atrás, hacia la puerta, mientras la chica colapsaba en el suelo. Su cuerpo comenzó a convulsionarse y el silencio fue roto por sus gritos. Sin decir o hacer nada más, la figura se dio la vuelta y huyó, tan silencioso como cuando había llegado.

Chi miró más allá de la puerta, llena de una repentina ola de rabia que pronto fue ahogada por el dolor.

Agonía.

La joven hizo un sonido espeluznante entre sus alaridos de dolor, como si sus pulmones se hubiesen quedado sin aire al ser aplastados. Se sacudió con fuerza contras el suelo de madera, intentando apagar un fuego que no existía.

Su cuerpo estaba en llamas.

Podía sentir la sangre en sus venas ardiendo, como si fuese metal ardiente, líquido. En su cabeza escuchó decenas de gritos, aullando con tanta fuerza que la joven se llevó las manos a los oídos, intentando hacer cesar el sonido.

Sus sentidos estaban tan abrumados y el dolor que sentía era tan intenso, que su mirada comenzó a nublarse. Inundada por pánico, comenzó a chillar con todas sus fuerzas... pero apenas podía escuchar su voz por encima del ruido en su cabeza.

Sus gritos resonaron más allá de su edificio, por las calles de la ciudadela.

Y entonces, silencio.

Capítulo 28

C hi *se despertó rodeada* de blanco. Se incorporó rápidamente, entornando los ojos. Había una ventana a su derecha con las cortinas abiertas, dejando que la luz se reflejase y rebotase en las paredes y suelos blancos. Cuando fue a tocarse la cara, notó que algo tiraba de su brazo. Dos tubos finos la conectaban a una bolsa llena de líquido azul. Los arrancó con rapidez, sintiendo una pequeña punzada de dolor.

Se sentía tan desorientada, tan cansada... y por alguna razón, enfadada.

Alguien llamó a la puerta, pero Chi mantuvo los ojos pegados a sus pies desnudos, en silencio. Ethan entró lentamente, hasta que notó a la joven sentada al borde de la cama.

—¡Chi! —el joven terminó de abrir la puerta de golpe y se acercó a su compañera con rapidez. Se arrodilló a su lado, intentando ver su cara atrás de la cortina roja de su pelo—. Como me alegro de que estés despierta. ¿Cómo te encuentras? ¿Qué te ha ocurrido?

—¿Dónde estamos? —susurró ella, ignorando las preguntas de su compañero.

—En el hospital de la Zona Central... Chi necesito que me digas que te ha ocurrido —Chi pensó para sí misma que eso explicaba la habitación blanca y aquel olor estéril—. Ninguno de los sanadores ha conseguido averiguar lo que te ha pasado.

—No estoy segura... me desperté con alguien encima. Tenían la mano sobre mi boca y estaban sangrando.

La joven cerró los ojos, dejando escapar un suspiro tembloroso. Un escalofrío le recorrió el cuerpo. "¿Por qué?" Se preguntó a sí misma.

—¿Qué? ¿A qué te refieres con que estaban sangrando? ¿Tienes alguna idea de quién?

—No, pasó todo demasiado deprisa. Su mano estaba sangrando y la tenía puesta sobre mi boca —por primera vez, Chi miró a Ethan a los ojos—. Intenté defenderme. No podía moverme y dolía tanto...

—Chi, Chi, no pasa nada, ¿Té... encuentras mejor?

—No, Ethan, no me encuentro mejor —mientras aquellas agrias palabras escapaban de su boca, escuchó tres pares de zapatos azotando el suelo al unísono, acercándose por el pasillo—. Estoy tan... enfadada. Tan enfadada que la garganta me duele al hablar y no sé cómo hacer que pare —Chi mantuvo su mirada, empañada con miedo y furia y confusión, sobre la de su compañero.

—Chi...

Antes de que pudiese decir nada más, Hikami entró por la puerta que Ethan había dejado abierta. Detrás de ella, Jack y Rax siguieron.

—Dejadnos, por favor —dijo la mujer sin siquiera mirar

302

a Ethan. El joven dio un pequeño asentimiento antes de levantarse y caminar hasta la puerta que uno de los guardias cerró a su espalda.

—Chi, mi amor —Hikami se sentó sobre la cama, dejando caer aquel velo duro y frío que siempre vestía, y le dio un gran abrazo, el cual Chi recibió quieta como una estatua—. Uno de los sanadores me ha puesto al día de lo que ha ocurrido. ¿Cómo te encuentras? ¿Qué necesitas?

—¿Dónde has estado? —dijo Chi, después de unos segundos de silencio. Tenía el ceño fruncido con fuerza, como si su expresión estuviese intentando suprimir todas las emociones que estaba sintiendo en aquel momento. Hikami pasó un dedo por el pelo de la joven, poniéndoselo detrás de la oreja.

—¿A qué te refieres...? En el palacio por supuesto.

—¿Has estado en la Academia todo este tiempo? ¿Por qué siempre tengo que terminar en el hospital para que vengas a visitarme? Ha pasado casi un mes desde mi primer día en el gremio, desde la última vez que viniste a verme.

Un resentimiento infundado y puramente egoísta la llenó por dentro.

—Estas últimas dos semanas han sido unas de las peores de mi vida. ¿Pero cómo puedo esperar que lo sepas? Ni siquiera tengo una forma de ponerme en contacto contigo.

—Chi, sabes que siempre puedes pedirle a algún guardia que me envíen un mensaje o que te lleven al palacio para verme.

—¡No debería de tener que hacer ninguna de esas cosas para hablar con mi madre!

Hikami frunció los labios y se apartó de la joven. La Magistrada no terminaba de entender lo que le estaba ocurriendo a Chi o de dónde provenía aquella agresión tan repentina.

—Sabes que no soy tu madre.

—Lo sé, porque desde luego no actúas como una —cada palabra que salía por su boca se escapaba antes de que pudiese pensar. Cada una de ellas era como un puñetazo en el estómago. ¿Por qué estaba diciendo todas esas cosas?—. No tienes derecho a aparecer en mi vida un par de veces al año y darme un par de palmadas en la espalda para que puedas sentirte bien contigo misma. Para ti no soy más que una obra de caridad, ¿verdad?

—Sabes que eso no es cierto... lo sabes —Hikami miró a la niña a los ojos y lo único que vio fue ira—. No sé qué es lo que te ocurre, pero creo que será mejor que vuelva cuando te hayas calmado —se levantó y le dio una mirada a sus guardias, que estaban de pie en silencio, a faltos de palabras. Hikami tampoco sabía qué contestar. Jamás había presenciado a Chi actuando de semejante manera... y no tenía ni idea de cómo responder.

—Me ocurre que anoche alguien entró en mi casa y me atacó, me ocurre que uno de mis compañeros de gremio intentó matarme durante un entrenamiento, me pasa... que a pesar de que eres una Magistrada, no hiciste *nada* para sacarme de este agujero.

—¿De qué compañero estás hablando? —preguntó la mujer, ignorando el último comentario de Chi—. Haré que le expulsen de la Academia.

Chi negó con la cabeza, no era eso lo que quería, no podía hacerle eso a su gremio. Lo que quería era ser reconfortada... o quizás solo quería hacer que Hikami se sintiese igual de impotente que ella. La joven se llevó una mano a la cabeza, sintiendo una presión repentina.

—No sabes todo lo que he hecho para intentar sacarte de aquí, todos los favores que he pedido, todos los puentes que he quemado. Pero no está en mí poder tomar ese tipo de decisiones. Necesito que me des algo con lo que pueda ayudarte, un nombre, una necesidad...

—Lo único que necesito es no estar sola.

La mujer se mordió el labio mientras se levantaba.

—No puedo darle la espalda a mis responsabilidades y no puedo enviar a Jack y a Rax a vivir contigo... Ya no eres una alumna cualquiera, ahora eres un miembro de la Zona Central. Hay reglas, expectativas, miradas... rumores —Hikami dejó escapar un suspiro cansado, notando que el enfado de Chi comenzaba a menguar... solo para ser reemplazado con tristeza. Cerró los puños con fuerza, maldiciendo aquella situación en la que se encontraban—. Creo que deberías descansar. Volveré a visitarte pronto.

—Eso es lo que dices siempre —murmuró mientras se tumbaba de vuelta en la cama, dándoles la espalda—. El torneo empieza pronto... Quizás no haya una próxima vez.

Hikami salió de la habitación tan rápido como había llegado. Ambos guardias dudaron un instante antes de seguirla. El rostro de la mujer se descompuso con rabia en cuanto se alejó lo suficiente de la habitación.

—Quiero una audiencia con el Director antes de que anochezca —los tacones de Hikami resonaron por el pasillo—. Alguien va a pagar por esto.

—Entendido —respondió Jack.

Ethan entró en la habitación, momentos después de que

la Magistrada y los guardias desapareciesen al final del pasillo. Dejó escapar un suspiro tenso.

—¿Chi? —a pesar de toda la luz que inundaba la habitación, la atmósfera era sombría. Chi se encontraba acurrucada al borde de la cama más alejado de la puerta, escondida debajo de las sábanas casi por completo—. ¿Estás bien?

—No —respondió ella, con voz baja y temblorosa—. Estoy agradecida de haberte conocido a ti y a todos los demás. Pero... ¿Por qué tuviste que elegirme a mí?

Con aquellas palabras, la joven se dio la vuelta para mirar a su líder de gremio a los ojos.

Ethan sintió como su corazón se desplomaba hasta su estómago al presenciar la expresión rota de Chi... Sus ojos, plagados por lágrimas, le observaron con una desesperación confusa, un dolor que él no creía poder entender. Hizo todo lo que pudo para que su expresión no reflejase la de ella, pero le dolía; le dolía porque todo lo que le había pasado a Chi había sido porque él había decidido traerla, porque él la vio y fue cegado por su brillo, su encanto... su misterio. Todo aquel tiempo, Ethan se había escondido detrás de una sola excusa. Si no la hubiese escogido a ella, si no la hubiese traído al gremio, Chi habría sucumbido a manos de sus compañeros de sector. Se convenció a sí mismo de que la estaba salvando de un futuro condenado y a cambio, le había dado uno lleno de posibilidades... Pero a lo mejor, en vez de eso, la había sometido a un futuro peor.

Un futuro en el que su sufrimiento sería prolongado y doloroso, en vez de rápido y certero.

—Lo siento... De verdad que lo siento.

306

Chi pasó el resto del día dormitando y luchando con oleadas de rabia que salían de la nada, como los vientos implacables e imprevisibles del invierno. La tristeza era algo con lo que estaba familiarizada, pena y soledad habían vivido con ella desde que tenía memoria... Pero nunca aquel enojo. Incluso cuando se trataba de sus compañeros de sector, nunca había sentido odio o ira.

Era una emoción que la asustaba. Una emoción capaz de empujarla a hacer cosas de las que se arrepentiría. Una emoción que tenía que suprimir.

Afuera de su habitación escuchó a Ethan y Ebony discutir con varios sanadores diferentes, que urgían para que Chi se quedase en el hospital, pues no tenían ni idea de lo que le había pasado o si iba a volver a ocurrir.

Pero el Torneo empezaba en menos de tres días y tenían que volver a la ciudadela para prepararse.

Cuando el atardecer cayó sobre la Academia, Ethan voló con Chi de vuelta a la ciudadela.

Lo único que la joven quería hacer era volver a su casa y esconderse en los brazos de Kilyan durante aquellos últimos días que tenía para calmar su mente y corazón. "Kilyan" Pensó ella "Debe de estar preocupado".

—Tienes que comer algo —dijo Ethan, guiándola hacía la taberna. Chi podía escuchar el sonido de múltiples voces emanando del otro lado de las puertas de la taberna y no pudo evitar encogerse ante el pensamiento de tener que ver a sus compañeros—, Sé que estas últimas semanas han sido mucho y sé que lo que ocurrió ayer... —el joven detuvo su hablar, sin saber cómo articular sus pensamientos—. Lo que quiero decir es que todavía estamos aquí para ti. Puede que no te lo parezca ahora mismo. Pero eres parte de nuestra familia... y como una buena familia, nos preocupamos de tu bienestar.

Chi no dijo nada, pues no sabía qué responder. Como su compañero había dicho... Ella no se sentía como un miembro de la familia.

Ethan abrió las puertas de la taberna y las voces de sus compañeros se apagaron, mientras los dos jóvenes bajaban las escaleras.

—Kenra —Ebony la llamó desde la barra—. Siéntate, vamos a servir la cena en unos minutos.

El rostro de su compañera se iluminó con una gran sonrisa mientras desaparecía detrás de las puertas que daban a la cocina. Un olor penetrante a pollo asado recorría el edificio.

Chi dio un par de pasos hacia adelante, con Ethan todavía a su lado. Su líder de gremio la guio hasta Kobu, quien se encontraba sentado en una de las mesas.

—¿Cómo te encuentras? —preguntó el Lobo.

—Mejor —respondió ella en un susurro.

Las conversaciones habían vuelto a revivir por toda la taberna. A pesar de la tormenta que bullía en su interior; Chi se sintió reconfortada en aquel ambiente cálido y familiar, rodeada de risas y tranquilidad.

—Me alegro —respondió torpemente; no sabía qué más decir.

Mael apareció de la nada, con un plato lleno de comida en mano. Se sentó al lado de Chi, antes de pasarle el plato a ella.

—Debes de estar muriéndote de hambre —dijo el chico, con esa sonrisa agradable—. He estado en el hospital aquí un par de veces y la comida deja mucho que desear... Si es que te la sirven.

—¿Ya están sirviendo la comida? —preguntó Kobu, y con el asentimiento de su compañero, el joven se alzó de su silla y prácticamente trotó hacia la cocina.

Chi observó como todos sus compañeros comenzaban a sentarse a su alrededor, con platos rebosando de pollo y verduras.

—Solíamos hacer esto muy a menudo cuando Sam todavía estaba con nosotros —dijo Mael, notando el ceño confuso de Chi—. Cuando era pequeño sus padres siempre estaban viajando y el pobre tenía que quedarse en posadas por su cuenta. Su familia viajó al sur para hacer algún tipo de comercio con los Volkai del Continente Abandonado y sus padres le dejaron en la posada de la familia de Ebony. Todas las noches Sam cenaba con Ebony y sus padres... Dijo que estas eran unas de sus memorias más queridas, así que quería mantener la tradición viva con nosotros.

—No sabía qué Ebony y Samuel se conocían desde hacía tanto tiempo.

—No es un secreto, pero como puedes imaginarte no es algo de lo que se hable mucho ahora...

Ethan y Ebony se sentaron del otro lado de la mesa y Kobu apareció poco después.

—Lo cierto es que nuestra hospitalidad ha dejado mucho que desear, Kenra —dijo Ebony posando el plato sobre la mesa—. Pensé que sería una buena idea revivir la tradición.

—Gracias —Chi cogió los cubiertos y comenzó a comer,

mientras el resto de los presentes se sentaban en la mesa.

—Hemos estado pensando que tal vez deberías mudarte de vuelta al hostal con el resto de nosotros —Nahuel dejó un libro al lado de su plato antes de coger los cubiertos—. Por motivos de seguridad.

—Aprecio la oferta... Pero no me sentiría mucho mejor en el hostal. Números nunca me han proporcionado seguridad.

—Entiendo que te sientas así, pero nosotros no somos tus compañeros de sector —respondió Ebony—. No hay nada que pueda pasarte bajo nuestro techo.

—Preferiría quedarme en mi casa —a pesar de las palabras que había escogido, su voz tenía un filo duro.

—Está bien —comentó Ethan con rapidez—. No deberías de tener que sacrificar ninguna comodidad por culpa de la escoria que te atacó... Pero tal vez deberíamos arreglar el hecho de que no hay guardias patrullando nuestros muros.

Chi inspiró con fuerza, pero no supo qué decir. Tenía razón, aquella era la única ciudadela que no estaba patrullada cada hora de cada día; y por mucho que le beneficiase eso a ella y a Kilyan, no tenía ninguna excusa para decir que no.

—Tal vez —murmuró ella.

No pudo evitar notar la ausencia de Zafrina y Arvel... y la de Melibea. Chi bajó los ojos de vuelta a su plato, pensando en lo poco que Melibea había plagado sus pensamientos durante aquellos últimos días.

—Kenra —llamó la voz grave de Alessia. La joven se sentó casi al final de la mesa, al lado de Rhonda—. ¿Ya has escogido el arma que vas a utilizar para el Torneo?

Chi la miró durante un par de segundos. ¿Era aquella la primera conversación casual que estaban manteniendo?

—Creo que nos decidimos por dagas —contestó Chi con una sonrisa furtiva.

—Es una buena opción, puedes llevar muchos contigo y son discretos.

Por algún motivo el apruebo de Alessia hizo que la piel de Chi se erizase. Aunque no la conociese demasiado, sabía que no eran muchos los que recibían elogios por parte de la salvaje.

—Y te ayudará con el combate a distancia —añadió Rhonda, sin terminar de tragar la comida que tenía en la boca. No se molestó en alzar la mirada—. Que es lo único en lo que necesitas ayuda.

Rhonda no la miró, pero la sonrisa de Chi se ensanchó. La conocía lo suficiente como para saber que eso era lo más cerca que iba a llegar a dar un cumplido. Y Chi lo apreciaba.

—Espero verte mañana en la biblioteca —dijo Nahuel, después de que diferentes conversaciones comenzasen a formarse a su alrededor—. Todavía tienes mucho que aprender.

—Tienes razón... Lo cierto es que no sé si voy a estar lo suficientemente preparada en ningún momento.

—Creo que estás mucho más preparada de lo que crees —respondió él. Sus ojos azules, siempre tan cordiales y calmados, eran igual de cálidos que su expresión—. Nunca he sido uno que disfrute del Torneo o lo que representa. Pero estas últimas semanas no he podido hacer nada más que desear que llegue el día que volvamos para que el mundo pueda ver tu talento y apreciarlo.

—Gracias.

La joven dejó escapar un suspiro, mientras se metía más comida en la boca. ¿Cómo se le podía haber olvidado cómo se sentía aquello? Estar rodeada de sus compañeros... riendo y hablando como si no faltasen solo un par de días hasta que tuviesen que pelear con sus vidas a juego. En aquel momento, Mael le dio un pequeño empujón con el hombro y cuando Chi ladeó la cabeza para mirarle, su sonrisa se ensanchó.

—Debería darte las gracias —comentó el joven en voz baja—. He echado de menos estas cenas.

—Soy yo la que tiene que dar las gracias —respondió ella. Se tomó un momento para admirar la escena frente a ella. A excepción de unos pocos, el gremio entero se encontraba en aquella mesa, comiendo y riendo juntos—. Me siento mucho mejor.

—Creo que todos nos sentimos mejor... Lo creas o no, estamos todos muy nerviosos. Necesitamos este tipo de distracciones para no volvernos locos, y estoy seguro de que tú no eres una excepción.

Chi sonrió. Desde luego ella no era la excepción.

Capítulo 29

oras después de la cena, Chi por fin empezó su camino de vuelta a casa. Le dolía la garganta de todo lo que había hablado y su cuerpo entero parecía haberse oxidado por el cansancio. Varios de sus compañeros ofrecieron acompañarla hasta su edificio, pero ella rechazó las ofertas. A aquellas horas, Kilyan debía de estar esperándola.

Bajó la calle a paso alto, inspirando el aire fresco de la noche. Era extraño lo mucho que la ciudadela se apagaba más allá de la plaza central y la taberna. Era obvio que habían pasado décadas desde que aquellas casas habían sido habitadas.

Chi giró la esquina al llegar a su calle y entonces, escuchó el latir de un corazón acelerado. La joven disminuyó el paso, pero no se detuvo, pues reconoció aquel latido rápido y superficial. A solo un par de pasos de la entrada a su casa, Melibea salió de las sombras.

Chi observó las bolsas bajo los ojos de su compañera, su

piel sin rastro de aquel bronceado que había lucido en el pasado... y la botella que sujetaba con su mano izquierda, completamente vacía.

—Chi —su voz sonaba áspera, como si no hubiese hablado en días... Como si hubiese llorado durante días.

Dentro de su casa, Chi podía claramente escuchar un segundo corazón... Kilyan. Ansiedad floreció en su estómago.

—Melibea —respondió ella, con cautela—. ¿Necesitas algo?

Ambas se sostuvieron la mirada la una a la otra, hasta que Melibea cedió, mirando sus botas de cuero con vergüenza.

—No estoy segura de lo que estoy intentando conseguir... o de lo que quiero decir —Melibea dejó escapar un suspiro y entonces, Chi entendió lo que estaba ocurriendo.

—Mira, estoy muy cansada, he vuelto del hospital hace solo unas horas y necesito dormir...

Chi dio un paso hacia la puerta, pero Melibea hizo lo mismo, intentando bloquearla.

—¡Lo sé! —exclamó ella, demasiado alto y con demasiada fuerza. Dándose cuenta de la desesperación que estaba exhibiendo, sus siguientes palabras salieron más calmadas—. Lo sé, pero tengo que hablar contigo. Cuando escuché lo que había ocurrido esta mañana no pude evitar sentirme culpable... Tal vez si hubiese estado ahí, si hubiese estado contigo, habrías estado a salvo...

—No es tu trabajo mantenerme a salvo —la interrumpió Chi, sus labios fruncidos. De pronto, atisbos de la ira que había sentido al principio del día resurgieron, burbujeando en el fondo de su estómago—. Eso lo dejaste claro.

—¡Pero nada de lo que te dije es cierto, estaba mintiendo! —exclamó Melibea haciendo todo lo que podía para no arrastrar sus palabras—. Yo solo quería...

—¡Melibea! —interrumpió Chi, con brusquedad. El corazón de la joven había comenzado a galopar en su pecho, haciendo que hasta su cabeza palpitase... con miedo de lo que Melibea fuese a decir. Le había costado demasiado salir adelante y olvidarse de ella—. No quiero escucharlo, no necesito tus excusas o tus razones, solo quiero que sigas pretendiendo que no existo y yo haré lo mismo.

Sin darle a su compañera un segundo para hablar, Chi la empujó y abrió la puerta, entrando en su casa. Fue a dar un portazo detrás de ella, pero el brazo de Melibea la detuvo. La joven inspiró con brusquedad, consciente de la fuerza que había utilizado para intentar dar aquel portazo... La piel de Melibea brillaba de color plateado, duro.

Todavía con el susto de que podría haberle roto el brazo a su compañera, Chi no pudo reaccionar a tiempo cuando esta abrió la puerta de par en par y forzó su entrada.

—Tienes que escucharme... Estas últimas semanas han sido agonizantes. Pensé que si te decía todas esas cosas y rompía contigo, saldrías ganando.

—Puede que tengas razón —respondió Chi. Estaba cansada y no terminaba de comprender lo que estaba ocurriendo. Después de todo este tiempo, ¿Era esa la forma que Melibea tenía de disculparse? La ira comenzó a desaparecer de su corazón, siendo reemplazada por pena—. Yo te quería, Melibea, mucho... y decidiste no solo romper lo que teníamos, sino romperme a mí en el proceso.

—Lo siento Chi, lo siento tanto... no estaba pensando

claramente, no estaba pensando —Melibea tambaleó, cerrando el espació que las separaba. Chi negó con la cabeza.

—Estás borracha, vete.

—Fui una cobarde y escogí la opción más simple, en vez de enfrentarme a mis problemas.

—Me dijiste que yo no era suficiente, que estabas cansada de mí —Chi se escabulló alrededor de su compañera, volviendo a alejarse—. Si esa era la opción fácil para ti, entonces no tenemos nada de lo que hablar. Lo que tuvimos no es algo que puedas revivir con disculpas. Ahora vete, por favor.

—No me estás escuchando, necesito que me perdones, necesito saber que no me odias.

—Melibea...

Antes de que pudiera decir nada más, Chi escuchó unos pasos bajando las escaleras. Su corazón se aceleró, cuando la voz de Kilyan resonó por el pasillo.

—Te ha pedido que te vayas —el joven bajó los escalones, arropado por las penumbras. Sus zapatos resonaron contra la madera con fuerza ante el repentino silencio. Chi sostuvo su aliento, con miedo de moverse. Sus ojos rodaron hasta Melibea, que observaba al Anacreón completamente sobrecogida—. No una, sino dos veces... Así que tal vez tú eres la que no está escuchando.

—¿Qué estás haciendo aquí? —dijo ella, con voz grave. De pronto, toda la súplica en sus ojos y en su voz, toda la tristeza y la melancolía, desaparecieron por completo. Después de unos segundos de silencio, el rostro de Melibea se contorsionó con entendimiento—. ¿Él?

¿Él es la razón por la que no quieres volver conmigo?

—No...

—No seas ridícula, ¿Quién querría estar contigo? —interrumpió Kilyan. El joven se detuvo al lado de Chi, suficientemente cerca como para que la tela de sus ropas se rozasen—. Mírate al espejo, no eres más que una sombra de lo que solías ser.

—Kilyan —susurró Chi, entre dientes. El chico ladeó la cabeza para mirarla y su expresión estoica y fría pareció titubear durante un instante—. Melibea... No vamos a tener esta conversación hasta que no estés sobria.

—No deberías de estar aquí —respondió la joven, ignorando a Chi—. Sabes cuál es el castigo.

—Me da igual el castigo... y si de verdad quieres a Chi tanto como dices entonces mantendrás la boca cerrada, porque si alguien se entera de que estoy aquí, también se enteraran de con quien estoy.

Los labios de Melibea se fruncieron con rabia. Sin decir nada más, la joven se dio vuelta y caminó con rapidez hasta la puerta.

—Melibea, espera...

Antes de que Chi pudiese terminar la frase, su compañera dio un portazo. Intentó seguirla por varias razones, porque sabía que Melibea necesitaba compañía... pero sobre todo porque tenía miedo de que fuese a decir algo que no debía.

Algo sobre Kilyan.

Chi solo pudo dar dos pasos hacia delante antes de que la mano del joven le rodease el brazo, deteniéndola.

—Déjala ir... Es lista, no dirá nada.

—¿Estás seguro? Porque no parece que esté en un estado

muy razonable.

Kilyan frunció los labios, y acarició la cabeza de Chi con los guantes, recorriendo su melena.

—No creo que se hubiese humillado a sí misma de semejante manera si sus sentimientos por ti no fuesen fuertes... Dudo que haga algo tan drástico como reportarnos. Y si no es por ti, se callara para que su gremio no pierda un miembro de forma permanente.

—Supongo que tienes razón... —murmuró Chi mientras se volvía para mirarle. Los ojos violetas del joven prácticamente brillaban en la oscuridad—. Siento que hayas tenido que escuchar esa conversación.

—No tienes nada de lo que disculparte, ha sido ella la que te ha acorralado.

—No se lo tengas en cuenta —susurró Chi, dándole una última mirada a la entrada.

—¿Dónde has estado? —preguntó Kilyan, con trazos de angustia en la voz. Ella le miró, estudiando su rostro decorado con preocupación.

—Mis compañeros me llevaron al hospital anoche. Es difícil de explicar, no estoy muy segura de lo que ocurrió... Alguien me atacó mientras dormía.

—¿Qué? ¿A qué te refieres con que alguien te atacó? —dijo Kilyan con urgencia en la voz. Chi solo pudo encogerse de hombros—. ¿Quién?

—No lo sé, no estaba consciente cuando mis compañeros me llevaron al hospital; así que no pude decirle a nadie lo que había ocurrido hasta por la mañana. Ethan me ha dicho que enviaron guardias a examinar mi habitación y peinar la ciudadela. Pero no creo que encontrasen nada útil.

—Chi... —el joven suspiro, sin saber qué decir. Quería decir tantas cosas, quería abrazarla, pero su pesadilla y sus gritos le perseguían. Kilyan se pasó una mano por el pelo—. ¿Tenías las ventanas y puertas cerradas?

—No, pensé que no tenía que preocuparme de esas cosas en la Zona Central.

—Pues sí, este tipo de cosas no ocurren en las ciudadelas... A menos que haya sido uno de tus compañeros.

En cuanto las palabras salieron de los labios del joven, Chi desvió su mirada al suelo.

—¿Chi?

—No creo que haya sido uno de mis compañeros.

—¿Estás segura?

—Si —dijo Chi tragándose el sabor amargo de las mentiras—. Habría reconocido su olor si fuese alguien del gremio.

Se quedaron en silencio unos segundos, hasta que Kilyan se inclinó hacia delante. Chi inspiró con fuerza, ¿Qué estaba haciendo? ¿Iba a abrazarla? Pero entonces, el joven se limitó a levantar una mano y ponerla sobre su cabeza, acariciándole el pelo una vez más, a través de sus guantes.

Chi dejó escapar un suspiro tembloroso, mientras devolvía su mirada al suelo.

"Es como ácido, capaz de corroer todo lo que toca."

—Kilyan... ¿Por qué llevas esos guantes? —preguntó, a pesar de que ya sabía la respuesta.

La mano del joven se detuvo, tensándose, en el momento en el que pronunció aquellas palabras. Chi alzó la mirada y se encontró con sus ojos, oscurecidos por algo... Por algo que casi parecía miedo. Aguantando la respiración, ella alzó una mano hasta la del joven, y la sujetó con fuerza, estrechando el cuero.

—No sé en qué estaba pensando —suspiró el joven—. Hace tanto tiempo desde la última vez que encontré a alguien que desconociese de mí... condición, tanto tiempo desde que conocí a alguien que no supiese quién soy, que no me tuviese miedo —los labios de Kilyan se fruncieron con una tristeza amarga, tan amarga, que el corazón de Chi pareció volcarse en su estómago. Ella entendía muy bien la profundidad de ese dolor. El dolor de odiar algo con lo que habían nacido, uno mismo—. No sé en qué estaba pensando —repitió—. Para cuando quise darme cuenta de que no lo sabías, ya te había estado mintiendo durante demasiado tiempo.

—Kilyan, deberías habérmelo dicho —la mirada del joven cayó al suelo, avergonzado—. No porque me sienta engañada, no porque no quisiese ser tu amiga, sino porque si me lo hubieses dicho... Tal vez tú te habrías sentido más cómodo a mi alrededor y yo podría haberte dicho que no eres el único con secretos.

—¿Qué quieres decir? —preguntó él en un murmullo.

De pronto Chi fue consciente de lo cerca que estaban el uno del otro... Algo que Kilyan siempre se aseguraba de evitar. Notó como sus mejillas se calentaban bajo la mirada del joven, pero se mantuvo firme donde estaba y con cuidado, comenzó a tirar de uno de los dedos de su guante.

Kilyan se tensó de pies a cabeza, antes de intentar zafarse del agarre de la joven.

—Chi, para —dijo con repentina severidad.

—Si me hubieses dicho que tu piel es venenosa, yo te

habría dicho que soy inmune a tu veneno. A todos los venenos.

—¿De qué estás hablando? —inquirió él con urgencia. Dio un paso hacia atrás, sin dejar de tirar; pero el agarre de Chi no flaqueó. ¿De dónde venía toda esa fuerza?—. Chi, por favor, no sabes de lo que estás hablando, suéltame —su voz se rompió con esa última palabra, más una plegaria que una orden.

La joven terminó de quitarle el guante y lo dejó caer al suelo. Tenía a Kilyan sujeto por la muñeca, sobre su camisa negra de manga larga. La mano del joven estaba hecha un puño, sus nudillos blancos por la fuerza que estaba utilizando, como si estuviese intentando hacer su mano desaparecer.

Chi sostuvo su mano libre a centímetros de la piel expuesta del joven. Podía sentir su calidez, podía imaginar su suavidad.

—En el Sector del Sigilo, nos entrenan en el arte del veneno —comenzó Chi, su voz baja y dulce a pesar de su firmeza. El corazón de Kilyan galopaba en su pecho y una pequeña gota de sudor se formó en el nacimiento de su pelo—. Nos entrenan para poder detectar veneno antes de ingerirlo y si está en nuestro sistema, nos entrenan a detectar sus síntomas para poder seleccionar un antídoto. Siempre había estado determinada en fallar cualquier examen, cualquier clase, y el programa de venenos no iba a ser diferente —una sonrisa melancólica curvó sus labios—. Pensé, *¿Qué es lo peor que puede pasar? ¿Morirme?*, así que cuando nos dieron dos vasos de agua, uno con un tranquilizante y uno sin, me bebí el que no era. Y cuando nos dieron un vaso con un veneno que haría hervir nuestra sangre, me lo bebí. Y cuando mis compañeros pensaron que sería gracioso poner un veneno en mi desayuno, una ponzoña que haría que mi corazón se detuviese en segundos, sin saberlo, me lo comí.

—Chi... —ella negó con la cabeza, silenciándole.

—Cuando se enteraron, mis profesores me hicieron consumir cada uno de los venenos a los que tenemos acceso en la Academia. Incluso intentaron duplicar, triplicar la dosis. Pero nunca me hicieron efecto —Chi dejó escapar un suspiro tembloroso mientras dejaba que su mano se acercase aún más a la de Kilyan.

El joven se encogió cuando sus manos se tocaron. Cerró los ojos con fuerza y espero a que los gritos llenasen el edificio. ¿Qué iba a hacer? Si Chi perdía la mano, si Chi moría allí mismo por su culpa. ¿Tendría que huir? ¿O se quedaría a enfrentar las consecuencias, a morir como Rahn? Pero después de unos segundos de silencio, sintió un pequeño apretón, y cuando abrió los ojos, se encontró con los de Chi.

La joven sonreía con una mezcla de alegría y timidez... Pero Kilyan se limitó a mirarla con la mente en blanco. Sus rodillas flaquearon, pero Chi le sostuvo, sin soltarle la mano.

—Imposible —susurró sin aliento—. Imposible —repitió, mientras su corazón volvía a acelerarse, con la realidad de la situación asentándose en su mente. Poco a poco, su boca se curvó en una sonrisa incrédula.

Chi le quitó el otro guante y sin esperar, sin titubear, Kilyan le acarició el cuello y luego la mejilla y la frente y el pelo. Su piel era tan cálida, tan suave... como ninguna otra cosa que hubiese tocado nunca.

Allí, en medio de aquella entrada en penumbras, se sonrieron el uno por el otro; y por un instante, nada más importaba, nada más existía, solo aquellas caricias.

Chi se puso de puntillas y con la mano de Kilyan todavía en la nuca, sujetándola, le besó. Le besó como Kilyan había querido hacerlo desde que se conocieron, le besó con fuerza suave y calidez tibia... Para compensar por todos los años de cariño que el joven había perdido.

Capítulo 30

C *uando Chi se despertó* con la luz de la mañana inundando su habitación desde las rendijas de su contraventana, Kilyan ya se había marchado hacía tiempo. Aun así, la joven se mantuvo hecha un burruño bajo las sábanas, pues todavía podía imaginarse la respiración del chico en su cuello, y sus caricias en el pelo.

Durante una noche entera había conseguido no pensar en el Torneo, o en Melibea, o en la pelea que había tenido con Hikami.

Y aun así, ahora que estaba sola, no pudo evitar recordarse a sí misma que solo quedaban dos días para que el Torneo reanudase. Se había estado preparando durante semanas, entrenando cada día hasta que su cuerpo y su mente la abandonaban... Y todavía sentía que no estaba lo suficientemente preparada.

Nunca lo estaría.

Tal vez era porque a diferencia de todos los demás, ella no había terminado en la Zona Central por voluntad propia... O a lo mejor era porque no tenía lo que se necesitaba para soplar la vela de una vida y extinguirla.

Puede que lo que más la asustase del Torneo, aparte de los otros gremios, aparte de ser ridiculizada en frente del mundo entero, fuese el hecho de que pasase lo que pasase no quería hacerle daño a nadie, no quería matar.

Chi se encogió aún más sobre sí misma, convirtiéndose en poco más que una bola bajo las sábanas.

¿Qué tipo de cosas tendría que hacer para ganar... para sobrevivir?

Sentada en un taburete en frente de la barra, Chi mordisqueo una manzana con rapidez. La taberna siempre estaba más o menos llena, y las mañanas no eran diferentes... Aunque a esas horas, la energía de los alumnos era mucho menor.

Nahuel estaba sentado en su butaca de siempre leyendo bajo una ventana bien iluminada. Mael y Naeko estaban jugando al ajedrez. Por algún motivo que Chi desconocía, sus compañeros siempre jugaban juegos de mesa y cartas con Naeko, como si no les importase que pasase lo que pasase ella saldría victoriosa.

Ebony, como siempre, estaba lustrando vasos de cristal a pesar de que no habían perdido el brillo. Ethan la observaba sentado frente a la barra, mientras charlaban de cualquier cosa que se les viniese a la cabeza.

A aquellas horas la atmósfera era serena, despreocupada, perezosa.

Zafrina dejó escapar un suspiro y se levantó de donde había estado sentada, en una esquina, mirándose las uñas y lanzando miradas agrias a los presentes, como si estuviese esperando a que algo ocurriese.

La joven caminó hacia la puerta y Chi no pudo evitar mirarla mientras subía los escalones. Zafrina era una de las personas más ácidas que jamás había conocido... Pero era difícil no admirar su belleza, tan extravagante e hipnotizadora. Su pelo de mil tonos rosas siempre brillaba con esplendor y sus ropas pintorescas nunca hacían nada más que resaltar su figura tallada, perfecta.

Era como una planta carnívora, tan hermosa y colorida, como peligrosa y mezquina.

Mientras Chi se encontraba perdida en sus pensamientos, masticando su manzana y observando como la figura de Zafrina era bañada por el sol, su corazón dio un vuelco cuando la joven se detuvo en seco y una tromba de agua caía sobre ella, como si alguien hubiese volcado un balde desde un segundo piso inexistente.

Chi se cubrió la boca con una mano.

Un chillido estridente hizo añicos el silencio sereno de la mañana y todos los presentes alzaron la mirada hacia Zafrina que se encontraba de pie en la entrada, empapada de pies a cabeza, un charco a los pies.

El cuerpo de la joven comenzó a temblar y sus puños se cerraron con tanta fuerza que sus nudillos perdieron cualquier rastro de color.

—Y por fin aparece el hijo pródigo —comentó Nahuel mientras devolvía su mirada al libro y pasaba de página.

—¡LEON! —gritó la joven, cuyo alarido hizo que el cuerpo entero de Chi se erizase—. ¡Sal ahora mismo o juro por los espíritus que no volverás a dormir en paz!

—¡Yo también te he echado de menos!

Detrás de Zafrina, dentro de la taberna, el aire se agrietó dando lugar a una sombra negra que continuó abriéndose y abriéndose hasta llegar al suelo. De aquello salió un joven, caminando como si nada y a su espalda, la grieta se cerró... como si nunca hubiese estado allí.

Chi observó boquiabierta al chico. Tenía una sonrisa despreocupada y los ojos de un verde claro que contrastaba con su piel oscura. Zafrina ladeó la cabeza para mirarle, con los ojos desorbitados con rabia. Si no fuese porque nadie más parecía inmutado, Chi estaría realmente asustada de lo que pudiese hacer su compañera de gremio.

—Lo juro —continuó el joven, mientras bajaba los escalones de la taberna. No se molestó en darse la vuelta, como si no pudiese sentir los ojos de Zafrina.

Y sin embargo, a pesar de que Chi estaba segura de que Zafrina quería matarle allí mismo, la chica dejó escapar un suspiro tembloroso y sus puños se abrieron, antes de que comenzase a caminar de nuevo, marchándose.

—¡Leon! —llamó Mael, con una sonrisa de oreja a oreja—. Has tardado tanto en volver que pensé que ibas a terminar por desertar.

—¿Yo? —contestó Leon mientras bajaba las escaleras con paso fuerte. Llevaba unas botas de cuero marrón impecables... Como si nunca hubiese pisado el suelo hasta entonces—. Jamás. Sabes que vivo por y para el espectáculo.

—Eso sin duda —murmuró Nahuel, tan bajo, que Chi fue la única que escuchó las palabras. El chico pasó de página una vez más, sin levantar sus ojos azules del papel.

—Creo que la entrada ha sido de más —dijo Ethan, que se

había levantado para encontrarse con su compañero. A pesar de sus palabras, su tono era divertido y como el resto de los presentes, tenía una sonrisa amplia.

Los dos chicos se dieron un abrazo y unas fuertes palmadas en la espalda, antes de avanzar de nuevo a la barra.

El aura de Leon era ciertamente contagiosa.

—Una broma nunca está de más, pero habría sido mejor si no hubiese sido Zafrina saliendo por la puerta

—Ah, ¿sí? ¿Estabas esperando a alguien en concreto? —preguntó Ebony, antes de inclinarse sobre la barra para darle un beso a Leon en la mejilla.

—Kobu, quizás Rhonda... —respondió él con picardía—. ¿Tú eres la nueva? —Chi dio un pequeño respingo cuando Leon se acercó de dos zancadas rápidas. De pronto, Chi se sintió pequeña ante su altura y su aura abrumadora—. He escuchado hablar mucho de ti —añadió con una sonrisa resplandeciente.

Chi terminó de masticar la manzana de forma apresurada, antes de alzar su mano en forma de saludo. Leon le estrechó la mano y tiró de ella, obligándola a bajarse del taburete y ponerse en pie.

—Eres más bajita de lo que esperaba y joven... muy joven —Chi frunció el ceño y a pesar de que la expresión del chico se había tornado severa, sus ojos seguían brillando con emoción y su tono seguía ligeramente risueño—. Y ¡Oh por los Dioses! Cuando escuché que tenías el pelo rojo pensé que se referían a que eras pelirroja, pero no, es rojo de verdad... como rubíes. ¡Y tus ojos! —Leon la miró de arriba abajo, con una mirada inquisitiva; Chi no pudo evitar encogerse aún más.

Desvió la mirada hasta Ethan y Ebony, que observaban la

escena en silencio mientras se aguantaban la risa. Chi les suplicó con los ojos, pero Ethan se encogió de hombros y Ebony movió los labios sin hablar "Lo siento".

—Sabes, en Sulbade de lo único que se habla es de que no tienes magia... Pero no puedo esperar la sorpresa de todo el mundo cuando te vean. Eres como una muñeca de porcelana.

—Una muñeca de porcelana capaz de vencer a cualquiera en un duelo de cuerpo a cuerpo —añadió Ethan por fin, interrumpiendo la intensidad de Leon, cuya sonrisa pareció ensancharse más... Si es que eso era posible.

—¿Y eso?

—Kenra ha tenido un régimen de entrenamiento intensivo —dijo Ethan, más orgulloso de sí mismo que de Chi—. Y Rhonda ha estado a cargo de enseñarla a pelear.

—De hecho, tuvimos un ejercicio con todos los demás hace unos días y Kenra le ganó a Rhonda con todas las de la ley —añadió Ebony. Chi notó cómo su rostro se calentaba.

—¿En serio? Entonces... ¿Es mentira eso de que no posees ninguna magia? —preguntó Leon, con incredulidad. Volvió hacía Chi y la estudió con recelo, como si con solo mirarla pudiese averiguar cómo había logrado semejante hazaña.

—No, eso es cierto —respondió ella.

Y entonces, como si algo hubiese encajado en su mente, Leon se irguió y por un instante, la joven pensó haber percibido un centelleo de vergüenza en su expresión

—Me llamo Leon, encantado.

—Kenra —le respondió, volviendo a extender su mano que esta vez fue recibida con calidez por una de las grandes manos de Leon.

El muchacho sonrió.

—Eso ya lo sabía.

Con la emoción de su dramática entrada menguando, Leon fue a saludar al resto de los presentes, dejando que Ebony y Ethan volviesen a su conversación y que Chi volviese a su manzana, que era ya poco más que un corazón lleno de pepitas.

Naeko le dio un par de besos a su compañero antes de devolver su atención al tablero. Chi no pudo evitar preguntarse si había estado utilizando su magia durante su partida de ajedrez... y si había dejado que Zafrina saliese por aquella puerta a propósito.

Leon caminó alrededor de la mesa hasta Mael, que le esperaba con los brazos abiertos. El abrazo duró tanto, que Chi se vio obligada a apartar la vista, sintiendo que estaba observando algo que no era para sus ojos. Antes de saludar con la mano a Nahuel y caminar de vuelta a la barra, Leon revolvió los rizos marrones de Mael con la mano, sin dejar de esbozar la misma sonrisa que había mantenido todo ese tiempo.

Se sentó al lado de Chi y le dio las gracias a Ebony cuando esta le trajo un vaso de agua y un bol de uvas.

—Me han dicho que estabas visitando familia. ¿Dónde viven?

—Prodigia, mi madre es la alcaldesa.

—¿Esa no es la capital de Sulbade? —Leon asintió y ella dejó escapar un suspiro—. Tu madre debe de estar muy ocupada.

—Sí, sí que lo está —dijo dejando escapar una carcajada—. Soy el único de mis hermanos que fue aceptado a la Academia, así que la pobre mujer tiene que ocuparse de cuatro mocosos hiperactivos. Con suerte mi padre siempre está en casa, pero aun así dudo que sea de mucha ayuda... ¿Alguna vez has visitado la ciudad?

—No, nunca he salido de la Academia —sus labios se curvaron ligeramente—. Que yo sepa.

—Ah, cierto, eres huérfana —el chico se metió un par de uvas en la boca y se las tragó con rapidez—. Cuando se acabe el Torneo te llevaré de visita. Es la ciudad más grande de todas las regiones y, en mi opinión, la más bonita. El sol de Prodigia brilla con tanta fuerza que todo parece estar hecho de oro, incluso el océano, y los edificios están tallados en una piedra recubierta de betas doradas.

—Suena increíble —murmuró Chi—. Me gustaría visitar.

—Pues estás de suerte porque ahora que eres una alumna de la Zona Central te vas a graduar con casi... ¿Qué? ¿Tres, cuatro años de antelación?

—¿Tú crees?, pensé que una vez que se acabase el Torneo me enviarían de vuelta al sector para continuar mis estudios.

—Lo cierto es que no estamos muy seguros —dijo Ethan, desde donde estaba sentado a un par de taburetes de distancia—. Normalmente los alumnos más jóvenes que son aceptados en la Zona Central son un año más pequeños que el resto, así que no importa tanto... Pero tú eres tres años más joven que cualquiera de nosotros. Nadie de tu edad tiene acceso a las pruebas de entrada así que nunca ha habido una situación como esta en el pasado.

—Pero sería realmente estúpido que te obligasen a volver a tu sector. Por no hablar de que para entonces serás un fenómeno en todas las regiones, una celebridad como el resto de nosotros —una sonrisa cruzó los ojos de Leon—. Especialmente cuando ganemos el Torneo.

—Por favor Leon, respeta a los Dioses de la Fortuna, no necesitamos tentar la suerte —dijo Ebony medio en bromas.

—No estoy tentando nada, somos el gremio número uno, y además, ahora tenemos a Kenra.

—Creo que me sobrestimas.

—Ya se verá —Leon se metió las últimas uvas en la boca y las masticó con rapidez—. Lo cierto es que tienes un aire sobre ti... He conocido mucha gente en mi vida, pero nunca he conocido a alguien como tú.

—No estoy segura de a qué te refieres.

—Yo tampoco —admitió, dejando escapar un suspiro—. Yo tampoco.

Leon y Chi caminaron a través de la plaza y bajaron por una de las calles principales. Tenía muchas preguntas sobre el Torneo, sobre el exterior; y el joven parecía feliz de continuar hablando. A Chi le dio la impresión de que muchos de sus compañeros no le daban la oportunidad de comerles la oreja... Pero ella lo apreciaba. Apreciaba tanto la distracción, como la información.

—Cuando estuviste en Prodigia, ¿La gente te reconoció del Torneo?

—Sí, mucho más de lo que esperaba... Aunque supongo que con esta cara mía no es de extrañar, ¿verdad? —Chi resopló, pero no pudo esconder una sonrisa. Era difícil de rebatir que Leon era tan guapo como carismático—. Uno no participa en el Torneo si espera mantener una vida disimulada. Puede que dentro de unos años la gente empiece a olvidarse de mi aspecto pero, ¿Los ganadores del Torneo? Jamás volverán a poder caminar por calles pobladas como antes.

Chi había crecido escuchando a sus compañeros fantaseando sobre cómo algún día participarían en el Torneo, escuchando a sus profesores utilizar el evento para instigar a los estudiantes a esforzarse más. A veces clases enteras habían girado alrededor de alguna pelea entre alumnos de la Zona Central, la forma en la que se movían, las armas que utilizaba y cuando decidían utilizar su magia y transformarse.

Participar en el Torneo era una forma de enseñarle al mundo de lo que uno era capaz... Y aunque no fueses miembro del gremio ganador, las posibilidades de futuro se expandían de forma casi infinita.

Reyes, líderes de regiones enteras, generales de ejércitos, caudillos, familias ricas, cabezas de organizaciones, la iglesia... Todo tipo de gente tenía los ojos en el Torneo y sus alumnos. Y eso a Chi le asustaba.

Había muchas cosas que la asustaban.

—¿Qué piensas de Arvel? —espetó de pronto, antes de poder pararse a sí misma.

Sus ojos se afilaron mientras rodaba la mirada hasta Leon, quien la miró con una mezcla de sorpresa y diversión.

—¿Arvel? ¿Qué esperas que te cuente, chismes?

—No... —Chi se pasó una mano por la garganta—. Es solo que por algún motivo no parezco... gustarle. Lo cierto es que hemos tenido un par de encuentros bastante hostiles.

—¿Hostiles? —inquirió más inquieto que curioso—. ¿Tú y Arvel? —ella asintió—. Jamás me lo habría imaginado. De alguna forma me resultáis tan parecidos... Arvel siempre ha sido muy reservado, pero también muy amable. Encaja en este gremio igual de bien que lo hacía Samuel o igual que lo hace Ebony o Ethan.

Chi bajó la mirada al suelo. Lo único que había escuchado de Samuel eran cosas buenas: Buen líder, buena persona, fuerte y justiciero. Ebony y Ethan habían sido dos de las personas que mejor la habían tratado en toda su vida, ¿Cómo era posible que Arvel cayese en aquella categoría?

—Me da la sensación de que esa no es la impresión que tienes de él.

—No termino de entender por qué me odia tanto.

—Odiar es una palabra fuerte —Leon frunció los labios.

—Lo sé... Pero no creo que haya una palabra mejor para esta situación —ambos se detuvieron ante la biblioteca, Chi dejó escapar un suspiro—. Estoy acostumbrada a que la gente me odie por lo que soy, pero con Arvel es como si... como si yo le hubiese hecho algo, algo personal. Y no termino de comprender el qué.

—¿Has intentado hablar con él?

—No, pero no creo que eso sea una opción.

—¿Por qué no? Arvel siempre ha sido muy razonable... se me hace muy difícil creer que él haya cambiado tanto desde que me fui hace un mes.

—Te has perdido muchas cosas.

—Supongo que sí... —Leon llevó una mano a su cabeza y se forzó a sonreír—. Sabes, al final del día siempre vas a tener al resto del gremio.

Chi se mordió el labio. Si fuese así de simple, si fuese solo un compañero más que la veía y trataba como una paria, entonces las palabras de Leon tendrían más peso... Pero no, había algo más profundo con Arvel, algo que la asustaba. Inspiró con fuerza y se obligó a sí misma a sonreír, irguiendo la espalda.

—Gracias. Estoy contenta de haberte conocido por fin.

—Yo también, Kenra, ha sido todo un placer. Creo que Ethan no podría haber escogido a un reemplazo mejor.

La sonrisa de la joven titubeó, pero no desapareció hasta que Leon le besó la mano con rapidez y se volvió, caminando de vuelta hacia la plaza.

El resto del día transcurrió con lentitud. Nahuel le había hablado de posibles adversarios que no conocía y magias que probablemente no recordaría... Estaba demasiado distraída por el hecho de que se le acababa el tiempo. Su conversación con Leon le había hecho pensar en el público, en todos los ojos que estarían sobre ella.

Había sobrevivido en la palma de sus compañeros de sector, siempre intentando aplastarla. Pero... ¿Podría sobrevivir en la palma del mundo entero?

Por primera vez en su vida un pensamiento se alzó en su mente: cuando el Torneo llegase a su fin, ¿Qué le pasaría cuando tuviese que dejar la Academia y adentrarse en un mundo repleto de gente que podía reconocerla? ¿Y si, sin saberlo, su sector era el lugar en el que más a salvo había estado?

¿Era por eso por lo que nunca la habían echado de la Academia? ¿Porque sabían lo que le ocurriría si su existencia fuese conocimiento público?

—¿Chi?

La joven se sobresaltó sobre el sofá en el que estaba sentada. Parpadeó un par de veces, dándose cuenta de que había

335

estado tan sumida en sus pensamientos, que no había escuchado a Kilyan entrar por la ventana. Chi había estado esperándole sentada en el sofá polvoriento que se encontraba en el ático. Hacía ya tiempo que la luna se había alzado en el cielo.

Bajo la tenue luz de las velas que subían por las escaleras, Chi se dio cuenta de que el rostro de Kilyan estaba oscurecido con preocupación.

—Lo siento —dijo ella con rapidez mientras se ponía en pie. Abrazó al joven, pero este se apartó con rapidez, sin querer perder vista de su rostro durante demasiado tiempo. Ella sonrió—. Supongo que estaba un poco perdida en mis pensamientos.

—¿Ha pasado algo?

—No, es solo que los nervios se me están subiendo a la cabeza.

—¿Por el Torneo? —ella asintió y él frunció los labios. Volvió a abrazarla, enredando los dedos en su melena—. Recuerdo el primer día... No fue fácil.

Los brazos de Chi se apretaron a su alrededor y su cara se hundió más y más en su pecho, como si estuviese intentando desaparecer.

—La idea de tener todos esos ojos sobre mí, juzgando y criticando, me aterra —susurró, con la voz ahogada contra la camisa de Kilyan—. Siempre creí que después de la graduación podría mudarme a cualquier sitio y ser invisible. Nadie me conocería, por fin tendría la oportunidad de pertenecer, aunque fuese gracias a una mentira. Pero con el Torneo todo eso desaparecerá.

—Todavía puedes marcharte —susurró Kilyan después

de unos segundos de silencio. No estaba seguro de si plantar esa idea en la cabeza de Chi era una buena idea... Pero le dolía tanto verla así y mucho más el no poder hacer nada para ayudarla. Al fin y al cabo, él también estaba atrapado en aquel lugar y marcharse no era una opción—. Puedo llevarte a cualquier sitio en Sulbade o Yamagora, o incluso a Frysterra. A donde quieras.

—No puedo hacerle eso a mi gremio, no después de todo lo que han hecho por mí.

—Tú no elegiste unirte a Bershat, no elegiste participar en el Torneo. Arriesgamos nuestras vidas cada día y no pasa nada, porque cada uno de nosotros eligió participar en las pruebas de entrada; cada uno de nosotros escogimos poner nuestra vida en peligro. Tú no.

—Sería tan fácil huir —susurró ella. Dejó escapar un suspiro tembloroso mientras saboreaba la idea de desaparecer en la noche y dejar todo aquello atrás, todas las malas memorias, todo el miedo... todos sus amigos—. Pero no puedo hacerle eso a mis compañeros y no puedo desaparecer sin decirle nada a Hikami, o a Jack y Rax. Y no quiero poner una sonrisa en las caras de gente como Zafrina o Arvel.

—Tanto si quieres quedarte como si quieres irte; voy a estar aquí para apoyarte, al igual que la mayoría de tu gremio —Kilyan acarició la cabeza de Chi una vez más, antes de apartarse para poder mirarla. Tenía los ojos y la nariz rojos, pero no había ninguna señal de lágrimas—. No estás sola.

Capítulo 31

L eon se sentó al final de la larga mesa de roble que descansaba en el centro de la biblioteca. Ethan estaba sentado del otro lado con Nahuel y Ebony a cada lado. Poco después del comienzo del Torneo, Samuel había insistido en formar una especie de consejo para discutir cualquier problema que surgiese; tanto entre ellos como para el gremio en su totalidad. El corazón de aquel grupo siempre había sido Samuel, Ebony, Ethan, y Nahuel. Pero muchos otros participaban con frecuencia y Leon era uno de ellos.

—¿Qué me he perdido?

—Mucho —respondió Nahuel, con un suspiro cansado. Era obvio que la cercanía del Torneo había empezado a hacer mella en todos ellos—. ¿Estás preguntando por algo en específico?

—Arvel —respondió sin perder un momento. Desde su conversación con Kenra aquella mañana, no había podido sacudirse el malestar. Había pasado el día entero buscando a

Arvel por la ciudadela, sin éxito—. Kenra me contó que está siendo "hostil".

—Oh, Kenra, siempre siendo tan amable... —dijo Ebony bajando la mirada hasta su regazo—. Decir que está siendo hostil es quedarse corto.

El ceño de Leon se profundizó y sus ojos se clavaron en los de Ethan, expectantes.

—Durante el entrenamiento que tuvimos en el bosque Arvel atacó a Kenra. La dejó medio congelada y no se lo dijo a nadie —Ethan bajó la mirada—. Tardamos mucho en darnos cuenta de que no había vuelto del bosque y probablemente hubiese muerto congelada si no hubiésemos ido a buscarla.

—¿Lo dices en serio? ¿No fue un accidente?

—¿Desde cuándo Arvel comete ese tipo de errores? —preguntó Nahuel. Su comentario fue mucho más amargo de lo que había esperado—. Después de Samuel él es, sin dudarlo, el miembro más poderoso de nuestro gremio, puede que el más poderoso de toda la Zona Central. ¿De verdad crees que es el tipo de hombre que no puede controlar su propia magia? ¿De verdad crees que se le olvidó decirle a alguien lo que había ocurrido?

Lo único que interrumpió el silencio fue el ligero vibrar de las hadas danzando alrededor de la mesa, iluminándoles entre las penumbras de la biblioteca. Leon no podía creerse lo que sus compañeros le estaban contando. El Arvel que él conocía jamás haría algo como aquello.

—¿Estamos hablando del mismo Arvel que siempre alarga sus peleas porque no quiere matar a nadie? ¿La mano derecha de Samuel?

—Yo tampoco pude creerlo cuando ocurrió —dijo Ebony

y de pronto su rostro se oscureció con desaprobación—. Pero todos sabemos de lo que Arvel es capaz y dejar a Kenra congelada en el bosque es algo que él jamás haría sin querer, aunque eso sea lo que él quiera que creamos.

—¿Y por qué sigue aquí? ¿Cómo es que no ha sido expulsado de la Zona Central?

—Porque no hemos dicho nada —respondió Nahuel.

—Pero estáis seguros de que no fue un accidente, ¿verdad?

—Pero es Arvel —Ethan pasó una mano por su pelo, estaba cansado, angustiado—. Es nuestro amigo. ¿Cuántas veces nos ha salvado la vida? ¿Cuántas veces nos ha mantenido por encima del resto de los gremios? ¿Cuántas veces le hemos hablado en confidencia sobre lo mucho que nos duele este Torneo?

—Si le perdemos a él nuestras posibilidades de ganar son muchas menos —Nahuel mantuvo sus ojos azules clavados en los de Leon. No quería decir aquellas palabras, pero tenía que hacerlo— Y estoy seguro de que la Administración no nos dejaría reemplazarle. Con un miembro menos que el resto... no tendríamos ninguna oportunidad.

—¿Así que solo vais a dejar que se pasee por la ciudadela como si nada? ¿Y si le da por atacarla de nuevo, y esta vez terminar el trabajo?

—Si hubiese sido Zafrina... o incluso Rhonda, esta conversación sería diferente. Sabes cómo son y de lo que son capaces. Volverían a intentarlo —aseguró Ebony—. ¿Pero si fuese Mael el que atacó a Kenra en vez de Arvel?

—Ni se te ocurra —dijo Leon, con una chispa de ira encendiéndole los ojos—. Mael jamás le haría daño a uno de los suyos.

—Hace un mes lo mismo te habría dicho sobre Arvel. Hubiese estado tan segura que hasta habría apostado mi propia vida... Pero aquí estamos.

—Pues tendremos que hablar con él —sugirió Leon. Sus compañeros le observaron sin inmutarse. Ellos ya habían pasado por todas las emociones por las que Leon estaba pasando. Ya habían llegado a todas esas conclusiones—. Tiene que tener sus razones.

—Ya has conocido a Kenra ¿Qué tipo de razón puede tener para querer hacerle daño?

—No lo sé, pero debe de tener alguna.

—Hablaré con él —anunció Ethan. Lo cierto era que el joven había estado queriendo confrontar a su amigo desde el primer incidente con Chi—. Pero hace semanas que no le veo por la ciudadela.

—Tendrá que aparecer —sentenció Leon al levantarse. Las hadas a su alrededor se apartaron con rapidez; pero continuaron dibujando círculos alrededor de la silueta del joven. Estaba cansado después de su viaje y encontrarse con aquel desastre en su gremio le había dejado sin energía—. Queda poco más de un día para que el Torneo vuelva a comenzar y esto es algo que tenemos que solucionar.

Ebony también se levantó y rodeó la mesa hasta estar al lado de su compañero.

—Es tarde —dijo—. Podemos seguir hablando por la mañana.

—Me gustaría no tener que volver a hablar de Arvel —murmuró Nahuel entre dientes.

Leon y Ebony desaparecieron entre las estanterías y

Ethan dejó escapar un largo suspiro. Pasó una mano por su rostro, escurriéndose hasta que su nuca descansó sobre el respaldo de la silla. Todo aquel estrés estaba empezando a ser pesado sobre sus hombros. Nahuel le miró de reojo, queriendo decirle el buen trabajo que estaba haciendo, a pesar de las circunstancias. Pero antes de que pudiese abrir la boca, una sombra se detuvo al final de la mesa.

—¡Oh por los Espíritus! —exclamó Ethan, enderezándose como un resorte—. Alessia, tienes que dejar de hacer eso.

La joven le observó con los ojos entrecerrados. A pesar de su apariencia llamativa, era extremadamente sigilosa. Ethan estaba seguro de que, a pesar de la seriedad estoica de su compañera, ella se acercaba silenciosamente porque le gustaba darles ataques al corazón.

—¿Necesitas algo? —preguntó Nahuel con recelo. Ella jamás aparecía solo porque quisiese compañía y mucho menos a aquellas horas de la noche.

—Quiero hablar de Kenra.

Ambos dejaron escapar suspiros sonoros, a los cuales Alessia alzó sus cejas con curiosidad.

—Lo siento —se apresuró a decir Ethan. Terminó de enderezarse sobre la silla, poniendo los codos sobre la mesa—. Leon ha tenido mucho que decir de ella y Arvel ahora que por fin ha vuelto y se ha puesto al día con todos los eventos.

Las pequeñas calaveras que colgaban del cinturón de la joven repiquetearon con un sonido hueco cuando está movió su peso de una pierna a la otra.

—Es sobre el incidente de la otra noche —Alessia metió una mano en uno de los múltiples sacos que cargaba en su persona—. No sé vosotros, pero soy más feliz cuando sé qué tipo de monstruos hay en nuestro gremio... Y desde el primer día he pensado que tiene que haber alguna razón para que Arvel la trate así. Y no termino de creerme toda esta historia de la huérfana sin magia.

—¿Qué estás insinuando? —dijo Ethan con una seriedad cortante.

A su lado, Nahuel se inclinó sobre la mesa, sus ojos clavados en las manos de Alessia. La curiosidad se desbordaba por sus ojos. Pero su expresión seguía fría.

—¿Alguna vez has escuchado de un Volkai sin magia aparte de ella? Me imagino que no, porque no existen — Alessia sacó la mano del saco, y con sus afiladas uñas negras plantó la más pequeña de las botellas sobre la mesa. Estaba llena de un líquido rojo oscuro. Ethan ladeó la cabeza, incrédulo—. No sé si nos está mintiendo o si de verdad cree que nació sin magia, pero no me gusta tener semejante misterio en nuestro gremio, especialmente cuando nuestras vidas podrían depender de ella.

—¿Eso es sangre? —preguntó Ethan, a pesar de que ya sabía cuál era la respuesta.

Alessia asintió.

—Le tomé una muestra mientras la llevábamos al hospital. He notado que se cura sorprendentemente rápido así que dudo que la herida siguiese abierta cuando despertó.

—¿Qué piensas hacer? —preguntó Nahuel.

—Lo que vosotros queráis, he venido a contaros mis sospechas. Pero no iré contra los deseos del gremio.

—¿Qué puedes hacer con la sangre? —preguntó Ethan después de unos segundos de silencio. Sería un necio si negase las palabras de Alessia. Él mismo se había dado cuenta de la peculiaridad de la situación de Chi y todo lo que la rodea.

—Hay rituales que pueden indicarnos si Kenra tiene de verdad magia o no —señaló la botella—. Su sangre es necesaria para llevarlo a cabo. Solo necesito tiempo para conseguir el resto de los ingredientes.

—¿Eso le hará daño?

Alessia mantuvo sus ojos clavados en los de Ethan, sin emoción alguna.

—Siempre y cuando ella esté durmiendo lo peor que le puede pasar es que tenga pesadillas. Nada mucho peor de lo que Zafrina pueda haberle hecho ya.

—¿Y si está despierta? —inquirió Nahuel.

—Siempre y cuando esté durmiendo... —repitió Alessia, mientras sus ojos reptaban entre ambos jóvenes—. Kenra estará bien.

—¿Cuánto tiempo necesitas para conseguir el resto de los ingredientes?

—Un par de días.

Nahuel y Ethan compartieron una mirada. Los dos querían saber qué había escondido detrás de Kenra, detrás de aquella Magistrada a la que llamaba madre, y detrás de Arvel, siempre bajo su túnica de sombras.

—Avísanos cuando tengas los ingredientes.

Era bien entrada la mañana cuando Hikami llamó a la puerta de aquel edificio en ruinas que Chi llamaba casa. La mujer observó con el ceño fruncido las enredaderas que trepaban por el ladrillo, colándose por los viejos marcos de las ventanas y las cañerías. Era imposible que aquel lugar estuviese bien insolado. Detrás de ella, Jack y Rax sujetaban un baúl entre los dos. No era grande, pero pesaba demasiado como para que cualquiera de los dos guardias quisiese cargarlo por su cuenta.

La puerta se abrió con una lentitud chirriante y Chi se quedó de pie en el umbral, tan nerviosa como sorprendida.

—Hola —saludó con voz queda. La última conversación que tuvo con Hikami empezó a repetirse en su mente y un rubor intenso le subió por el cuello hasta las mejillas—. No sabía que veníais de visita.

—Te estamos trayendo tu uniforme para el Torneo —dijo Hikami, colocando una sonrisa radiante en su rostro, a pesar de que ella también estaba pensando en la conversación que tuvieron en el hospital... y muchas otras cosas—. Vamos chicos, llevad el baúl a su habitación.

Los guardias asintieron mientras la mujer se hacía a un lado para dejarles pasar.

—Es la primera puerta del segundo piso, a la derecha —dijo Chi—. Gracias.

—No hay de qué, princesa —dijo Jack, con una sonrisa.

Ambos guardias entraron en la casa y caminaron hasta las escaleras, dejando a Chi y Hikami todavía de pie en la entrada. El silencio duró unos largos segundos en los cuales Chi no pudo hacer nada más que evitar la negrura de los ojos de la Magistrada.

—Siento mucho todo lo que dije —habló por fin, sin aliento, con los ojos clavados en sus pies descalzos—. Estaba muy... abrumada y no sé de donde vinieron todas esas emociones. Siempre estaré eternamente agradecida por todo lo que has hecho por cuidarme. Sin ti no estoy segura de lo que habría sido de mí.

Los labios de la mujer se curvaron en una mueca triste, casi dolorida, ante las palabras de Chi. Si solo supiese lo mucho que Hikami le debía.

—Oh, mi niña —dijo la Magistrada, dando un par de pasos hacia Chi. Le acarició la mejilla con el dorso de su mano, admirando aquellos ojos que tanto quería, que tanto la asustaban—. No te disculpes, decir que estabas teniendo un mal día no termina de hacerle justicia a lo que tuviste que pasar. Siempre has sido la niña más dulce y considerada... Sería egoísta de mí esperar que, después de todo lo que has sufrido no expresases aunque fuese solo un poco de dolor. Y lo cierto es que tienes razón. No he sido una muy buena madre... Tal vez es por eso por lo que nunca he considerado tener hijos propios; por miedo a no poder mantenerles a salvo en este mundo de monstruos en el que vivimos.

—Hikami...

—Chi, sé que no es mucho; pero quiero que sepas que hice absolutamente todo lo que pude para sacarte de la Zona Central. Hay muchas cosas que no puedo explicarte, mucha política en el Palacio, y entre muchas otras razones, el consejo no estaba por la labor de mantener el Torneo aplazado durante mucho más tiempo... Por eso aceptaron el reporte de tu líder de gremio con tanta rapidez —Hikami hizo una pausa, intentando tragarse el nudo que se había formado en su garganta—. Cada día que el Torneo no comienza, es un día en el que la Academia y los peces grandes del mundo pierden dinero. Lo siento.

Chi abrazó a la mujer, sintiéndose tan mal, tan estúpida, por todo lo que le había dicho en el hospital. Era obvio que sus palabras le habían hecho daño, porque nunca antes había tenido que darle semejantes explicaciones, jamás se había disculpado por cosas que estaban fuera de su control.

—No te disculpes, por favor.

—Nunca más te olvides de lo mucho que te quiero. ¿Entendido?

—Entendido —respondió Chi. Se apartó de Hikami con una sonrisa de oreja a oreja—. ¿Podemos ir a ver el uniforme?

—Por supuesto.

Jack y Rax estaban sentados en la cama de Chi cuando ella y Hikami entraron en la habitación. Habían dejado el baúl en frente de la puerta, como si hubiesen dejado caer el mueble en cuanto tuvieron la oportunidad. La joven caminó alrededor del obstáculo y se sentó entre los dos hombres.

—¿Cómo te encuentras? —preguntó Jack.

—Mejor, nerviosa —admitió observando a Hikami inclinarse sobre el baúl. Su pelo cayó a un lado de su rostro, como una cortina de seda negra. Las cerraduras doradas del baúl chascaron cuando la mujer las abrió, antes de enderezarse—. He estado tan concentrada en mi entrenamiento que no me había parado a procesar que mañana empieza el Torneo hasta hace solo un par de días.

—Me imagino que tiene que ser una experiencia surrealista, especialmente a tu edad.

—A cualquier edad —corrigió Rax, con voz ronca.

—Cierto... Nosotros nos presentamos a las pruebas de entrada ambos años antes de graduarnos y solo eso ya se sentía como si estuviese soñando —Jack dejó escapar un suspiro, sin perder la sonrisa.

—Suficiente reminiscencia —dijo Hikami de pronto. Había puesto las manos sobre sus caderas, poniendo los brazos en jarra—. Salid para que pueda ayudar a Chi a vestirse, o ¿Pretendéis que lo haga con vosotros en la habitación? ¡Vamos, afuera!

—Sí, Magistrada —dijeron ambos al unísono levantándose.

Rax le dio a Chi un apretón en el hombro antes de salir, cerrando la puerta a su espalda.

—Te juro que son unos charlatanes imposibles. Desde que ya no viven contigo en el sector les tengo que tener encima de forma constante y ¡Oh, por los Espíritus, son insoportables!

—En el fondo te gusta no estar sola —dijo Chi aguantándose la risa mientras levantaba la tapa del baúl—. ¿Qué es todo esto?

—¿Creías que te iba a dejar vestir cualquier harapo durante el Torneo? —Hikami negó con la cabeza, entrecerrando sus ojos almendrados— El Torneo, entre otras cosas, es un espectáculo... y eso les darás.

Chi se desvistió y dejó que Hikami le pusiese el uniforme. Lo primero que sacó del baúl fue un corsé de un material negro, parecido al cuero, pero sorprendentemente elástico. La siguiente pieza fueron unos pantalones hechos del mismo material. Eran extremadamente cortos, tanto que Chi dudo que cumpliesen su propósito.

Hikami sacó unas botas del baúl, altas y tan pesadas que la mujer las dejó caer con rapidez frente a Chi, haciéndole una seña para que empezase a ponérselas. Tenían unas plataformas substanciales, dándole a Chi unos centímetros más de altura. Las puntas eran de acero y desde el tobillo hasta la rodilla la tela estaba reforzada con armadura negra, lustrosa, y puntiaguda.

La joven apretó las correas que adornaban las botas, estrechándolas sobre sus piernas. Le llegaban hasta la parte alta de sus muslos; como si fuesen la parte faltante de los pantalones.

Una vez hubo apretado bien las correas de las botas, se puso en pie y se alzó una rodilla hasta el pecho. No tenía ningún problema moviéndose y no parecía que fuesen a soltarse fácilmente, pero pesaban más que cualquier cosa que hubiese vestido antes.

A continuación, Hikami la ayudó a colocarse una armadura parecida a la de las botas. La pieza se aseguraba enganchándose sobre el corsé, protegiéndole el torso y los hombros. La armadura tenía dos hombreras puntiagudas, de las cuales Hikami enganchó una capa del color de la sangre al secarse, con una capucha lo suficientemente amplia como para esconder su rostro y pelo por completo.

Chi se preguntó si alguna vez haría uso de aquella capucha durante el Torneo o si era solo una decoración.

Hikami le dio unos guantes, del mismo material que su corsé, con una serie de correas que iban atadas alrededor de sus brazos, sujetando pequeños bolsillos y fundas para diferentes tipos de cuchillos y armas.

—Y la última pieza del rompecabezas —murmuró Hikami mientras levantaba un tahalí de cuero rojo. Se lo colocó sobre los hombros haciendo que le cruzase el pecho en diagonal. La mujer cogió una de las armas que había enfundadas en el arnés, descansando sobre el metal negro de la armadura—. Hablé con tu líder de gremio sobre el tipo de arma que preferirías durante el Torneo y me dijo que te gustaban los cuchillos de lanzar y pensé que esto sería perfecto. Son agujas —la Magistrada le tendió el arma a Chi, dejando que la examinase. Parecía una aguja gigante, prácticamente una estaca, de un material duro, frío y lechoso, como cristal nublado. Llevó una de sus manos enguantadas hasta la punta y se sorprendió ante aquel filo puntiagudo—. Era el arma preferida de mi hermana cuando ella participó en el Torneo hace muchos años. Como tienen forma de aguja más que de cuchillo se clavan con mucha facilidad y son extremadamente ergonómicas.

—No sabía que tenías una hermana —dijo Chi, alzando la mirada con sorpresa.

—No hablo mucho de ella... murió hace años. Pero estoy segura de que le encantaría que utilizases sus agujas, son su legado.

Chi enfundó el arma de vuelta en el arnés y vio que en el baúl todavía quedaba un cinturón con más agujas de diferentes tamaños.

—Gracias, de verdad —dijo Chi—. Te daría un abrazo, pero creo que eso no es muy seguro ahora mismo.

Hikami dejó escapar una risa rápida.

—Por qué no dejas que Jack y Rax te vean, van a estar impresionados.

Antes de salir por la puerta Chi abrió su armario y se miró en el espejo que colgaba de la puerta. La joven inspiró con fuerza mientras se veía por primera vez y lo que vio fue una desconocida. Vio a alguien preparada para matar, alguien que imponía una presencia que no era la suya, una sombra afilada y una belleza letal.

Le gustaba; se sentía poderosa... Le asustaba.

¿Era capaz de ser la chica del espejo durante el Torneo? ¿O era solo una niña jugando con disfraces?

Capítulo 32

Chi *no consiguió pegar* ojo aquella noche, y por el galopar del corazón de Kilyan, supuso que él tampoco. Se quedaron tumbados bajo las sabanas durante horas acurrucados el uno contra el otro, hasta que la joven dejó escapar un suspiro entrecortado.

—¿Estás despierta? —susurró Kilyan tan bajo que si hubiese estado dormida, no se habría despertado. Chi, todavía rodeada por los brazos del joven, se dio la vuelta para mirarle y le regalo una sonrisa pequeña, cansada—. ¿Nerviosa?

—Mucho, ¿Y tú?

—Más de lo que esperaba.

Compartieron palabras sin alzar la voz, pues no querían perturbar la quietud de la noche. En las penumbras los ojos de ambos parecían brillar con luz propia. Chi alzó una mano hasta su rostro y le acarició la mejilla, antes de pasarle los dedos por el pelo. El joven ladeó la cabeza para sentir la caricia, sin querer que terminase.

—¿Qué te preocupa? ¿A caso no eres uno de los alumnos más fuertes del Torneo?

—Mi fuerza no es lo que me preocupa —respondió, apartando sus ojos de ella. Chi frunció el ceño.

—¿Entonces que te preocupa? —preguntó—. Aunque no pueda ayudar, al menos deja que intente hacerte sentir mejor.

Kilyan sopesó la oferta durante unos segundos interminables. Por primera vez, en mucho tiempo, sentía miedo. No fue hasta que sintió la mano de Chi aferrándose a su antebrazo, que el doloroso palpitar de su corazón pareció relajarse por fin. Los dedos de la chica eran cálidos y la fuerza de su apretón le hizo sentir... a salvo.

—No me resulta fácil hablar de este tipo de cosas —admitió—. Nunca he tenido a nadie de confianza, alguien con quien pudiese compartir mis pensamientos.

—Lo sé y si no te sientes lo suficientemente cómodo como para hablar de ello, no pasa nada. Solo quiero que hagas lo que sea que te haga sentir mejor —Chi soltó su brazo para poder devolver la mano a su rostro. Ella sonrió—. No estás solo.

Aquella sonrisa le atenazó el corazón, obligándole a dejar escapar un suspiro entrecortado. Lo que sentía por ella le ahogaba, como un océano sin fin.

—Tengo miedo de que tu opinión de mí cambie cuando comience el Torneo. La razón por lo que esto entre nosotros ha funcionado es porque no sabías quién soy —Kilyan alzó la mirada y sus ojos se clavaron en los de Chi, severos—. Si hubieses sabido quien soy, jamás te habrías acercado.

—Puede que tengas razón. Pero ahora te conozco y eso no lo puede cambiar nada —Chi colocó su mano contra la del chico, uniendo sus palmas y las alzó entre ellos—. Los espíritus nos unieron cuando decidieron darnos este regalo.

Kilyan cerró la mano de Chi y se la llevó al pecho, donde su corazón latía desbocado.

—En el fondo sé que eso es cierto, pero me llaman el Anacreón por algo, Chi; y no es por mi buen corazón. Tengo que pelear por mi gremio y cuando veas lo que puedo hacer... Tengo miedo de que tú también empieces a verme como lo hace el resto del mundo, con esos ojos...

—Cuando entre en el estadio por primera vez y el mundo entero me mire con asco y desprecio ¿Tú me mirarás como si fuese una paria? ¿Como el ser inferior que el resto del mundo cree que soy?

—No, no eres inferior ni a mí, ni a nadie.

—Y tú no eres una mala persona. Aunque eso sea lo que ellos crean, aunque te hayan bendecido con un nombre nacido de la miseria.

Kilyan sonrió y enjauló a la joven con los brazos, escondiéndola contra su pecho. Chi le devolvió el gesto, abrazándole y con una mano comenzó a trazar círculos en su espalda.

—Cuando nos veamos en el Torneo, puede que no pueda mirarte o sonreírte. Aun así siempre estaré pensando en ti.

—Yo también —respondió ella hundiendo su rostro aún más contra Kilyan. El latir de su corazón parecía estar calmándose y aun así, el suyo seguía desenfrenado—. Gracias.

—No —Kilyan pasó los dedos por el pelo, estrechándola lo más cerca que pudo—. Gracias a ti.

Naeko llamó a la puerta a primera hora de la mañana y no se sorprendió cuando Chi la recibió completamente despierta.

—¿Naeko? ¿Qué estás haciendo aquí?

—Pensé que necesitarías ayuda para prepararte —Chi la observó de arriba abajo. Vestía ropa de calle, una camisa y unos pantalones oscuros. Naeko alzó una ceja y bajó la mirada hasta su ropa—. Yo voy a ir vestida así, pero este es tu debut así que hemos pensado que te gustaría ir mejor vestida.

—Pensé que solo tenía que llevar mi uniforme.

—Hoy solo están reanudando el Torneo oficialmente y presentándote a ti y a la nueva chica de Millien; no va a haber ninguna pelea.

—¿Y no puedo llevar ropa como la tuya? —preguntó Chi haciéndose a un lado para que su compañera pudiese entrar.

—Por supuesto que puedes, pero Leon ha tenido una idea interesante —los ojos de Naeko resplandecieron durante un instante—. Quiere apostar por ti. Dice que si hoy vas vestida como una muñeca, todo el mundo pensará que eres solo una cara bonita, especialmente cuando anuncien que no tienes ningún tipo de magia.

—Entonces el público apostará por mi adversario, y si gano Leon hará mucho dinero.

—Exacto —Naeko sonrió. Chi había notado lo mucho que le gustaban este tipo de cosas... lo cual no era de dudar teniendo en cuenta que ella siempre ganaba—. Unos cuantos de nosotros le hemos dado dinero para que lo apueste con el suyo.

—¿De verdad estás tan segura de que voy a ganar?

—Probablemente —ambas subieron las escaleras hasta la habitación de Chi. Naeko espero a que la joven abriese la puerta y le hiciese una seña para que entrara—. La mitad de las ganancias serán tuyas.

Las cejas de Chi se dispararon hacia arriba, con incredulidad.

—Gracias...

—Gracias a ti. Nunca en la historia del Torneo ha habido apuestas tan fáciles de manipular. No solo eres una nueva adición a un gremio en un Torneo empezado, sino que eres un par de años demasiado joven y no posees magia —Naeko puso una mano sobre el hombro de la joven y le dio un pequeño apretón—. Vas a hacer mucho dinero en estos próximos días.

Chi sonrió ante la posibilidad. No había ningún tipo de trabajo en la Academia para los estudiantes... Era una escuela demasiado prestigiosa, ninguno de los alumnos necesitaba limosna; incluso aquellos que venían de familias menos privilegiadas. Por eso, Chi jamás había hecho su propio dinero. A pesar de que nunca le había faltado, la idea de tener cualquier tipo de ahorros le ponía los pelos de punta.

—Vamos a prepararte antes de que se haga tarde.

Juntas tuvieron que buscar hasta llegar al fondo más oscuro del armario de Chi, donde todos sus vestidos se encontraban escondidos y amontonados, junto con otras prendas que la joven nunca había considerado vestir.

Naeko sacó un vestido tras otro y los observó con ojos entrecerrados. Chi advirtió que la joven debía de estar utilizando su magia, ya que nadie ejercía semejante concentración solo para decidir qué vestir.

—Tu color favorito es blanco —dijo Naeko de pronto,

tirando sobre la cama todos los vestidos de colores que había estado sujetando sobre su antebrazo. No era una pregunta.

—¿Sí?

—He encontrado el vestido perfecto —gran parte de su cuerpo se sumergió de vuelta en el armario y en pocos segundos salió, enderezándose, con un vestido blanco en las manos.

Se lo tendió, con una sonrisa casi imperceptible. Chi cogió la prenda y la alzó entre ambas, estudiándola. Era precioso, tan femenino y delicado que no tuvo ninguna duda sobre por qué se encontraba perdido en las profundidades de su colección.

—¿Estás segura de que no es demasiado... bonito?

—El plan es vestirte como a una muñeca —dijo Naeko—. No te preocupes.

Chi suspiró y dejó que su compañera saliese de la habitación para que se vistiera. La tela era suave y tenía mucho movimiento a pesar de lo ceñida que era alrededor de su torso. La falda tenía un corte profundo que dejaba al descubierto una porción alarmante de su pierna izquierda y las mangas eran cortas, airadas, enmarcando sus clavículas. El escote, a pesar de ser profundo, era sorprendentemente modesto gracias a un pequeño lazo que mantenía la tela ajustada.

Se arrodilló al lado de la mesilla de noche y metió un brazo debajo de la cama buscando con dificultad hasta que su mano golpeó algo duro. Hizo una pequeña mueca antes de arrastrar la pesada caja de madera por el suelo. La abrió con cuidado, dejando al descubierto una maraña de collares y pendientes. Solo había uno que estaba guardado con cuidado, una gargantilla de oro que Hikami le había dado en una de sus primeras visitas. "Es un tesoro" Le había dicho, "Una reliquia familiar... cuídala y te traerá suerte". El collar tenía una gran gema iridiscente, cuyos colores bailaban entre morados oscuros y profundos azules. Chi alzó la joya hasta un rayo de sol mañanero que se colaba por la ventana y esta comenzó a relucir de un rojo intenso.

Lo colocó alrededor de su cuello antes de levantarse.

Se miró en el espejo del armario y al igual que el día anterior, lo que vio en su reflejo la sorprendió. Pasó las manos por su vestido y ladeó el cuerpo para poder mirarse desde diferentes ángulos... Sus mejillas se encendieron cuando se dio cuenta de que Kilyan estaría allí cuando la presentasen.

Se preguntó qué pensaría cuando la viese... ¿Se quedaría sin aliento? ¿Apartaría la mirada? Chi sacudió la cabeza, recordándose que tenía otras cosas en las que pensar, como los otros ojos que tendría encima.

"Todos los ojos" Pensó, con amargura.

Le abrió la puerta a Naeko, que alagó su aspecto antes de empezar a peinarla. Le recogió el pelo en un moño alto y dejó unos cuantos mechones sueltos, de forma metódica, dándole un aspecto más casual, más natural.

—Lista —anunció Naeko al rato dando un paso hacia atrás—. Toda una obra de arte.

—Gracias.

—Creo que hemos terminado justo a tiempo de ir a encontrarnos con el resto.

—¿Tengo que traer algo conmigo o...?

—Nada —Naeko entrelazó su brazo con el de Chi y comenzó a guiarla hacia la entrada—. Intenta no preocuparte demasiado y... acuérdate de respirar.

Juntas subieron hasta la taberna y continuaron bajando por la calle principal, hasta llegar al muro norte de la ciudadela, el más estrecho de todos. Las casas de aquella zona estaban prácticamente en ruinas, sin tejados ni ventanas; muchas de ellas habían perdido varias paredes. Pero no había escombros en ningún sitio y tanto hierba como flores crecían sobre los ladrillos y la piedra de los edificios. Frente a ellas se alzaron unas puertas de madera, de varios metros de altura. Chi recordaba haber pasado frente aquel lugar durante sus carreras matutinas; pero nunca se le ocurrió preguntar a donde iban, simplemente asumió que se trataba de otra salida al bosque que les rodeaba.

El gremio entero estaba allí, esperándolas.

Ethan, Ebony y Nahuel se encontraban al frente del grupo, acompañados de dos guardias de brillante armadura cuyos rostros estaban ocultos bajo cascos ornamentados. Los ojos de Chi recorrieron a cada miembro de su gremio. Leon estaba entre Mael y Melibea, los cuales sonreían a lo que sea que el chico les estaba contando. Su mirada se cruzó con la de Melibea, a pesar de la sonrisa en su rostro sus ojos estaban apagados, enmarcados por bolsas negras. Apartó la vista devolviendo su atención a Leon.

Chi dejó escapar un suspiro y continuó escaneando el grupo hasta dar con la sombra que había estado buscando sin darse cuenta. Como siempre, Arvel estaba de pie a un lado... Una sombra ajena a las conversaciones y risas que le rodeaban. Sus ojos gélidos estaban clavados en Chi, sus pupilas poco más que unas rendijas negras en hielo.

Kobu apareció frente a la joven, bloqueando su visión.

—Estás... diferente —dijo, con el ceño fruncido—. No sé si me gusta.

Chi le observó durante unos largos segundos. Vestía igual que lo hacía siempre, a excepción de una pesada capa de algo que ella identificó como pieles de lobo.

—Gracias —respondió—. ¿No tienes calor?

—Soy de Frysterra, siempre tengo calor. Ponerme un poco más de ropa no hace demasiada diferencia.

—Eso lo dices porque no puedes oler tu propio sudor —susurró Naeko, mientras pasaba por su lado para ir hasta Rhonda.

—¿Perdona? —exclamó el Lobo, pero la joven ya se había escabullido hasta su compañera, que observaba a Kobu con dagas en los ojos, provocante, como si quisiese empezar una pelea—. Menudo par...

—Si te hace sentir mejor, yo tengo muy buen olfato y no hueles tanto.

—¿Tanto? —exclamó una vez más, sintiéndose cada vez más atacado. Chi comenzó a reírse, llevándose una mano hasta la boca y Kobu no tardó en empezar a reír con ella. Ambos carraspearon, al notar como las puertas comenzaban a abrirse—. Pareces mucho menos preocupada de lo que pensaba que ibas a estar.

—Estoy aterrada —admitió después de unos segundos—. Pero estoy intentando disimularlo.

—Buena idea.

Su gremio emprendió el camino a través de las puertas, escoltados por los guardias... Como si alguien fuese a huir en un momento de pánico.

Fueron recibidos por unas cuantas líneas de árboles. Pero pronto, lo que se abrió ante ellos no fue más que un desierto árido. El bosque rodeaba aquella zona como un gigantesco anillo verde, del cual comenzaron a salir más alumnos a los cuales Chi no reconoció. "Otros gremios." Pensó para sí misma. Escudriñó los rostros en la distancia, todos apelotonados con sus propios compañeros, alejados de todos los demás. Justo a la derecha de su gremio, se encontró con unos ojos violetas.

Kilyan la miró, con un rostro duro e impasible, como si no la conociese, como si nunca la hubiese visto antes... Pero entre toda esa frialdad, vio, a pesar de la distancia, el más sutil de los rubores coloreándole las orejas. Sus miradas se desviaron y para disimular la sonrisa que se había forzado en su rostro, Chi alzó la mirada al cielo y allí, alto en el cielo sobre sus cabezas, estaba el estadio.

El Estadio del Cielo.

El estómago de Chi dio un vuelco ante aquella gigantesca construcción que flotaba entre las nubes; entonces se dio cuenta de por qué la tierra estaba árida bajo sus pies. Allí era donde el estadio había descansado en algún momento del pasado.

—¿Cómo se supone que voy a llegar hasta allí? —preguntó Chi, sin poder disimular la ansiedad en su voz.

Justo entonces, tanto sus compañeros como el resto de los alumnos de la Zona Central empezaron a transformarse o hicieron crecer sus alas para alzar vuelo.

Zafrina dejó escapar una risa mientras pasaba al lado de Chi. Sus ojos se encontraron, un par saturado por ansiedad y el otro por burla. El cuerpo de la chica mutó, la Volkai desapareció y una salamandra alada apareció. Su cuerpo era completamente negro, pero olas de brillantes colores fluorescentes recorrían aquella negrura como pulsaciones hipnóticas. Zafrina alzó vuelo, cortando el aire con un silbido agudo.

Una criatura de pesadillas.

Kobu puso una mano sobre el hombro de la chica, mientras ella observaba a sus compañeros desapareciendo entre las nubes.

—De eso me ocupo yo.

El joven se arrodilló y se transformó. Al igual que la última vez, su forma de dragón la dejó sin aliento. No era tan grande como recordaba, pero aun así, ver a un lobo de semejante estatura hacía que su corazón saltase. Tenía las patas delanteras dobladas, inclinado hacia delante, invitando a Chi a subir.

Sus ojos amarillos brillaban con inteligencia. Chi se acercó al dragón y trepó por su cuello hasta estar sentada sobre su nuca. Hundió las manos en el pelaje tan suave como áspero, como púas de seda.

—Gracias —susurró hundiéndose en su pelaje.

El Lobo se levantó y se sacudió igual que haría un perro mojado. Al ver que la joven seguía pegada a él, dejó escapar un bufido y sacudió sus pesadas alas, alzando vuelo.

Chi se agazapó a un más contra el cuerpo del lobo al sentir la fuerza implacable del viento tirando de ella hacia atrás. No tardó en intentar respirar y se encontró luchando por cada bocanada de aire, que se negaba a llenarle los pulmones.

Y entonces, tan rápido como había empezado aquella experiencia tan fantástica como aterradora, Kobu aterrizó con brusquedad en una gran plataforma que sobresalía de un lado del estadio. Volvió a doblar sus patas delanteras y Chi se deslizó por su lomo hasta tocar el suelo.

Se sentía ligeramente mareada y sin aliento.

Frente a ellos se abría un largo túnel iluminado por antorchas; y al final una luz cegadora. Chi podía escuchar el estruendo de miles de voces del otro lado del túnel, más allá de sus compañeros que caminaban hacia los vítores. Kobu caminó hasta ella, de vuelta a su forma Volkai, y se detuvo a su lado.

—¿Lista?

Chi le miró, sin saber qué decir. Pasó las manos por su cabello, pero gracias a la naturaleza desorganizada de su peinado, el viento no había parecido causar demasiados estragos. Alisó su vestido y respiró hondo.

—Lista —mintió.

Juntos entraron en el túnel y caminaron en silencio. Con el ruido ensordeciendo sus sentidos y la ansiedad ahogándola, supo que no estaba preparada.

No estaba preparada para la hostilidad que caracterizaba a su especie. No estaba preparada para caminar hacia aquella luz y exponerse al mundo como el engendro que era. Quería darse la vuelta y salir corriendo, volver atrás en el tiempo y decirle que sí a Kilyan, que si quería huir y empezar una vida nueva en el continente, lejos de toda aquella locura.

La mano de Chi se cerró alrededor de la capa de Kobu, dejando a la vista lo que su aspecto ocultaba: una niña aterrada e insegura. El chico notó aquel tirón y puso una mano en su espalda... No supo qué decir.

Tenía toda la razón para estar asustada... Aquel era el final de su tiempo en el limbo.

Pasaron a Arvel de largo, que se encontraba reclinado contra la pared de piedra, todavía en las sombras. Chi sintió sus ojos sobre ella y el aire pareció perder cualquier tipo de calidez durante unos instantes.

Ebony y Ethan se separaron del grupo para acercarse a ella, con los rostros pintados de pena y compasión. Chi frunció el ceño.

—Tu primera vez en la arena siempre será la más abrumadora, pero no vas a tener que hacer nada más que estar ahí de pie —dijo Ebony—. No tienes nada de lo que preocuparte.

Ella asintió, pero no pudo encontrar la voz para contestar. Escoltada por sus compañeros, Chi cruzó la luz. Al final del túnel había un gran palco con asientos a cada lado y suficiente espacio como para que el gremio entero pudiese asomarse a la arena.

Leon, Mael y Melibea se encontraban pegados contra la barandilla, saludando con entusiasmo a las gradas que se alzaban a una buena distancia sobre ellos.

—Sonríe —susurró Ethan, mientras él y Ebony saludaban a su lado.

Se vio a sí misma y a sus compañeros reflejados sobre el espacio aéreo de la arena, como reflejos en un espejo gigantesco, intangible. Chi obedeció, dibujando una sonrisa humilde en su rostro.

El estadio era una gran construcción ovalada, con la arena en el centro, rodeada de gigantescos muros de piedra en los cuales se encontraban los palcos y sobre ellos, las gradas, tan grandes y llenas de gente bulliciosa que por un segundo el corazón de Chi se detuvo.

Cientos, miles de ojos estaban sobre ella, observándola, juzgándola.

En aquellos espejos que flotaban sobre la arena, frente al público, apareció el rostro de Kilyan, más severo de lo que le había visto nunca, y a su lado estaban Isis y Nitocris, saludando a las masas con vehemencia. Ambas compartían la misma tez lechosa, casi grisácea y ojos negros como el carbón.

Chi se acercó a la barandilla y se asomó. El estadio era realmente una construcción colosal, el lugar más grande que hubiese visitado nunca. Gracias a la altura de los muros y la amplia superficie de la arena, la joven estimó que había suficiente espacio para cinco o más dragones.

Había docenas de palcos adornando las paredes, la mayoría de ellos se encontraban desiertos... pues a aquellas alturas del Torneo, solo quedaban seis gremios. A su derecha, a dos balcones de distancia, se encontraban los miembros de Millien. Y directamente frente a ella, del otro lado de la arena y por encima de cualquier otro palco, se encontraba Hikami, sentada en un trono al lado de un hombre que Chi reconoció como Yarak Yule, el Director de la Academia. Era un hombre imponente y de aspecto impoluto. Vestía un traje azul oscuro que dejaba destacar el gran medallón dorado que descansaba sobre su pecho con la insignia de la Academia.

Hikami le miró y se tapó la boca para susurrarle algo. La expresión del hombre no titubeo y sus ojos no se separaron de sus rostros en el cielo... Chi tuvo la sensación de que la estaba mirando directamente a ella.

Alrededor de ellos se encontraban sentados otros hombres y mujeres que Chi reconoció como el Consejo gracias a las túnicas rojas que vestían.

—¡Bienvenidos, bienvenidos! —exclamó una voz estruendosa, haciendo que Chi saltase en su sitio. Los ojos de la joven bajaron hasta el centro de la arena, donde un hombre vestido con un traje rojo y dorado alzaba sus brazos hacia el cielo—. ¡Gracias a todos los que habéis venido a celebrar la reanudación del Torneo y gracias a aquellos que observan desde sus casas! ¡Esto es algo que todos hemos estado esperando con ansia! —el público aclamó con semejante energía que Chi sintió el estadio agitarse bajo sus pies—. ¡Mi nombre es Wilson y, como siempre, seré vuestro anfitrión durante el Torneo!

—Es la hora —dijo Naeko, dándole un toquecito a Leon en la espalda.

—¡Por favor, dadles un gran aplauso a las dos nuevas alumnas de la Zona Central, Isis Ariadne y Kenra! —el público volvió a vitorear con fuerza, mientras Wilson aplaudía.

Isis hizo crecer sus alas y voló hasta el presentador, posándose a su lado con rapidez.

—Kenra —la llamó Leon. El joven había abierto un agujero en el aire, igual que el que hizo en la taberna—. Es un portal, solo tienes que entrar.

—Respira hondo —Ebony le frotó la espalda, empujándola hacia la negrura del portal.

Cerró los ojos y dio un paso adentro... bajo sus zapatos notó un suelo blando, moldeándole el pie. Abrió los ojos y allí estaba, en el centro del estadio sobre la arena. Dio un paso más y el agujero se cerró a su espalda.

—¡De Millien, Isis, la hermana pequeña de la bien conocida Nitocris! —Wilson agarró la muñeca de Isis y tiró de ella hacia arriba, desencadenando una ola de aplausos y gritos. La Araña alzó su otro brazo, saludando a las gradas—. ¡Isis, estudiante del Sector del Sigilo, fue escogida personalmente por ni más ni menos que el Anacreón! ¡UN GRAN HONOR! — gritó, apenas haciéndose oír por encima del público. Chi miró a Kilyan de reojo, que observaba al presentador con una expresión peligrosa—. ¡Si tiene la mitad de talento que su hermana, su valía será indiscutible!

Isis continuó saludando, con una sonrisa larga y bien cuidada, antes de volar de vuelta a su palco.

—¡Y ahora os presento al enigma de la Zona Central, cuyo reclutamiento recibió el escrutinio de las tres naciones! —Chi miró a Wilson cuya expresión energética era difícil de descifrar. Tenía el cuello cubierto de sudor y el pelo bien engominado, casi sólido. El público se había quedado en silencio, esperando algún tipo de explicación por parte del presentador. Chi sintió el peso de todos esos ojos sobre ella, pero hizo todo lo que pudo para no encogerse. Se sentía tan expuesta, tan vulnerable—. ¡Kenra, la huérfana de la Academia, la niña sin magia ni linaje! —antes de que Wilson pudiese agarrarle la muñeca como hizo con Isis, Chi cruzó los pies e hizo una profunda reverencia—. ¡Preciosa, una verdadera joya! —exclamó el hombre, aplaudiendo con vehemencia mientras Chi volvía a incorporarse. El público aplaudió con recelo. Miró a su palco con nerviosismo. ¿Cuánto tiempo más tendría que estar allí de pie?—. ¡Sé lo que estáis pensando! ¿Una Volkai incapaz de transformarse y utilizar magia? ¡Inaudito! ¡Sin embargo, según lo que hemos escuchado, Kenra es el prototipo perfecto de los jóvenes estudiantes del Sector del Sigilo; rápida, sigilosa y letal!

Al lado de Chi reapareció el portal de Leon; y sin perder un segundo Chi entró, volviendo de vuelta a su palco.

—¡Debido a las trágicas circunstancias por las que el Torneo tuvo que ser pausado, el Consejo ha decidido restaurar los marcadores de cada gremio! ¡Este será un nuevo comienzo para todos nosotros, para cada alumno de la Zona Central; nos olvidaremos de todos los puestos anteriores y todos tendrán la oportunidad de resurgir de las cenizas, más poderosos que antes! —Chi observó cómo los miembros del público se alzaban aplaudiendo sobre sus cabezas y como los miembros de cada gremio se miraban, con euforia—. ¡¿Qué nos depara el futuro del Torneo y las nuevas adquisiciones de la Zona Central?! ¡Un misterio que no puedo esperar para resolver y estoy seguro de que ustedes tampoco! ¡Gracias, gracias por acudir a este evento histórico y os prometemos que no os decepcionará! ¡Bienvenidos de vuelta al Torneo!

Fin

Agradecimientos

Llevo soñando con ser escritora desde que descubrí mi amor por los libros a los 12 años de edad. Desde entonces han pasado muchos años y he aprendido incontables cosas sobre como contar historias y escribir libros, pero lo más importante que he aprendido, es que no es algo que se pueda hacer solo.

Gracias a Alexander, mi compañero y media naranja. Sin ti jamás habría podido dar el paso que me ayudaste a dar. Sin ti nadie podría tener este libro en sus manos. Haces que cada día sea el mejor día de mi vida.

Gracias a mi familia, por apoyarme durante años y ayudarme a creer que mi sueño era más que solo eso, un sueño.

Gracias a Helena, Paola, Dux, Puni y todos nuestros demás amigos de Freak Show por estar conmigo desde el principio de ADD y hasta ahora. Vuestra amistad y vuestra ayuda me han salvado más de lo que jamás os podréis imaginar.

Gracias a mis lectores beta, Valeria, Anahi, Shelsey, Alexis, Kay y Zahlly, por leer mi libro de arriba abajo y ayudarme a pulirlo.

Gracias a Isabelle, por hacer mi visión una realidad.

Y sobre todo, gracias a mis lectores, por seguirme en esta aventura y mantenerme motivada. Gracias a todos vosotros que incluso ahora, mantenéis mi sueño vivo.

Gracias.

Sobre la Autora

Lucy Macrae es una autora de fantasía y ciencia ficción para jóvenes. Escribió su primer libro a los 13 años después de enamorarse de Crepúsculo y empezó a publicar sus historias en Wattpad a los 15 años de edad.

Cuando no está escribiendo, podrás encontrarla jugando videojuegos, dibujando, cantando canciones de Steven Universe o hablando de Star Wars.

Para saber más sobre Lucy, visita:

www.lucymacrae.com

O encuéntrala en sus redes sociales:

@ImLucyMacrae
@ImLucyMacrae
@ImLucyMacrae

Si ha disfrutado de la novela, considera dejar una reseña para apoyar a la autora,

La historia de

Volkai Institute

continuará en:

TORNEO DE MONSTRUOS

Volkai Institute 2

Ahora disponible:

A continuación disfruta de un adelanto exclusivo.

—¡Bienvenidos, bienvenidos, gracias por acompañarnos durante este gran día!

Chi se secó las palmas sobre su pantalón negro y se obligó a respirar hondo. Le dolían los pulmones. Vestía el uniforme que Hikami le había regalado y, a pesar de las náuseas que sentía, la armadura la ayudaba a fingir que se merecía estar allí, que quería estar allí.

—¡Después de un mes de espera, pensamos que sería buena idea reanudar el Torneo con una pelea especial, una pelea tan anticipada como reveladora! ¡Hoy, vamos a darles a las nuevas alumnas de la Zona Central la oportunidad de brillar ante el mundo y darse a conocer!

Chi llegó hasta la barandilla del palco y sus manos se aferraron al metal, haciendo que sus nudillos perdiesen todo su color. Detrás de ella, sus compañeros se encontraban sentados en sus asientos acolchados, con rostros impasibles. Ellos llevaban meses viviendo esa realidad, pero ella no.

—Para inaugurar este gran evento empezaremos con una pelea en pareja. De Millien, ¡las hermanas araña, Isis y Nitocris Ariadne! —El aire vibró con anticipación, incluso antes de que el estadio entero bramara en respuesta—. Y de Bershat, ¡el corazón del Crematorio, Ebony Daor, y el misterio de la Academia, Kenra!

Ebony se levantó de su asiento. Su rostro estaba pintado con determinación, nada de miedo o cobardía. Chi apartó la mirada, sintiendo cómo su estómago se retorcía dentro de ella, a punto de doblarla por la mitad.

—Es la hora. —La joven se detuvo al lado de Chi y puso una mano sobre su hombro—. Demuéstrales de lo que eres capaz.

Leon se acercó a ellas, con una sonrisa que chocaba con el aire severo que se había posado sobre el palco. Ambas se volvieron hacia el portal que el joven abrió frente a ellas. Los pies de Chi parecían haber echado raíces.

¿Desde cuándo pesaba tanto su armadura? ¿Desde cuándo hacía tanto calor?

—Chi —susurró Ebony. Sus ojos castaños se posaron sobre los de ella con una ternura que parecía imposible en el lugar en el que se encontraban—. Vamos a estar juntas, no te preocupes.

Chi asintió y devolvió su atención al negro espesor del portal que agrietaba el aire frente a ella. Un solo paso y ya no habría vuelta atrás.

«Ya no hay vuelta atrás», susurró una voz en su cabeza, tan bajo que casi no pudo escucharla.

Ebony puso una mano sobre su espalda y juntas entraron al portal.